北京古籍叢書

[清]周家楣　[清]繆荃孫　編纂

左笑鴻　點校

光緒順天府志

第三册

圖書在版編目（CIP）數據

光緒順天府志．第三册／（清）周家楣，（清）繆荃孫編纂；左笑鴻點校．— 北京：北京出版社，2018．2

（北京古籍叢書）

ISBN 978-7-200-13603-6

Ⅰ．①光… Ⅱ．①周… ②繆… ③左… Ⅲ．①北京—地方志—清代 Ⅳ．①K291

中國版本圖書館CIP數據核字（2017）第282311號

項目策劃：安　東　　項目統籌：許　可
責任編輯：喬天一　許　可　　責任印製：宋　超
裝幀設計：郭　宇

北京古籍叢書

光緒順天府志

第三册

［清］周家楣　［清］繆荃孫　編纂

左笑鴻　點校

出　版　北京出版集團公司
　　　　北京出版社
地　址　北京北三環中路六號
郵　編　一〇〇一二〇
網　址　www.bph.com.cn
總發行　北京出版集團公司
經　銷　新華書店
印　刷　北京京華虎彩印刷公司
開　本　八八〇毫米×一二三〇毫米　三十二
印　張　十點七五
字　數　一九五千字
版　次　二〇一八年二月第一版
印　次　二〇一八年二月第一次印刷

書號　ISBN 978-7-200-13603-6
定價　128.00圓

順天府屬總圖 每方五十里

東

西

九渡河
慶州界
懷來界
居庸關
永定河
保安界
明陵
昌平
沙河
清河
玉泉河
京城
南苑
房山
永定河
淶水界
拒馬河
涿州
新城界
大清河
固安
新城界
大清河
雄縣界

陽湖趙宏恭繪

大興縣圖方二百里每格十里經綫三十九度五十五分緯度依中綫

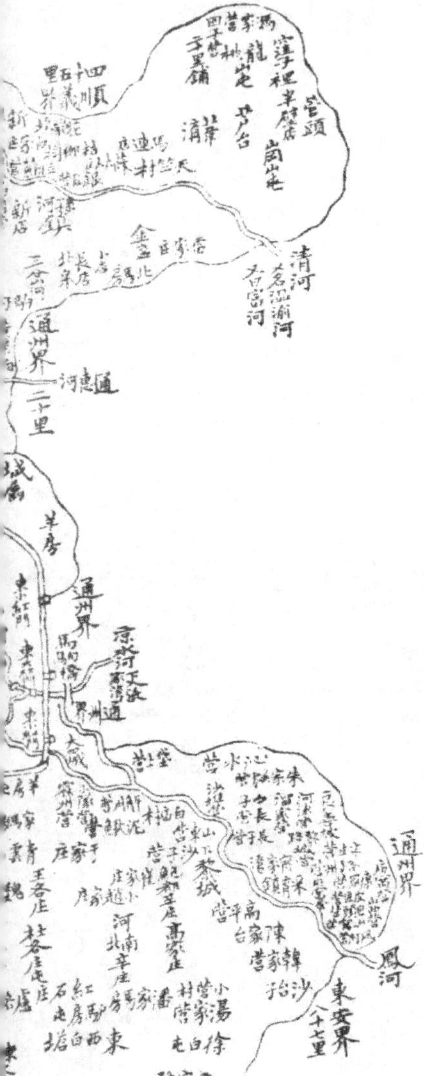

東

西

大興東除城屬八里外至通州界十二里西無管轄係宛平縣屬南除城屬二十四里外至東安界七十一里北除城屬十二里外至昌平界二十三里東南除城屬三十七里外至東安界五十里西南除城屬二十四里外至固安界七十四里東北除城屬十里外至順義界三十五里西北除城屬十二里外至昌平州界十三里陽湖趙宏恭繪

宛平縣圖

方二百里 每格十里 經綫三十九度五十五分緯度依中綫

西

宛平西除城屬十五里外至宣化保安界
一百七十五里至治二百七十里南除城
屬二十里外又除大興屬二十七里至固
安界五十五里至治六十七里北除城屬
十八里外至昌平界五里至州治四十五
里東無管轄係大興屬西南除城屬十五
里外至良鄉界三十里至治五十五里東
北無管轄係大興屬西北除城屬十五里
外至懷來界二百十五里陽湖趙宏恭繪

良鄉縣圖

方一百里 每格十里 經綫三十九度四十四分緯綫偏西三分

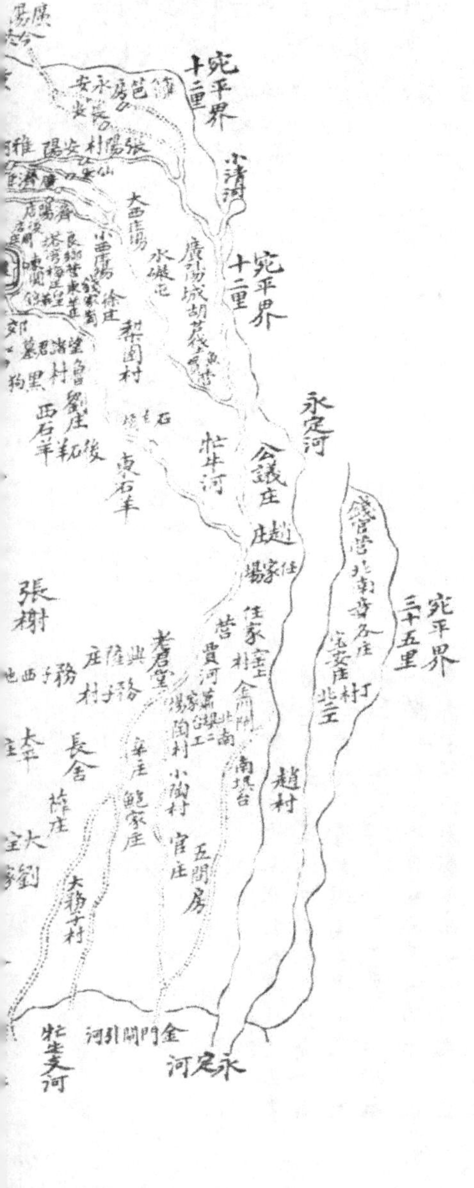

東

良鄉東至宛平界廣陽城十二里西至房山界庄窠村二十二里南至涿州界五十里北至房山界黄官屯十五里東南至宛平界南章各庄三十五里西南至房山界琉璃河鎮五十里西北至房山界二十里東北至宛平界篙笆房十二里

陽湖趙宏恭繪

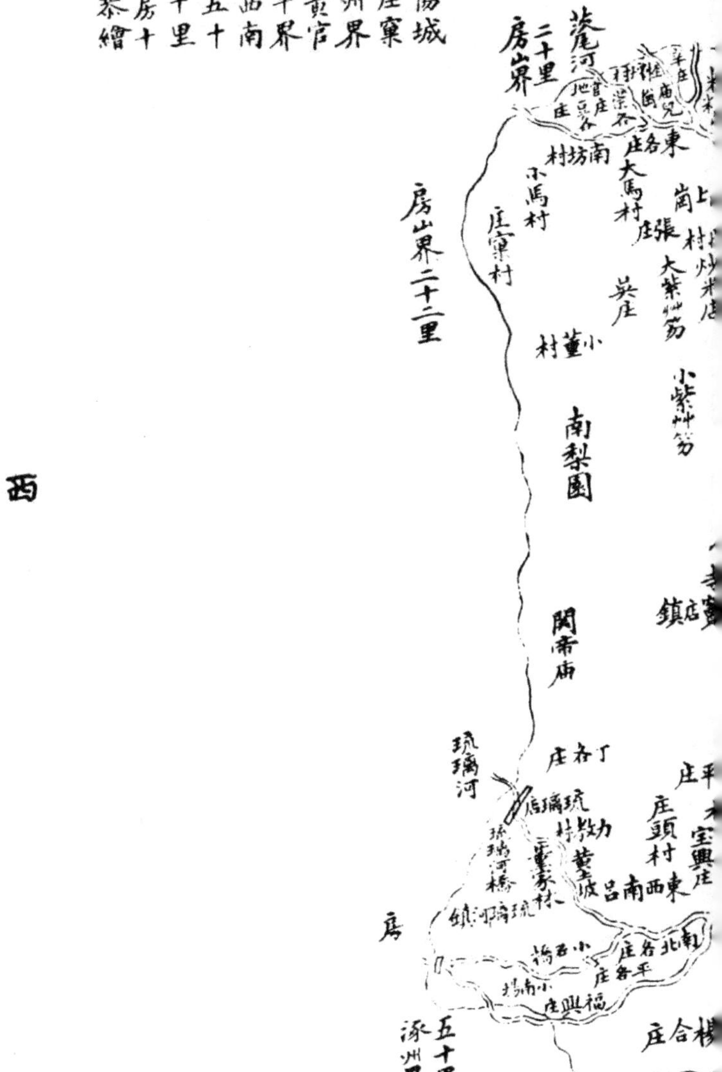

固安縣圖

方一百里
每格十里
經綫三十九度二十四分三秒緯綫西偏三分三秒

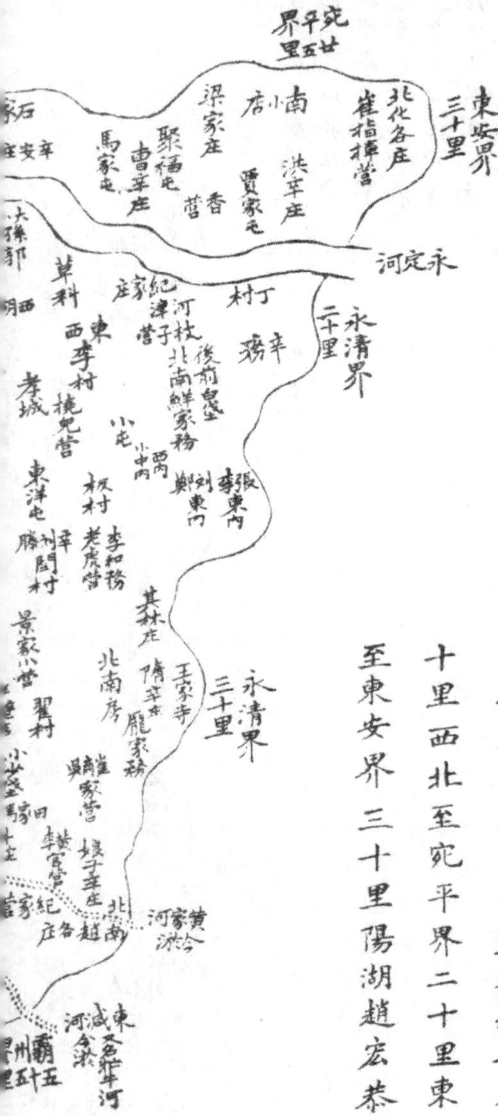

東

固安東至永清界二十里西至涿
州界三十里南至霸州界五十五
里北至宛平界十八里東南至永
清界三十里西南至新城縣界六
十里西北至宛平界二十里東北
至東安界三十里陽湖趙宏恭繪

西
永定河
三十里涿州界
拒馬河
新城界
門村
北趙庄
米各庄
州縣庄
崗頭
南趙庄
宮村
鄭各庄
楊先務
蘇家橋
南馬村
太子務
大辛庄
馬大爺
方城
杜家庄
大營
小集
固城
四姓庄
曹家庄
陳固城
白馬庄
北辛村
後屯
沙河口
賈各庄
魏家營
曹濟鎮
孟江
韓家庄
獨流
桃園
閆家庄
姚家村
楊家庄
林子裡
三公庄
李洪庄
團頭

永清縣圖 方一百里 每格十里 經綫三十九度二十一分三秒 緯綫東偏六分

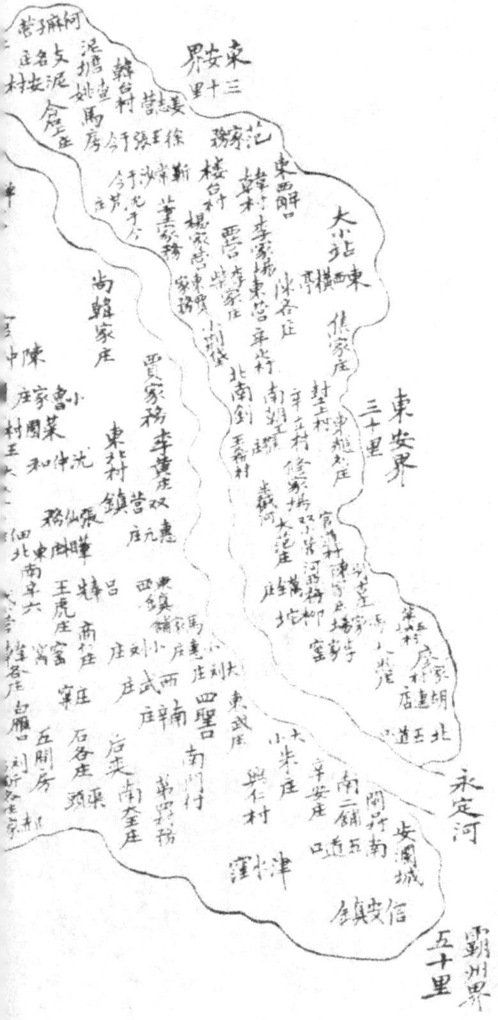

東

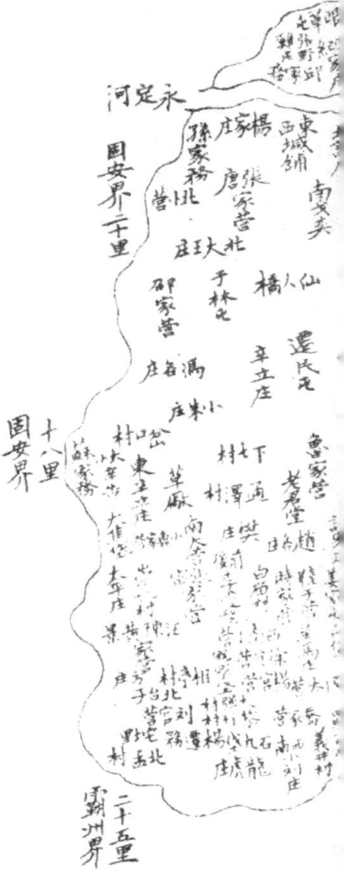

永清東至東安界三十里西至固安界十八里南至霸州界三十里北至東安界三十里東南至霸州界五十里西南至霸州界廿五里西北至固安界二十里東北至東安界三十里陽湖趙宏恭繪

西

東安縣圖方百二十里每格十里經綫三十九度二十五分緯綫偏東十九分

東安東至武清界十二里西至永清界十二里南至霸州靜海界各六十五里北至大興界五十里東南至武清界五十里西南至永清界四十里西北至大興界五十里東北至武清界三十里陽湖趙宏恭繪

東

南

西

大興界五十里
大興界五十里
永清界二十里
永清界四十里
永定河
石橋鎮
北南郭庄
胡家庄
小惠庄
青楊樹
西曹張庄
胡家庄
王家園
霸州界

香河縣圖 方一百里 每格十里 經綫三十九度四十六分三秒 緯綫偏東三十四分

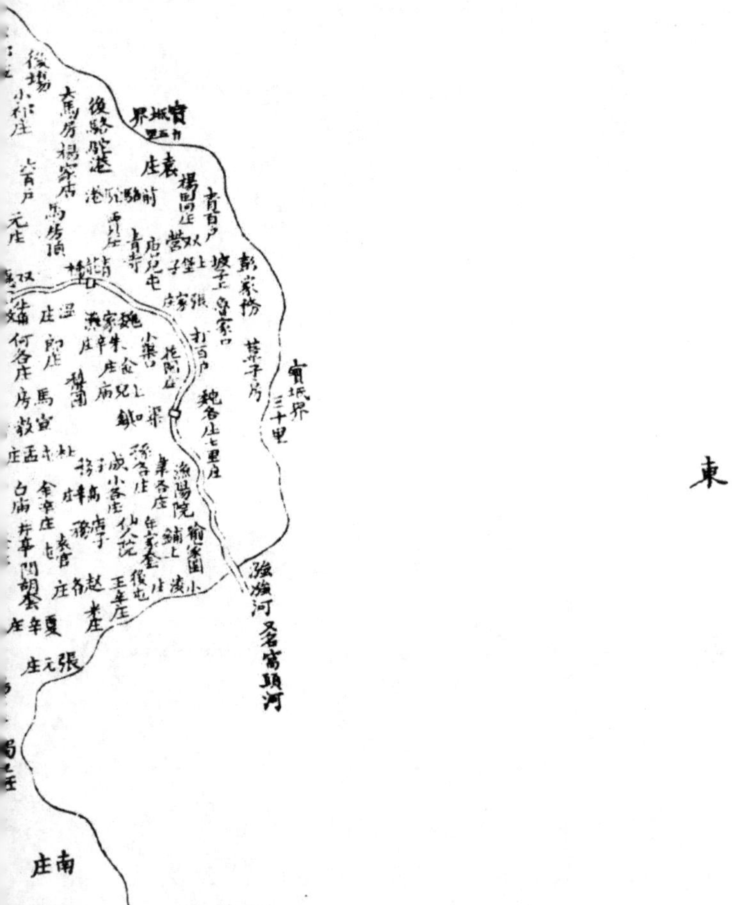

香河東至寶坻界三十里西至通州界十八里南至武清界五十里北至三河界二十五里東南至寶坻界五十里西南至武清界三十五里西北至通州界十八里東北至寶坻界二十五里陽湖趙宏繪

西
三河界
苗里
通州界十五里
俗名窩頭河
上接通州境
通州界十八里
運河
通州界
廿五里
河西務
武清界
卅五里
運河
五十里
武清界
烏兒窪
梁家務
西馬各庄
東馬各庄
馬庄
倉頭
北吳村
大沙務
大寺庄
南吳村
侯各庄
東儀
沙務
後營
朱庄
大王庄
香河
北崗
南台
草寺
王家渡
王家務
荒庄
柴庄
段庄
李庄
褚庄
打魚庄
馬神廟
羅庄
老後庄
新庄
土門樓
甘水圳
牛牧屯
賈庄
周庄
高庄

通州全圖 方百二十里 每格十里 經綫三十九度五十五分緯綫東偏十四分

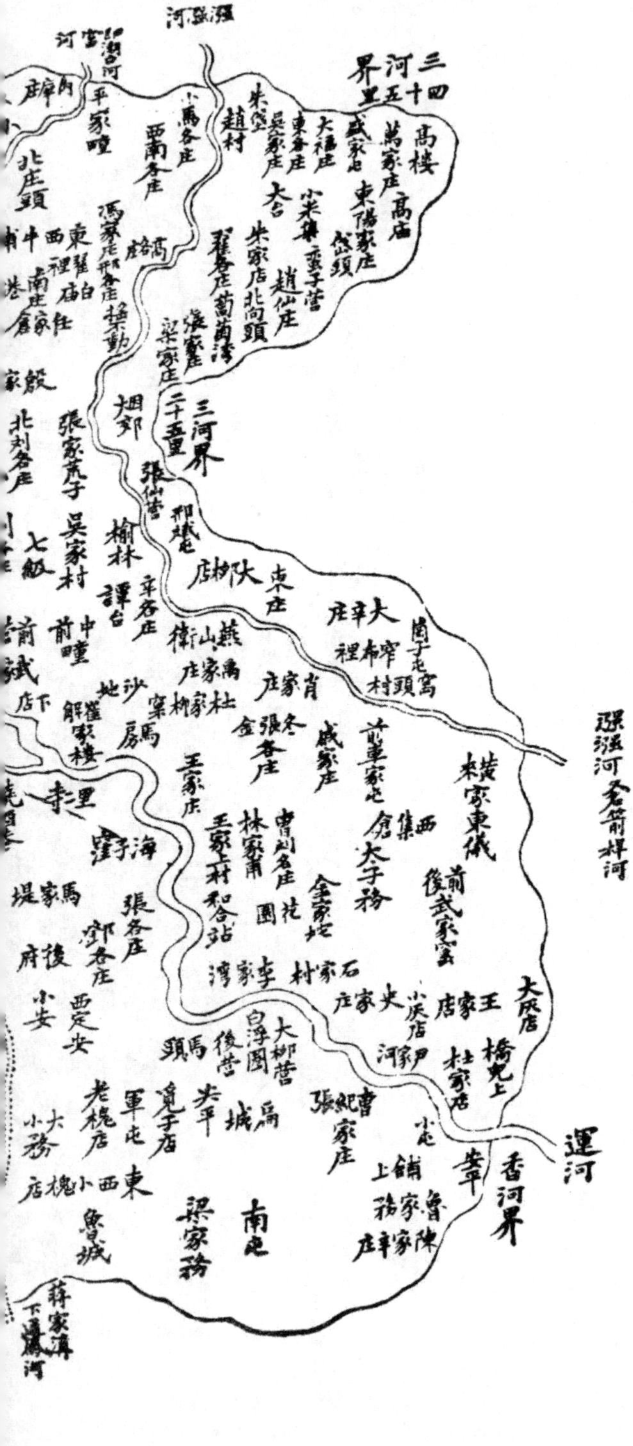

通州東至三河界烟郊二十五里西至大興
界新橋十八里南至武清界回回营七十里
北至順義界葛渠村二十五里東南至香河
界安平六十五里西南至馬駒橋六十五里
又至東安界六十五里西北至大興界廿五
里[illegible]北至三河界四十五里陽湖趙宏恭繪

三河縣圖 方百二十里 每格十里 經綫四十度〇十分 緯綫東偏三十九分

三河東至薊州界二十里西至通州界五十五里南至香河界三十里北至懷柔界六十里東南至宝坻界三十五里西南至香河界三十五里西北至順義界七十里東北至平谷界五十里陽湖趙宏恭繪

龍山
臥牛山
堡子山
鳳凰山
趙各庄
前後王會
小桑渠庄
桑渠庄
李布屯
西營
小段村
蘇家橋
白塔寺
小港
梁山庄
無樑閣
楊各庄
魯家庄
沙嶺
田各庄
盤龍山
狼山
車房
双營
趙家峪
黄辛庄
高樓倉
張家庄
鮑邱河
大山西庄
辛庄
曹家庄
樊村庄
南馬房
魏家屯
馬家庄
大石各庄
賀家庄
蔡各庄
大東關
毛家庄
河西營
宋各庄
新軍屯
西關
順義界七十里
通州界
香河界三十五里
西

寶坻縣圖 方百四十里 每格十里 經綫三十九度四十五分緯綫東偏五十三分

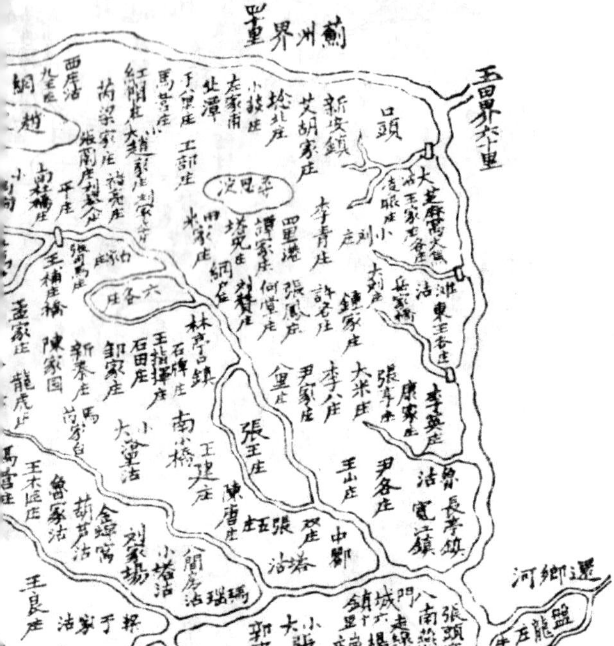

寶坻東至玉田界六十里西至香河界二十里南至天津界一百十里北至薊州界十五里東南至豐潤界七十里西南至武清界四十里西北至三河界四十里東北至薊州界四十里

陽湖趙宏恭繪

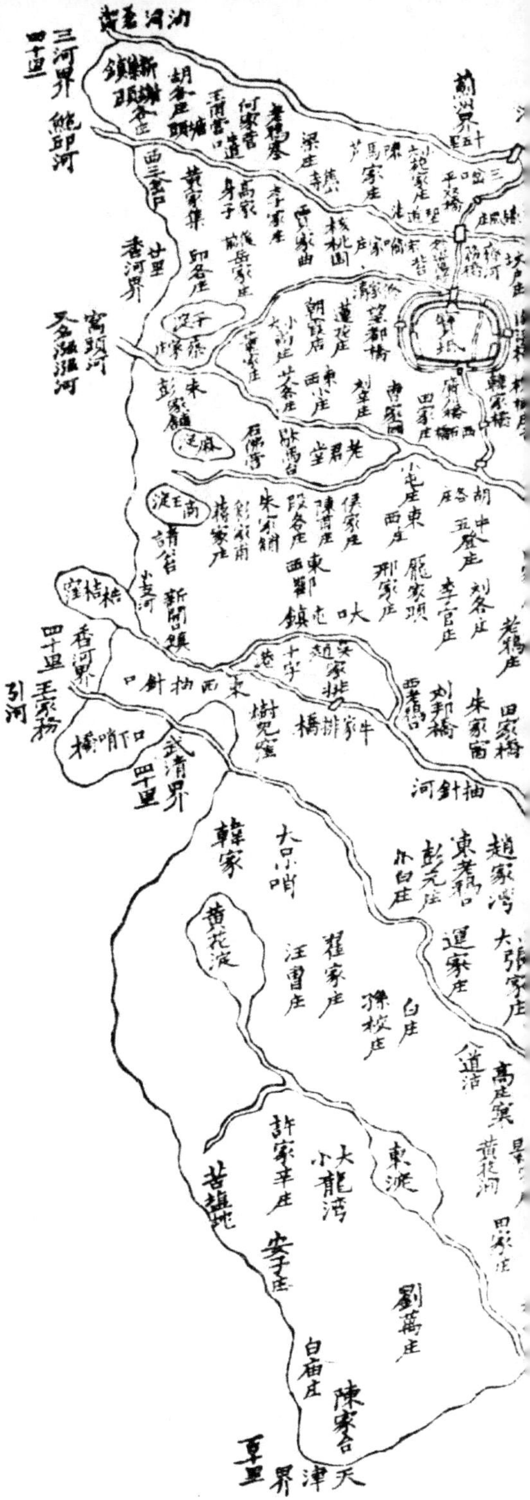

三河界四十里
鮑邱河
薊州界五十里
胡各庄
何家營
西三家店
黃家集
香河界廿里
窩頭河
彭家鎮
老君堂
朱家營
新開鎮
香河界四十里
王家務
引河
武清界四十里
抽針河
韓家
黃花淀
汪家庄
趙家灣
東老鴉口
彭元庄
大張家庄
八道沽
高庄窠
黃花河
白庄
許家辛庄
大龍灣
小龍灣
東淀
安子庄
劉萬庄
白廟庄
陳家台
天津界

西

甯河縣圖 方百里 每格十里 經綫三十九度二十九分五秒緯綫偏東一度〇十分

甯河東至豐潤界二十里西至宝坻界三十里南至天津直沽河界一百二十里北至宝坻界十五里東南至豐順界五十里西南至天津縣界軍粮台一百五十里西北至宝坻界三十里東北至豐順界四十五里陽湖趙宏恭繪

昌平州圖

方二百里 每格十里 經綫四十度零十三分五秒 緯綫西偏九分

昌平東至順義界五十里至縣治八十里西至懷來界一百十五里由大道至縣治九十里南至宛平界三十五里至縣治七十五里北至延慶界一百二十里由大道至州治九十里東南至大興界五十里西南至宛平界四十五里東北至懷柔界七十里西北至延慶界二十里由大道至延慶居庸關四十五里陽湖趙宏恭繪

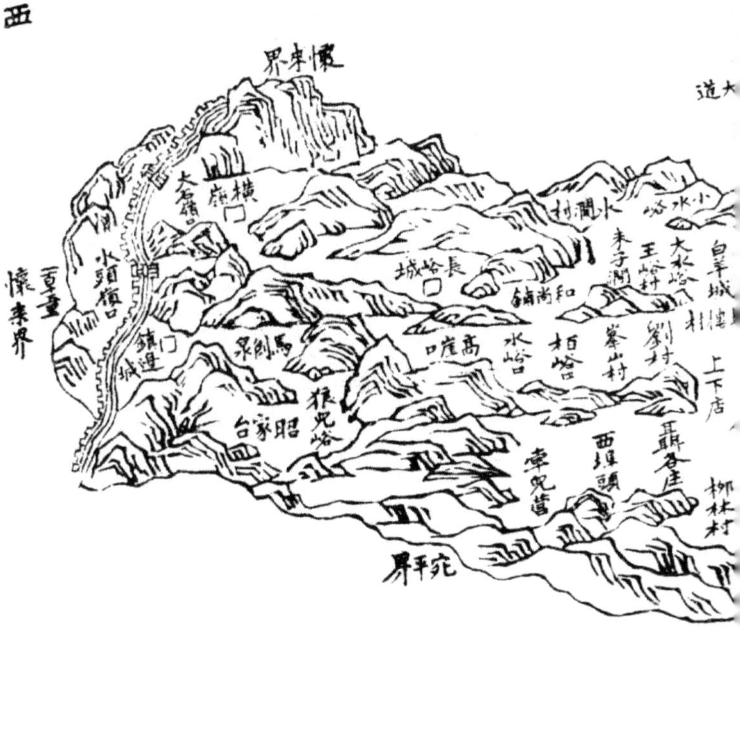

順義縣圖 方二百里 每格十里 經綫罕度〇〇九分緯綫東偏十三分

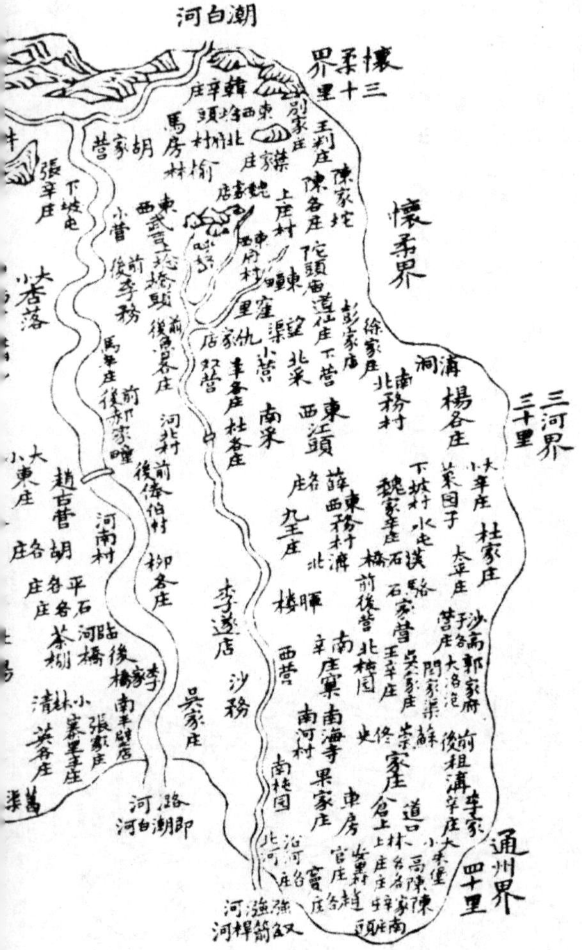

東

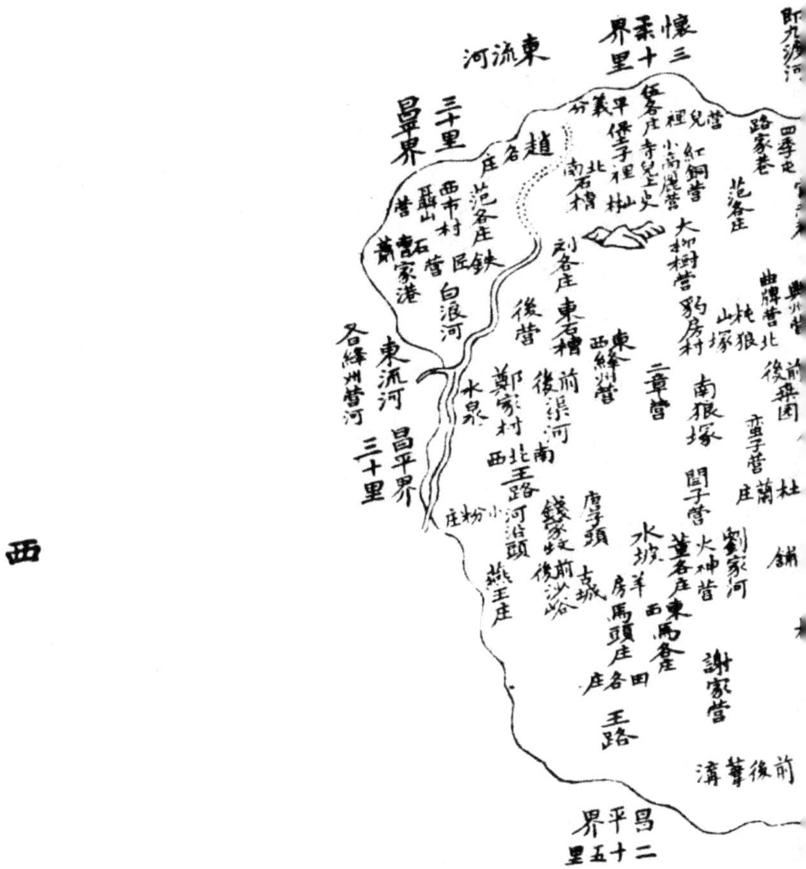

順義東至三河界三十里西至昌平界三十里南至大興界二十五里北至懷柔界三十里東南至通州界四十里西南至昌平界二十五里西北至昌平界三十里東北至懷柔界三十里東至楊各庄鎮三十里北至牛欄山鎮二十里東南至李遂店鎮二十里

陽湖趙宏恭繪

密雲縣圖

方二百里
每格十里

經綫四十度二十三分三秒緯綫偏東二十六分

密雲東至墻子嶺関九十里西至梨園庄二十里南至夾山庄二十五里北至白馬関一百里東南至漁子山一百里西南至王各庄十八里西北至河防口四十里東北至古北口一百里承德府界黑峪関一百六十里陽湖趙宏恭繪

懷柔縣界
四里
西
白馬關
黃土坑
白河源
二十里
懷柔界
十八里
懷柔界
懷柔界
二十五里

懷柔縣圖

方一百里 每格十里 經綫四十度十九分緯綫偏十二分

懷柔東至密雲界二十里至縣治四十里西至昌平界五里至州治八十里南至順義界十里至縣治四十里北至邊墻灤平界四十里東南至平谷界一百十里至三河界百里又至密雲界百里西北至昌平界四十里西南至昌平界十二里東北至密雲界五十里陽湖趙宏恭繪

涿州全圖　方一百里每格十里　經綫三十九度三十一分三秒緯綫西偏二十三分

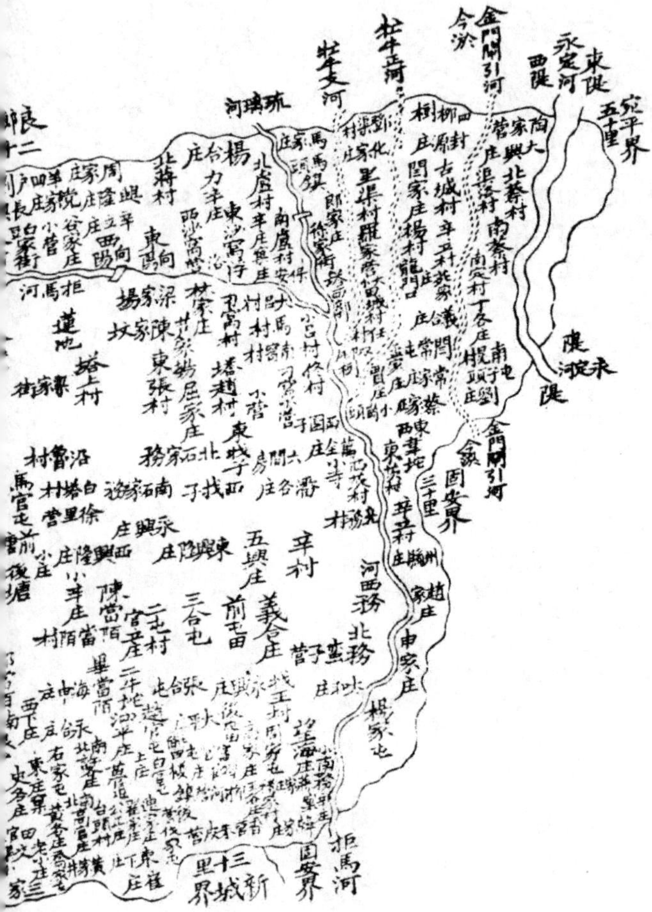

涿州東至固安界茨村三十里西至淶水界高村三十五里南至新城界張陳村三十里北至房山界北務村二十五里東南至新城界三十里西南至新城界三十里西北至房山界三十里又至三坡界一百八十里東北至宛平界五十里陽湖趙宏恭繪

西

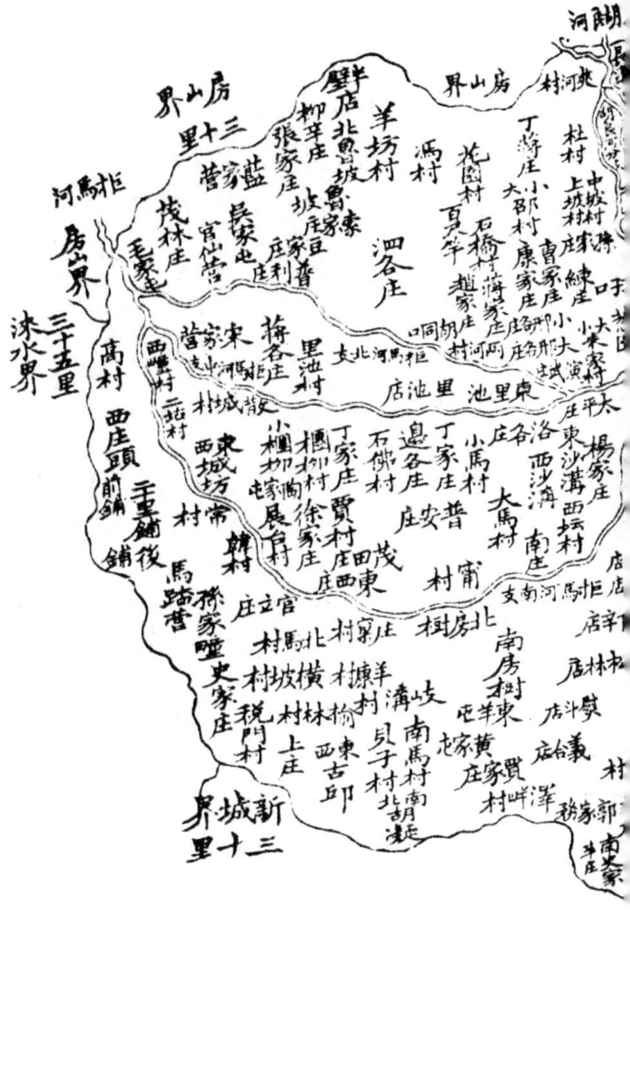

房山界
三十里
拒馬河
房山界
涞水界
三十五里
新城界
三十里
房山界
高村
西庄頭
前鋪
後鋪
三里鋪
馬踏營
孫家疃
史家庄
税門村
藍家營
茂林庄
長安屯
官仙營
毛家屯
張家庄
柳芽庄
半壁店
北魯坡
魯家坡
羊坊村
馮村
花園村
泗各庄
里池村
東里池
里池店
東城坊
西城坊
丁家庄
石佛村
遏各庄
小馬村
大馬村
洛各庄
東沙溝
西沙溝
楊家庄
西坛村
南庄
普安庄
賈村
徐家庄
長台村
常村
韓村
官立庄
北馬村
横坡村
榆林村
上庄
東古邱
西古邱
貝子村
南馬村
北房樹
南房樹
東羊屯
黄家屯
賈家庄
洋畔村
義合店

房山縣圖 方二百里 每格十里 經綫三十九度四十四分緯綫西偏二十二分三秒

西

房山東至良鄉界大董村十七里西至淶水界二百里南至涿州界長溝鎮三十五里北至宛平界潭子港五十里東南至良鄉界白草窪三十里西南至涿州界正子營六十五里西北至宛平界百花山一百八十里東北至宛平界孫高各庄五十五里蘆溝橋四十里陽湖趙宏繪

霸州全圖方二百里每格十里經綫三十九度〇八分三秒緯度依中綫

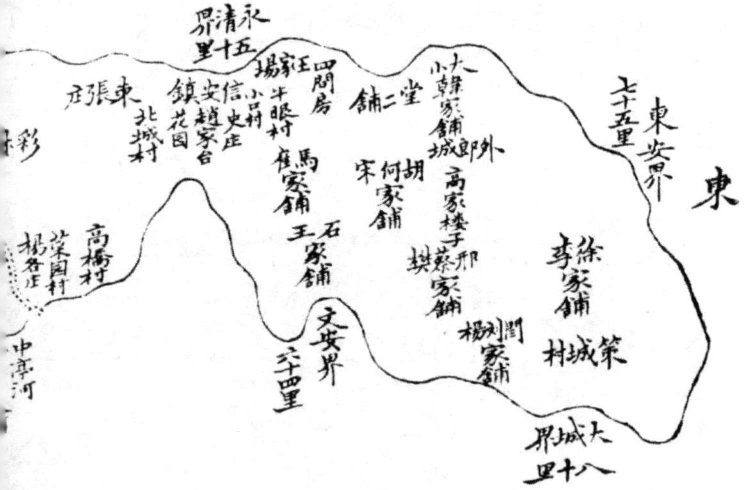

霸州東至東安縣界七十五里西至新城縣界二十里南至文安界三十五里北至固安界二十六里東南至文安界二十里西南至保定縣界二十五里西北至固安界二十里東北

固安界廿里
黄家河
固安界廿四里
永清界廿五里
新城界廿里
西
新城界廿六里
盧僧河
保定界廿五里
清河千里隄
南孟鎮
北落店
固子村
霸州
韓家庄
李家頭
文安界卅五里
高家頭
保定界四十五里
富莊屯
胡家屯
十間房

文安縣圖

方二百里每格十里

經綫三十八度五十四分三秒緯綫東偏五秒

東

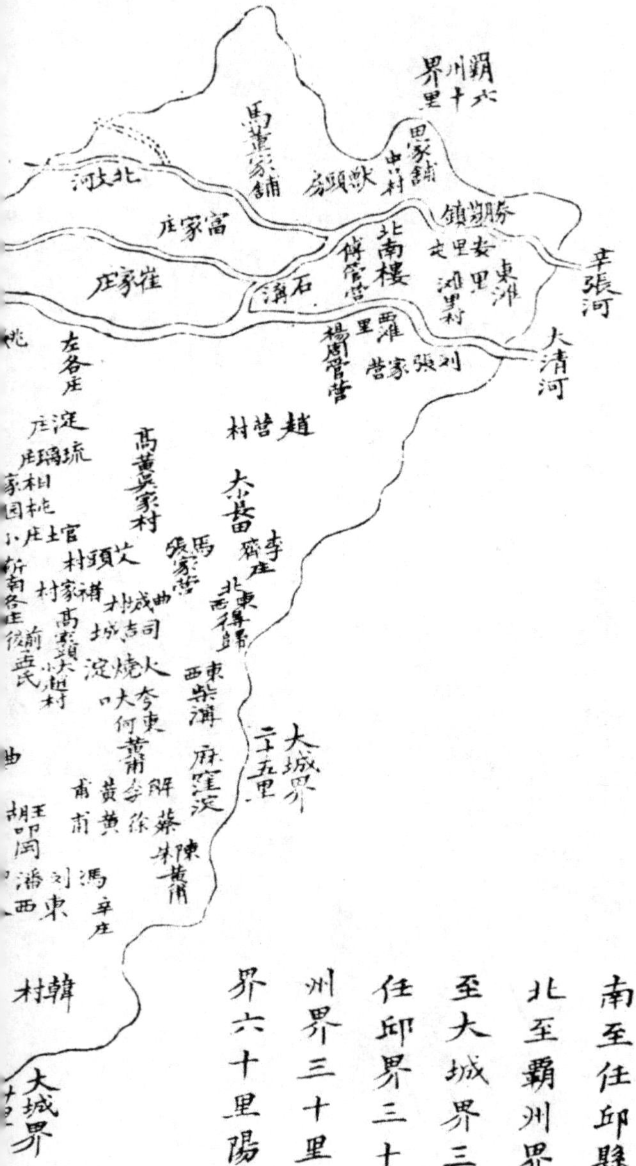

文安東至大城界二十五里西至霸州界二十五里南至任邱縣界二十五里北至霸州界四十里東南至大城界三十里西南至任邱界三十里西北至霸州界三十里東北至霸州界六十里陽湖趙宏恭繪

西
大清河
霸州界三十里
孔家務
豐台頭
胡家頭
韓家庄
楊家村
圍河鎮
廣陵城
霸州界二十五里
雄縣界廿里
任邱界卅里
文安

大城縣圖

方百四十里 每格十里

經綫三十八度四十四分緯綫東偏十四分

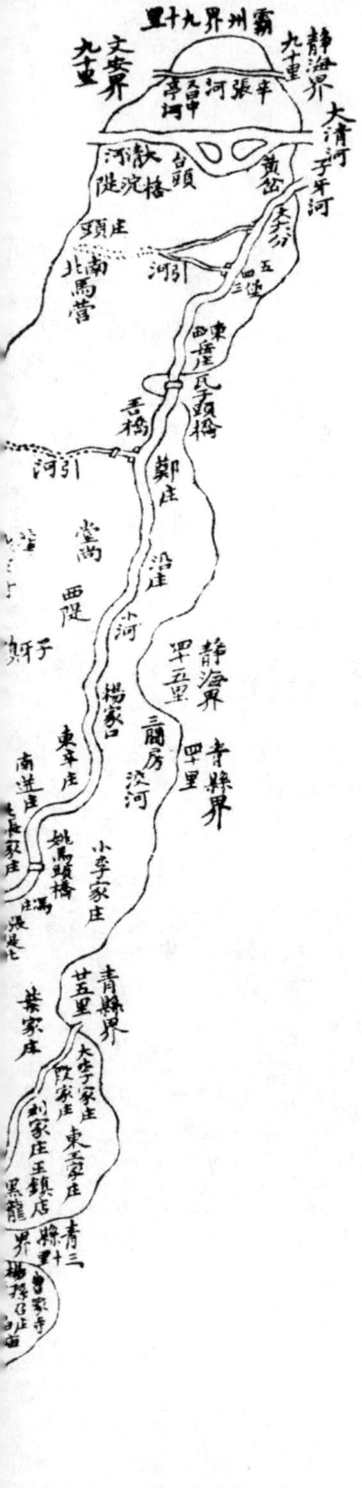

東

大城東至青縣界二十五里西至任邱縣界二十里南至青縣界四十五里北至文安大窪界二十五里東南至青縣界三十里西南至河間縣界二十五里西北至任邱縣界二十里東北至霸州界九十里至靜海縣界九十里王家口五十二里陽湖趙宏恭繪

西

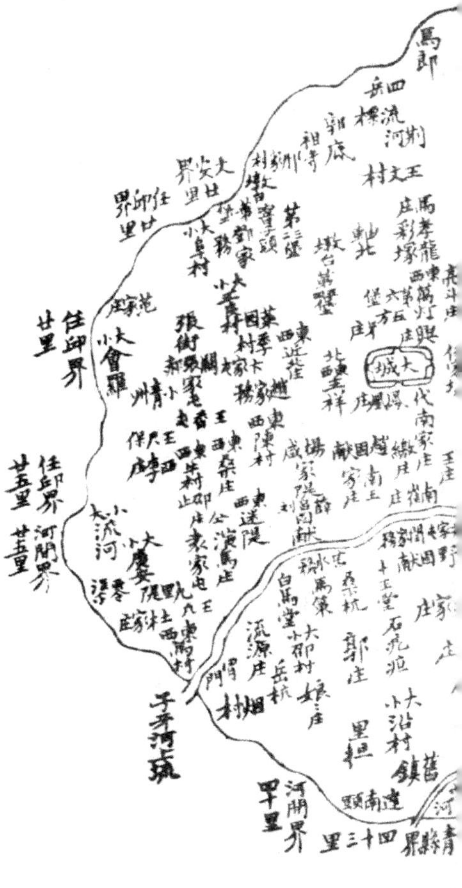

保定縣圖 方一百里 每格十里 經綫三十九度〇一分緯綫西偏一分

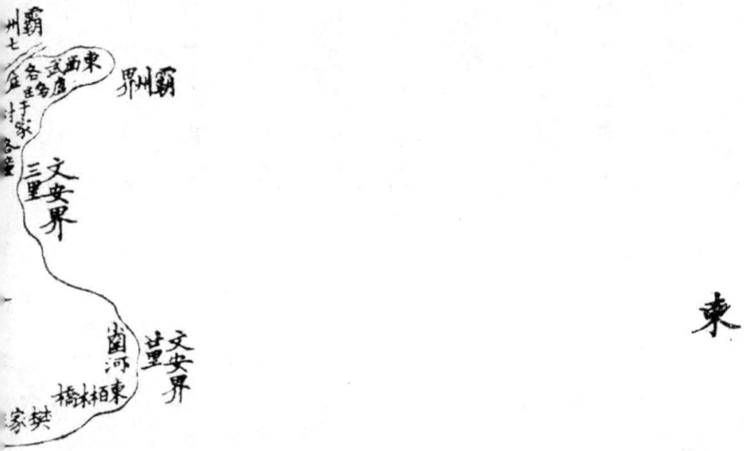

保定縣東至文安界三里至縣治四十五里西至雄縣界九里至縣治五十五里南至文安縣界十六里

文安縣界二十里西南至雄縣界二十里西北至新城縣界十五里東北至霸州界七里陽湖趙宏恭繪

薊州全圖 方百四十里每格十里 經綫四十度〇〇五分緯綫偏東五十九分

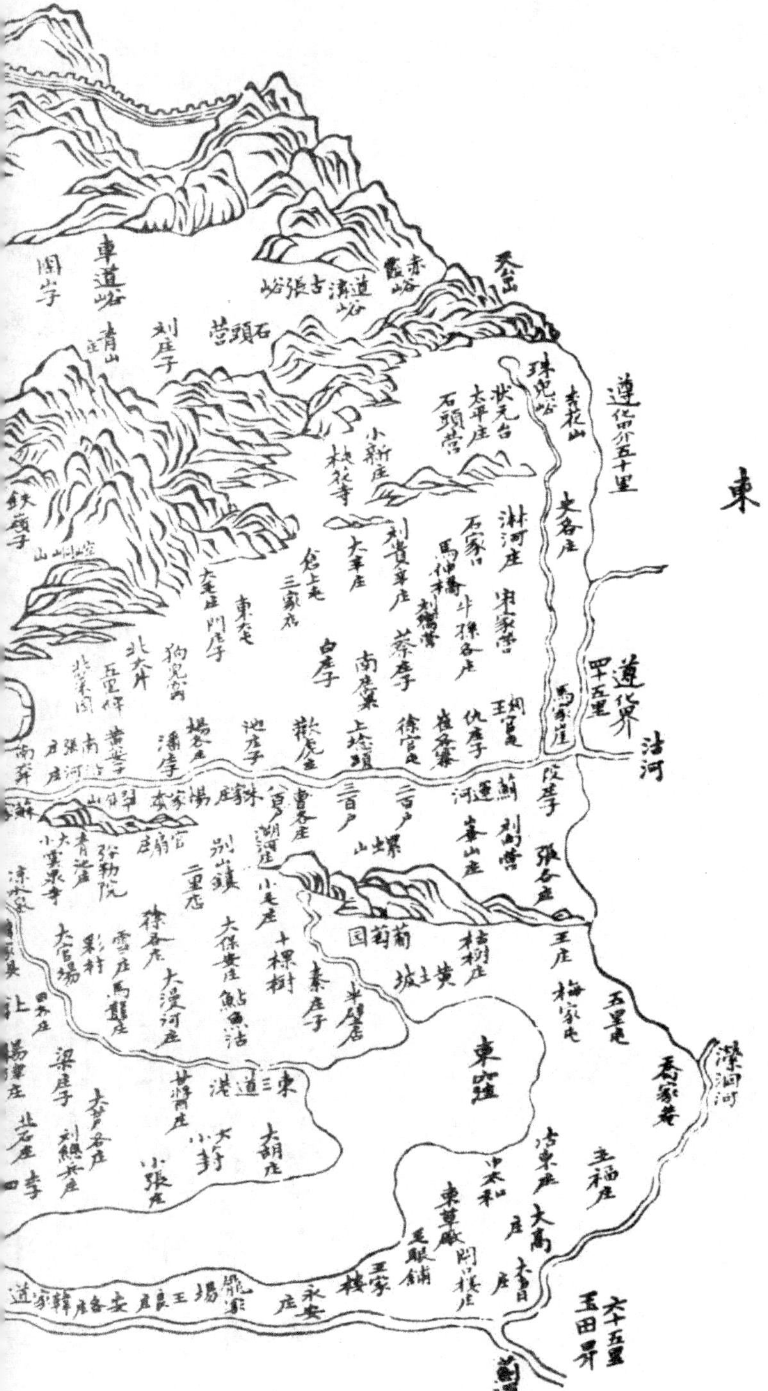

薊州東至遵化州界四十五里南至宝坻界六十里西至三河界五十里北至黄崖関六十里東南至玉田界六十五里西南至宝坻界七十里西北至平谷界六十里東北至遵化州界五十里陽湖趙宏恭繪

平谷縣圖 方一百里 每格十里 經綫四十度十三分 緯綫偏東四十五分

東

平谷東至薊州界三
十里西至三河界十
五里南至薊州界十
五里北至密雲界二

西

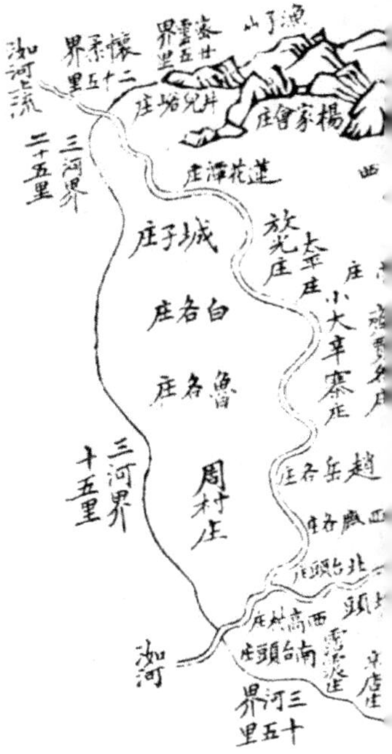

南至薊州界十五里
由小道繞至盤山四
十里陽湖趙宏恭繪

地理志一

疆域

江陰繆荃孫纂　大興屠寄覆輯

唐元和郡縣志，詳載四至八到里數，以考俶離，以論形勝，王存樂史，莫不因之，談地學者，以此爲善。順天領縣，因明之舊，後升遵化爲直隸州，升天津爲府，又分寶坻爲甯河，疆界時有改移，皆以今域爲據，後有分并，或可考焉。志疆域。

順天府：東至遵化州界，二百十六里；西至宣化府保安州界，二百三十里；南至天津府青縣界，三百一十三里；北至永平府灤平縣界，一百七十五里；東南至天津府天津縣界，二百里；西南至保定府新城縣界，一百七十里；東北至遵化州界，四百二十里；西北至宣化府延慶州界，一百三十里。東西廣四百七十六里，南北袤四百八十六里。采訪册。

大興縣：東除城屬八里外，至通州界，十二里；西無管轄，系宛平屬；南除城屬二十四里外，至東安縣界，七十一里；北除城屬一十二里外，至昌平州界，二十三里；東南除城屬三十七里外，至東安縣界，五十里；西南除城屬二十四里外，至固安縣界，七十四里；東北除城屬十里外，至順義縣界，三十五里；西北除城屬十二里外，至昌平州界，十三里。東西廣二十四里，南北袤一百七里。采訪册。

宛平縣：東無管轄，系大興縣屬；西除城屬十五里外，至宣化府保安縣界，一百七十五里；南除城屬二十里、又除大興屬二十七里外，至固安縣界，五十五里；北除城屬十八里外，至昌平州界，五里；東南無管轄，系大興屬；西南除城屬十五里外，至良鄉縣界三十里；東北無管轄，系大興屬；西北除城屬十五里外，至宣化府懷來縣界，二百十五里。東西廣一百九十二里，南北袤一百六十里。采訪册。

良鄉縣：東至宛平縣界，十二里；西至房山縣界，二十二里；南至涿州界，五十里；北至房山縣界，十五里；東南至宛平縣界，三十五里；西南至房山縣界，五十里；東北至宛平縣界，十二里；西北至房山縣界，二十里。東西廣三十二里，南北袤六十里。采訪册。

固安縣：東至永清縣界，二十五里；西至涿州界，三十里；南至霸州界，五十五里；北至宛平縣界，十八里；東南至永清縣界，三十里；西南至保定府新城縣界，六十里；東北至東安縣界，三十里；西北至宛平縣界，二十里。東西廣五十五里，南北袤一百十里。采訪册。

永清縣：東至東安縣界，三十里；西至固安縣界，十八里；南至霸州界，三十里；北至東安縣界，三十里；東南至霸州界，五十里；西南至霸州界，二十五里；東北至東安縣界，三十里；西北至固安縣界，二十里。東西廣五十里，南北袤五十七里。采訪冊。

東安縣：東至武清縣界，十二里；西至永清縣界，十二里；南至天津府靜海縣界，六十里；北至大興縣界，五十里；東南至武清縣界，五十五里；西南至永清縣界，四十里；東北至武清縣界，三十里；西北至大興縣界，五十里。東西廣二十里，南北袤一百五十里。采訪冊。

香河縣：東至寶坻縣界，三十里；西至通州界，十八里；南至武清縣界，五十里；北至三河縣界，二十五里；東南至寶坻縣界，五十里；西南至武清縣界，三十五里；東北至寶坻縣界，二十五里；西北至通州界，十八里。東西廣四十五里，南北袤五十五里。采訪冊。

通州：東至三河縣界，二十五里；西至大興縣界，十八里；南至武清縣界，七十里；北至順義縣界，二十五里；東南至香河縣界，六十五里；西南至東安縣界，六十五里；東北至三河縣界，四十五里；西北至大興縣界，二十五里。東西廣七十五里，南北袤一百二十里。采訪冊。

三河縣：東至薊州界，二十里；西至通州界，五十五里；南至香河縣界，三十五里；北至懷柔縣界，六十里；東南至寶坻縣界，三十里；西南至香河縣界，三十里；東北至平谷縣界，五十里；西北至順義縣界，七十里。東西廣四十里，南北袤一百里。采訪冊。

武清縣：東至寶坻縣界，七十里；西至東安縣界，二十五里；南至天津府天津縣界，九十里；北至通州界，三十五里；東南至寶坻縣界，一百里；西南至天津縣界，一百里；東北至香河縣界，四十里；西北至通州界，二十五里。東西廣一百里，南北袤一百四十里。采訪冊。

寶坻縣：東至遵化州玉田縣界，六十里；西至香河縣界，二十里；南至天津府天津縣界，一百一十里；北至薊州界，十五里；東南至遵化州豐潤縣界，七十里；西南至武清縣界，四十里；東北至薊州界，四十里；西北至三河縣界，四十里。東西廣八十里，南北袤一百七十五里。采訪冊。

甯河縣：東至遵化州豐潤縣界，二十里；西至寶坻縣界，三十里；南至天津府天津縣界，一百二十里；北至寶坻縣界，十五里；東南至豐潤縣界，五十里；西南至天津縣界，一百五十里；東北至豐潤縣界，四十五里；西北至寶坻縣界，三十里。東西廣一百三十五里，南北袤一百三十二里。采訪冊。

昌平州：東至順義縣界，五十里；西至宣化府懷來縣界，一百十五里；南至宛平縣界，三十三里；北至宣化府延慶州界，一百里；東南至大興縣界，五十里；西南至宛平縣界，四十五里；東北至懷柔縣界，七十里；西北至延慶州界，二十五里。東西廣一百五十里，南北袤一百三十三里。采訪冊。

順義縣：東至三河縣界，三十里；西至昌平州界，三十里；南至大興縣界，二十五里；北至懷柔縣界，三十里；東南至通州界，四十里；西南至昌平州界，二十五里；東北至懷柔縣界，三十里；西北至昌平州界，三十里。東西廣七十里，南北袤五十里。采訪冊。

密雲縣：東至薊州界，九十里；西至懷柔縣界，四十里；南至三河縣界，三十五里；北至永平府灤平縣界，一百里；東南至平谷縣界，九十里；西南至懷柔縣界，十八里；東北至灤平縣界，一百二十里；西北至懷柔縣界，三十里。東西廣一百十里，南北袤一百三十五里。采訪冊。

懷柔縣：東至密雲縣界，二十五里；西至昌平州界，五里；南至順義縣界，十里；北至永平府灤平縣界，四十里；東南至平谷縣界，九十里；西南至昌平州界，十二里；東北至密雲縣界，四十里；西北至昌平州界，四十里。東西廣二十五里，南北袤三十八里。采訪冊。

涿州：東至固安縣界，三十里；西至易州淶水縣界，三十五里；南至保定府新城縣界，三十里；北至房山縣界，二十五里；東南至新城縣界，三十里；西南至新城縣界，三十里；東北至宛平縣界，五十里；西北至房山縣界，三十里。東西廣六十五里，南北袤五十五里。采訪冊。

房山縣：東至良鄉縣界，十七里；西至保定府淶水縣界，二百里；南至涿州界，三十五里；北至宛平縣界，五十里；東南至良鄉縣界，三十里；西南至涿州界，六十五里；東北至宛平縣界，五十五里；西北至宛平縣界，一百八十里。東西廣二百五十里，南北袤八十二里。采訪冊。

霸州：東至東安縣界，七十五里；西至保定府新城縣界，二十里；南至文安縣界，三十五里；北至固安縣界，二十五里；東南至文安縣界，二十里；西南至保定縣界，二十五里；東北至永清縣界，二十五里；西北至固安縣界，二十里。東西廣一百十八里，南北袤四十里。采訪冊。

文安縣：東至大城縣界，二十五里；西至霸州界，二十五里；南至河間府任邱縣界，二十五里；北至霸州界，四十里；東南至大城縣界，三十二里；西南至任邱縣界，三十里；東北至霸州界，六十里；西北至霸州界，三十里。東西廣五十八里，南北袤七十里。采訪冊。

大城縣：東至天津府青縣界，二十五里；西至河間府任邱縣界，二十五里；南至河間府河間縣界，四十里；北至天津府静海縣界，四十里；東南至青縣界，三十里；西南至河間縣界，二十五里；東北至霸州界，九十里；西北至文安縣界，二十里。東西廣四十八里，南北袤六十五里。采訪冊。

保定縣：東至文安縣界，十三里；西至保定府雄縣界，九里；南至文安縣界，十六里；北至霸州界，七里；東南至文安縣界，二十里；西南至雄縣界，二十里；東北至霸州界，七里；西北至保定府新城縣界，十里。東西廣三十三里，南北袤二十八里。采訪冊。

薊州：東至遵化州界，四十五里；西至三河縣界，五十里；南至寶坻縣界，六十五里；北至黄崖關，五十里；東南至遵化州玉田縣界，六十五里；西南至寶坻縣界，七十里；東北至遵化州界，五十里；西北至平谷縣界，六十里。東西廣一百十里。南北袤一百十五里。采訪冊。

平谷縣：東至薊州界，三十里；西至三河縣界，十五里；南至薊州界，十五里；北至密雲縣界，二十里；東南至薊州界，十五里；西南至三河縣界，十五里；東北至薊州界，三十里；西北至懷柔縣界，二十五里。東西廣四十五里，南北袤五十里。采訪冊。

華陽吴祖椿校

德清蔡賡年纂 德清傅雲龍覆輯

地理志二

山川

幽州以幽都山得名，今山隸昌平境，厥名古矣，餘則名不盡古，大率以今境爲斷，承華跗萼，脈絡相通，記里記方，佐以考證。若諸書所述宛平之畫眉山，今在昌平；密雲之隗山、天門山、螺山，今在懷柔；密雲之桃花山，卽桃山，今在薊州；懷柔之黍谷山、白檀山，今在密雲；順義之兔耳山，密雲之華山，薊州之蔣福山，今在三河。今古異隸，類皆舉正。若峰，若嶺，若岡，若巖，皆山也。脈絡聯之，以方爲次。然其最者，如房山之大防，薊州之盤，變例首及之。川則河渠有志，敍述綦詳，玆復述出入大凡者，依漢書既志溝洫，復於地理述山川之例也。山録異名，川則異名入注，略河渠志所詳也。登臨之記與詩，非關左證，概弗甄錄。志山川。

大興縣：無山。其川曰玉河，自宛平逕境，分爲護城河，合爲通惠河，入通州。文明河亦其舊名。鳳河，出南苑，入東安。涼水河，自宛平逕境，合一畝泉、海子諸水入通州。沙河，卽榆河，自昌平逕境，受清河，又名孫侯河，一名孫河，入順義。按：畿輔輿圖譌渝。清河，自宛平逕境，入沙河。泡子河，子一作作，崇文門東，注護城河。南海子，元下馬飛放泊，中有五海子。團河，九十四泉，注南海子。一畝泉，二十三泉，注南海子。雙柳樹池，即飲鹿池，在南海子。舊有清泉河，灤水。按：畿輔唐志，在大興路東南。三里河，草橋河，出馬跑泉。龍河，出海子，入東安。金魚池，舊名魚藻池。北城店飛放泊，黃埃店飛放泊。二泊是否專隸大興境，今不可考，姑著於此。

宛平縣：山，城西三十里曰西山，總名也。顧祖禹方輿紀要：西山，府西三十里，太行山別阜也，拱峙畿右，稱爲名勝。袁桷清容居士集：太行首于三危，伏于河，折北而尊爲恆山，支巒複岡，畢赴于燕，秩秩然復纚屬以東數千百里入于海。土人以其西來，號曰西山。傅雲龍西陵趕程録：按地理志，太行在河内山陽縣西北，恆山在常山上，曲陽縣西北。周禮，正北曰并州，其山鎮曰恆山。爾雅：恆山爲北嶽。說者沿郭緣生述征記八陘之說，遂謂大行連亘幽、并。夫軹關陘、大行陘、白陘、滏口陘，實太行山也，井陘猶在恆山之南，而飛狐、蒲陰、軍都三陘皆爲恒山所隔，太行雖大，必有所止，斷無越恒山而仍爲太行之理。然則宛平縣西山，其恆山別阜乎？析言之，曰聚寶山，俗呼荷葉山，畿輔唐志：聚寶山，宛平縣西三十里。春明夢餘録：聚寶山在玉泉山西南。舊聞考：玉泉山西南平壤中，有岡阜隱起，俗稱荷葉山，疑即聚寶山。曰香山，亦名小清涼，乾隆十年，詔改靜宜園，宛平王志：香山在城西三十里。金史匡構傳：大定中，詔匡構與近臣同經營香山行宮及佛舍。李晏香山記：西山蒼蒼，上干雲霄，重岡疊翠，來朝皇闕，中有道場曰香山。宋啟明長安可游紀：香山有乳峯石，時噓雲霧，類匡廬香鑪峯，故名。宋彥山行雜紀：香山南爲門頭村，後爲萬安山。春明夢餘録：山上有二大石，狀如香鑪、蝦蟆，有泉出自山腹下，注溪谷，曰小清涼。曰普陀山，舊聞考：乾隆十二年，勅建普陀山天仙庵碑云：普陀山者，千巖萬壑，積翠凝華。五城寺院册：四王府東北一里許爲普陀山。曰平坡山，一名翠微山，宛平王志：平坡山在城西三十里。余有丁余文敏集：大圓通寺刱於唐，至宣德年重葺，因改是額，且名其山曰翠微山。劉機法海禪寺記：都城之西，名翠微，左岡右泉。畿輔唐志：翠微山，宛平西三十里，脈自香山，分兩支而東，其上平原百里，煙雲樹石皆稱奇勝，明成化中，車駕常幸此山。趙懷玉再游西山記：平坡山亦名翠微，高出衆嶺，望盧溝車馬，歷歷可見。崖間有大金中都内管故左街僧録聰慧圓明大師靈塔記碑。曰盧師山，宛平王志：盧師山在城西三十里。宋史宋琪傳：端拱中，琪請復幽燕，疏言從安禮寨西北有盧師神祠，是桑乾出水之口，去幽州四十餘里。長安客話：下宏教寺，循山趾而南，有盧師山，與平坡山並峙。盧師山以神僧得名，師隋末居此山，能馴二龍子，山有潭，覆以巨石，其下深不可測，二龍潛焉，歲旱禱雨輒應，舊有寺，即以盧師名，今清涼寺是也。顧炎武北平古今記：唐書韋挺傳：挺遣燕州司馬王安德行渠作漕艫轉糧，自桑乾水抵盧思臺，行八百里，渠塞不可通，挺以方苦寒未可進，遂下米臺側廥之，待凍泮乃運，以爲解。按：金京城西三十里盧師山，相傳爲隋沙門盧師馴伏青龍之地，以新書考之，當卽盧思臺，思乃師之誤也。**有秘魔厓，**長安客話：證果寺前臨青龍潭，後有秘魔，中空如室，石如偃芝，云是秘魔祖師所居。趙懷玉再游西山記：登盧師山，游證果寺，寺前峭壁特起，後爲秘魔厓。厓石嵌空約二丈許，中有盧師及二童子像。二童子卽師所馴伏二龍。有青龍潭。**曰覺山，**宛平王志：覺山在城西三十里。燕都游覽志：覺山，漢韓延壽墓在焉。五華、雙泉、翠峯、仰山諸峯，環之如屏。**曰壽安山，**日下舊聞：壽安山卽五華山，葛邏禄迺賢題張文忠諫罷燈山稿詩自注：至治間，御史觀音保諫五華山事棄市，公時爲中書參議，翊日上諫，燈山疏可證也。**曰半天雲嶺，**畿輔唐志：半天雲嶺，宛平縣西三十里。山行雜記：烏龍潭度嶺卽臥佛寺，嶺名半天雲嶺，圓如髻，度一嶺，一髻復起，如是者十三，始登其巓。四面皆童山，雖無草木，而石最可觀，鐘鼎旗鼓，墩柱樓閣，龍虎之形畢具，下嶺三里許，復值一嶺，如磨磐，每磐直下三百步，凡五十四磐至山腰，嶺盡，得石坡。**曰萬華山，**五城寺院册：佟峪村西北里許，有萬華山。**曰天寶山，**舊聞考：煤廠村距普覺寺三里許，村西有兩城關，循城關而西，中有夾道，以通人騎。又西緣山行，爲天寶山過街塔盤道。**曰金山，亦呼甕山，乾隆十六年命名萬壽山，在清漪園。**帝京景物略：甕山去阜成門二十餘里，土赤，墳童童無草木度山前小橋而南，人家傍山臨湖，水田棋布。山後一畝泉，今失去。長安客話：甕山在海淀西五里，土色純盧。其南巖若洞而圮者，少鬲仙室也。山北五里爲青龍橋元時白浮堰之上游也。其西通金山口，其北斜界百望山。王嘉謨石甕記：燕之西南有甕山焉，純盧土，中多杏、相、榆、柳之屬，余嘗游其間。其南巖若洞而圮者，一樵人曰：此少鬲仙室也。久之，游丁公潭，問於漁父。漁父曰：甕山蓋市中之異域，云：昔吾大父嘗聞山中有父老，能繕生，久而去。之，俄而來，云：山麓魁然而大，凹而秀者，甕之屬也。因鑿之，得石甕一，倍於常甕。華蟲雕鑿不可辨，中有物數十種，父老悉攜以去，置甕山西。因爲讖曰：石甕徙，貧帝里。人不之信也。嘉靖初，甕不知所存。僕老矣，睹吾里中之世變，習矣夫！甕何爲？余喟然而歎曰：有味乎父老之言，父老何用讖之！漁父曰：成弘以往，非吾所知也。聞之弘治中，帝京世臣富；嘉靖中，商富；隆慶中，俠富；今之時益治，而昔之富，遷徙靡常，僕何足以知之？夫幽薊馬四足，可當中人之產。棗栗千子，可食數口。蔬百畦，可當五帛。相思桃李芳實雜遝，屯軍日夜織作，純緣輕縠薰燧丹緣則天下之沃饒也。列聖培養小民守法，豈獨先世號爲太平哉！弘治以後，外戚邊臣，都公卿之右，握兵席寵，氣勢炎炎，世祿者爲之役，則武斷鄉里，都人以軍爲美，募郊而居，屋相比也。又謹事上，時時餽食，有所制，無所爭，吏攝於主者不敢問，則世臣富，世臣慨然求治，破去煩孿，法令日新，民莫之式。於是文武奉法，利害一切公之於下，加以求仙采補，異好奇珍之絡繹則商賈重。鹺賈外攝，府賈內贏，雜賈疽食，奄人地之，卽竹木之場，陶冶之技，亦富千室。及至隆慶，所好靡靡矣。於是姦人之雄，習刀筆，覵時變，其言曰：所謂富者，豈守子母錢而日爲愚也，禍且立至，故不如求百倍之利。乃鮮衣怒馬，以交於貴人，倚憑則高如青雲，接趨則汗如溝染，已而暱則挾之，怨則箝之，刎頸託於非類，千金轉於片言，風扇波流，無復綱紀，其勢斯極，乃今又不無少變矣。說者曰：帝里侈，是未見天成之豪麗，宣洪之清泰也。曩者燕市夏屋，樓觀重縷連鈴。貴人造佛寺，渴泉飛山，佛身純金，七寶鋈渥。中人燕享，水陸區殫，后軒美人曳縞紵。秣陵之縠，衲於中單，秀水機杼，不藉而靡。少年日夜歌吹東西樂部，倡家樓閣通天。乳煎鏤蛤，冬果春蔬，棄之如遺。賞賜動以千計。三正元會酺樂，燈火奧若連山，狀於六鼇，生花舞鳥，閉機其中，舉火樹者萬萬計。荆揚估船，日夜集於大市，而今安有之！衣文之巧，日變日儉，故有屋設而寡堅，黑伎者或改而市矣。元夕寥寥數人行，少年博具數錢而攤。司空召商具五刑，泥首號哭，家立破敗。四方異味日至，物價翔踊，器更狹楕，轉效他方，賈者日夜心計，市魁大姦，其迹堇堇，則何以偁也！夫財通物富，美名也，逋之於不可知，變之於不可繼，宜石甕之爲乎，且以爲誕也。余默然。夫時變不一，知者所難，父老何言之易！夫變之與來，固不能必也，是故成弘之有嘉隆，猶先朝之有今日也，豈必需於災祲之故，志讖之微哉！藏丹於壑，流遁繼之，夫甕也又何知？語曰：觀俗於野。父老其似之矣，歸而記之。香山後爲中峰，袁中道珂雪齋集：西山別嶂忽開，如兩袖之垂，其左爲帝王廟，翠巖寺，曹家樓。山行雜記：中峰下有鮑中貴墓，建有延壽菴。又中峰下南過龍泉禪林爲静妙菴，亦名滕公寺，蓋滕中貴墓也。春明夢餘録：中峰在香山後，以其居諸峰之中，故曰中峰。又數里曰五峰山，五峰秀峙，故名。宛平王志：五峰山在城西三十餘里，五峰秀峙，宛若列屏，村民占雲氣爲雨候。曰紅石山，長安客話：甕山北五里爲青龍橋。舊聞考：青龍橋東迤北爲紅石山。曰暘臺山，王昶金石萃編暘臺山清水院藏經記：在京師大覺寺。按：今之大覺寺，即金章宗清水院舊跡，其地在黑龍潭北十五里。黑龍潭又在金山口北，金山卽甕山也。山側有鸊鵜谷，在宛平縣西甕山，則暘臺山在甕山西北。金僧志延清水院藏經記稱，山名傳諸前古。乾隆十二年，御製初游大覺寺詩：暘臺最高峰。山側有谷曰鸊鵜，春明夢餘録：水源頭兩山相夾，小徑如綫，水淙淙深入數里，有石洞。又前數十武，土臺突兀，相傳爲金章宗清水院。畿輔唐志：鸊鵜谷在宛平縣西甕山。曰城子山，舊聞考：城子山在白家灘西八里許。白家灘在黑龍潭西四里許。黑龍潭北十五里曰大覺寺。曰棋盤山，宛平王志：棋盤山在城西三十餘里，山有棋盤石。曰盤龍山，在城西三十五里，按：畿輔唐志：盤龍山，宛平縣西三十五里。

又一里曰韓家山，宛平王志：韓家山在城西三十六里。帝京景物略：出阜城門三十六里者罕山，志偁韓家山。漢循吏韓延壽家焉。罕、韓音譌也。俗呼黑山匯。黑、罕又譌。又一里曰石徑山，一名石景山，又呼石經山，畿輔唐志：石徑山，宛平縣西三十七里。阮旻錫燕山紀游：石徑山孤峰特立，洞皆鑿石而成，最上爲金閣寺，有塔，宜遠眺。東南行至林衡署，有古松數百株，參錯平野間，蓋先朝果園也。趙懷玉游西山記：擬游大覺寺，車行不便，遂取他道歸。行二十里，聞波聲震撼，則渾河當前。河不甚廣，而勢極湍急，有板橋駕於上。萬曆戊子，駕幸石景山觀渾河，上先登板橋，卽此。過此則石景山麓，徑甚險仄，巖壁鑿洞，纍纍如蜂房。其上有石闕，最高曰金閣寺，有舍利塔，可望渾河。西巖有殘石經數版嵌厓間，山名石景，一名石徑，因有此經，亦名石經。又三里曰雙泉山，宛平王志：山在城西四十里，上有二泉。又五里曰分水嶺，燕都游覽志：嶺在府西四十五里。又五里曰翠峰山，亦名遮風嶺，又呼垣牆山，又呼萬安山，（方輿紀要：卧龍岡在府西北四十五里，又西五里曰翠峰山。明一統志：翠峰山又名遮風嶺，以山陰有嶺橫列如屏，故名。按：一統志所云遮風嶺，相其形勢，度其道里，當卽寰宇記之垣牆山。寰宇記：垣牆山一名萬安山，在薊縣西五十里，山有鐵鼎，其下有舊置冶處。）曰桃花峪，（按：明一統志，桃花峪在府西四十里，介乎翠峰、遮風間。今考峪在路西五十里，中多花卉。）曰妙高峰，（帝京景物略：過金山口二十里，一石山小峰屏簇，如筍張籜，峰之尊者曰妙高峰。）曰戒壇山，（畿輔唐志：戒壇山在宛平縣西五十里。存素堂集：上有圖、曹二先生合祠。長安客話：盧溝橋西北三十里爲灰廠。出灰廠入山，兩壁夾徑，行百折，徑盡，始見山門。有高閣在山中央，可望渾河。蓋山麓至中板橋僅十餘里，閣後有軒皮巖上，折而右，卽戒壇。燕都游覽志：戒壇在西山最深處，渡渾河西行可二十里，兩崖中通一徑，遠望西北一峯，如靈壁石，以爲戒壇必在其下。過永慶庵，呼山僧問之。曰：極樂峯也。西行不五里，石闌丹壁，已至寺門。壇在殿，以白石爲之，凡三級。吴惟英墨響齋集：登獅子崖，十八轉始及戒壇，爲景皇帝區畫地，開山卽鷲頭法師名道孚者。）又名馬鞍山，有獅子崖，山之西曰極樂峰，（按：舊聞攷，戒壇在馬鞍山萬壽寺內。又云，一極樂峯在馬鞍山西。然則馬鞍、戒壇，一山二名。畿輔唐志謂戒壇在宛平西五十里，而馬鞍山又云縣西六十里，蓋因名歧，遂以山之極西言也。獅子崖詳上。）曰伏虎巖，（舊聞攷：觀音洞在寺南半里許。觀音寺俗稱伏虎巖。）又十里曰羅睺嶺，（畿輔唐志：羅睺嶺，宛平縣西六十里，往道極險要，行可二十里，望潭柘寺。）

高宗御製過羅睺嶺詩：誌乘稱羅睺，其説引未發。村俗呼鑼鍋，久矣難究詰。或有謂爲俚，改之曰蘿葛。去初愈以遠，偶過聊詮核。兩字出梵典，此去障持括。八部中之士，是爲佛護法。化身巨且長，舉手障日月。取以喻嶺峻，孰元義不協？且在兩寺間，護法力應竭。清晨別潭柘，大榦盤嶠屼。隆宗高凌雲，朝陽出其脇。過嶺見戒臺，石棧片時達。坐精室闡義，提婆道饒舌。

又十餘里曰仰山，山之峯凡五：級級峯、錦繡峯、筆架峯、獨秀峯、蓮花峯。（宛平王志：仰山在城西七十餘里。劉定之仰山棲隱寺碑略：京師之西，連山蒼翠，蟠亘霄漢主，所謂西山是也。仰山乃其支壟，而蜿蜒起伏，特爲雄勝。所止之處，外固中寬。棲隱寺據之，創始於金時，金之諸屢嘗臨幸，今其遺跡猶可指數者五峯、八亭。北曰級級峯，言高峻也。西曰錦繡峯，言豔麗也。錦繡峯之外，有水自西折而南，又折而東，水外正南爲筆架峯。自寺望之，屹然三尖與寺門對，出乎層青疊翠之表。寺東曰獨秀峯，西曰蓮花峯，是謂五峯。長安客話：仰山峯巒拱秀，中項如蓮花心。旁有五峯，曰獨秀、翠微、紫蓋、妙高。紫微中多禪刹。以在西山外，更西四十餘里，故人跡罕到。曰黃牛岡，燕山紀游：沿澗過仰山邨，山多梨樹，秋深紅葉如燒，折而上黃牛岡，口徑愈仄，壁愈狹。曰滴水巖，燕山紀游：滴水巖在萬山中，過仰山邨，折而西，上黃牛岡，峯愈變轉，十八疊有垣而堊，屋而丹，是爲滴水巖。懸厓千仞，巖洞皆削成無縫。從巖側取徑而上，杖履鏗然，山右骨而中虛，俯巖背視，巖猶谷底。二十里至北頂，連岡伏嶺，勢反平坦，可望居庸諸塞。長安可游記：仰嶺十八盤，有邨名桃園，過此皆流泉峭壁。背泉入山，路僅一綫。上黃牛岡口，益險隘，自此而登，左萬丈溪，右千仞壁，徑斷處，架以棧道，張公洞卽滴水巖矣。又數里曰潭柘山，宛平王志：潭柘山在城西八十里，連擁三峯，旁有二潭，潭上有古柘，因名。自西山諸峯，連綿而西，潭柘爲尤勝。謝遷潭柘嘉福寺碑：距都城西二舍許，馬鞍山之西，有泉匯而爲潭，土宜柘木，因名。春明夢餘録：出京至馬鞍山，千佛閣及戒壇，至龐涓洞，踰二嶺而至潭柘。潭柘以一培塿當羣山心，九峯扆而立焉。志所謂老柘美竹者，烏有矣。而兩殿鴟工絶，則金元故物也。寺後故有龍潭，今已甃爲池，而其支委尚闊，去山數里，泉走石崖壁間，聲甚怒，至寺橋而水益怒。曰龍鱗山，曰九渠山，曰大駝山，曰管山，畿輔唐志：龍鱗山，宛平縣西八十里，又西有九渠山、大駝山、管山。又二十里曰西湖山，按：舊聞攷云，明一統志稱，西湖山在府西百里，是湖與山皆別爲一地，在今清水邨四里許，併與萬壽山西湖無涉。

又二十里曰大漢嶺，亦呼大寒嶺，長安可游記：至風口巖，徑十字道，踰磴數里，折而下爲王平口。又數里至齋石臺，路亦峻。又數里至板橋，邨莊多以石板覆屋。至千軍臺，四山空翠，欲溼衣裾。出谷二里許，爲王老菴，石澗淙淙有聲。十五折見高松如蓋，出天際，乃大漢嶺也。舊聞攷：大漢嶺，俗稱大寒嶺。又三十里曰青山嶺，明一統志：青山嶺在府西一百五十里，四面高聳，中坦平。宛平王志：青山巖，山谷幽邃，下臨青泉。又三十里曰旛竿嶺，畿輔唐志：旛竿嶺，宛平縣西一百八十里，勢極孤峭。又二十里曰太山，畿輔唐志：太山，宛平縣西二百里。徐昌祚燕山叢録：史家營太山，有石如臼，昔有仙人居此，臼中日産米，隨寺衆多少，取給不乏。後有僧畏其險峻，鑿穴通之，穴成而米絶。曰馬闌山，畿輔唐志：馬闌山，宛平縣西二百里。長安可游記：出沿河守禦城西門，渡石澗，進馬闌山，曲折上坂，石子磊磊難步，陟至法幢巷，又五里至馬闌村。登三大士閣，一松高十丈餘。歷磴而上，三里許，翠峯壁立。又二里，扳躋叢木中再上，見籬徑石垣，乃妙菴也。曰千佛山，一名黑風山，曰觀音山，有大悲厓，曰鶴子山，有菩薩巖，按：畿輔唐志，千佛、觀音、鶴子等山，均在宛平縣西二百里。畿輔輿圖：觀音山在千佛山北數里。長安可游記：自妙菴從嶺西折，踰嶺七，見有石壁峭立，爲鶴子山，路更險仄，達千佛巖，怪石攢簇，多似人形。又曰，下坡之半，花較初登爲多，折而西，爲龍王廟，廟已圮，北折爲大士殿，下厓取道瑞雲寺，約八里至白水菴，山名菩薩巖。又數里曰百花山，亦名百花陀，名勝志：府西百里大臺邨，又西北百里青口邨，其上爲百花陀。舊聞攷：百花陀即百花山。按：帝京景物略云，府西一百二十里，過大漠嶺，抵沿河口，元女廟，是百花山，足行一里，登菩薩頂，是百花山頂。燕山叢録：宛平縣西二百里有百花山。今攷百花山，實在宛平縣西二百里有奇，琉璃河之二源竝導於此。曰小五臺山，長安可遊記：鶴子山三里餘過閻王嶙，始攝百花山腰，西北兩山秀甚，云東西二靈山也，西北爲小五臺山。曰摘星嶺，宛平王志：城西二百餘里，高聳雲霄，僅通一徑。名勝志：十八盤、青山、摘星諸嶺，直聳雲霄，人騎罕通，僅容一綫。舊聞攷：摘星嶺相傳即大漢嶺，從此而西，即與房山縣接壤。按：唐志，摘星嶺下載阮旻錫上方山記云：度蘆溝，循房山而西，到接待亭，一望皆丹崖翠壁，峯最尊者爲摘星嶺。今按其原文，則云峯最尊者爲齋星陀，華巖於此，齋星譌爲摘星耳。既非嶺稱，又明説非摘星矣，唐志歧甚。城西北二十里曰白鹿巖，幾輔唐志：白鹿巖，宛平縣西北二十里。陳衎游記：予自馬上望金山之勢，蜿蜒截嵲，烟草四合，或曰白鹿巖最奇，於是登甕山頂，度黄沙坂，縋石澗而西，洞窮，小嶺横之，有白石如幢，屹立嶺上，微有字畫，然薄蝕不可辨。越嶺，諸峯爭列，茁芽不斷。一峯最異，即白鹿巖。巖高數十丈，嵌空欲墮，中虛可旋兩車。巖左一氣如窗櫺，下視深窅，不知所際。相傳遼時有仙人騎白鹿往來斯巖，故名。登巖頂瞷萬壽山，如監掌指。西望太行，高挂天際，夭矯拏飛，煙雲繞之，斷續無跡。又十里曰玉泉山，在靜明園。方輿紀要：西山稍北曰玉泉山，金章宗嘗避暑於此，行宮故址在焉。宛平王志：玉泉山在城西北三十里，有二石洞，一在山西南，水深莫測，一在山之陽，有石厓，刻玉泉二字。有退谷，春明夢餘録：退谷在水源頭。退翁記云：水源頭一澗最深，退谷在焉。後有高嶺障，而卧佛寺及黑門諸刹，環蔽其前，岡阜迴合，竹樹深蔚。天府廣記：谷口甚狹，喬木蔭之，有碣曰退谷。谷中小亭翼然，曰退翁。亭前水可流觴。東上則石門巍然，曰煙霞窟。入則平臺，南望萬木森森，小房數楹，其西三楹，則爲退翁書屋。曰吕公巖，燕都游覽志：玉泉山有吕公巖，下臨一潭，廣丈餘，山上有看花臺、卷幔樓。又十里曰百望山，今名安河山，幾輔唐志：百望山，宛平縣西北四十里。舊聞攷：百望山今改名安河山。又五里曰卧龍岡，方輿紀要：金山亦曰甕山，今名萬壽山。其西有卧龍岡，在府西北四十五里。明一統志：卧龍岡在府西北四十五里。山石俱青，惟此獨白，岡脊蜿蜒二十餘丈。正統間，車駕嘗幸此。按：方輿紀要載有龍頭岡在府西北四十五里。梁乾化二年，晉將周德威攻燕，禽劉守光將單廷珪於此。正統中，車駕嘗幸焉。攷所述里數，及正統中云云，與卧龍岡同，恐卧龍、龍頭，實一岡耳。又五里曰綢兒嶺，幾輔唐志：宛平縣西北五十里。又二十里曰孟嘗嶺，幾輔唐志：嶺在宛平縣西北七十里。又十里曰柳山，舊聞攷：縣西北八十里。曰十八盤嶺，即仰山，少北亦呼仰嶺，有風口巖，宛平王志：十八盤嶺，城西北八十里，山縈迴十八折。長安可遊記：由門頭村登山，數里至潘闌廟，三里上天橋，從石門進，二里至孟家衕衕，民皆市石炭爲生。三里至流水壺，泉自罅分流灌園。扳登三里至官廳，路凡十八折，至風口巖。風口巖兩山如門，徑十字道，踰磴數里，折而下，爲王平口。按：十八盤嶺即仰山少北。長安可遊記又云仰嶺。曰牛角嶺，幾輔唐志：牛角嶺，西北八十里。又數里曰雅思山，幾輔唐志：雅思山，宛平縣西北八十餘里。長安客話：出百望山北四十里入南谷有聚焉，是名漆園。園之南有雅思山，幽晦多霧，山陷爲坎。又數里曰九龍山，舊聞攷：九龍山，縣西北九十里。又十數里曰鼇魚嶺，幾輔唐志：鼇魚嶺，宛平縣西北百餘里。薊邱集：自漆園出，西四十里許，有高崖，下有泉遶之。又西北十里爲清水澗，兩山如門，行可二十里，山皆奇峭巃嵸，有嶺曰鼇魚。又數里曰石窟厓，明一統志：石窟厓在府西北一百一十里。又七十里曰白鐵山，明一統志：白鐵山在府西北百八十里，山多白石，其堅如鐵。又十里曰小龍口山，有兩崖，一東崖，亦呼柏山，一西崖，明一統志：小龍口山在府西北一百九十里。山有兩崖，東崖在清白口社，西崖在清水社。有泉，東入盧溝河。宛平王志：柏山在府西北青白口社，山四旁多產柏，故名。曰顏老山，明一統志：顏老山在府西北一百九十里，山之西南有石青洞，東北柳林水郵。城西南七十里曰鳳凰山，宛平王志：鳳凰山在城西南七十里，其勢迴翔，如鳳翥然。又洞曰玉泉洞，在玉泉山。七真洞，觀音洞，呂祖洞，羅漢洞，三洞均在靜明園。七寶洞，玉龍洞，寶珠洞，在平坡山。普觀洞，普安洞，還源洞，孔雀洞，四洞在石景山。張公洞，仰山西。建陽洞，燕山紀游：出磨石口至三家村，渾河倒映，厓壁峭絕，度十餘里，入軍莊，一峯側出，而腹藏洞者，爲建陽洞。觀音洞，化陽洞，一名龐涓洞，孫臏洞，景物畧：觀音洞大於室，化陽洞口垂藤幙之，秉炬入，如眢井，半里有龍躍，有魚躍，有師坐，石乳所凝也。再入，有石佛，危坐西罅，一穴冥冥然，下與渾河通。洞一名龐涓洞。又有洞，名孫臏者，在此洞西，其廣二十笏，一石龜伏焉。舊聞攷：觀音洞在寺南半里許觀音寺側，俗稱伏虎巖，化陽洞。洞門刻太古化陽洞五字，孫臏洞在山之東。三皇洞，朝陽洞，極樂洞，黃蓮洞，卧佛洞，舊聞攷。舊有梁山。按：水經灅水注，高梁水首受灅水于戾陵堰，水北有梁山，劉靖碑：登梁山以觀源流。則梁山實在薊縣。其川曰永定河，舊名盧溝河，卽桑乾，下流自懷來逕境，受清水河、清水澗、西山諸泉，求賢莊減河出焉，入良鄉、涿州，復逕境入固安。清水河，注永定。清水澗，出千軍臺南叢山中，注永定。西山泉，注永定。南上汛減河，出南上汛，入清河。玉河，出玉泉山，水源頭卽噴雪泉。西曰後湖，逕靜明園，受迸珠泉、湧玉泉、寶珠泉、試墨泉，西南爲高水湖、裂帛湖、養水湖、西湖、昆明湖，又合金河爲長河，又爲溪河前湖，又東北洩水河，西南洩水河出焉，又流爲京師護城河、積水潭、十刹海、蓮花泡子、海子、太平湖，又受溝水，逕大興縣境。後湖，高水湖，裂帛湖，捏鉢湖。養水湖，西湖，七里濼，七里泊，大泊河，西湖景。昆明湖，已上五湖皆流自玉河。迸珠泉，湧玉泉，寶珠泉，試墨泉，四泉皆在靜明園，注玉河。一畝泉，馬眼泉，竝出西山，注高水湖。玉龍泉，雙眼泉，青龍泉，竝出西山，注西湖。金河，分自玉河。長河，金河合昆明湖水。溪河，在清漪園，分自玉河。馬廠水，注溪河。前湖，在長春園，分自玉河。東北洩水河，西南洩水河，二河在靜明園土山外，洩玉河水。蕭家河，注東北洩水河。釣魚臺前泉，注西洩水河。護城河，金水河，御溝裏曰積水潭，十剎海，蓮花泡子，海子，太液池。太平湖，西便門東。上七水分自玉河。涼水河，出鳳泉，入大興。南沙河，出西山鼊魚溝，入昌平。清河，小清河，官河，出雙泉山，入大興。琉璃河，聖水一名大石河，迴城水，劉李河，上流曰龍泉河，二源並出百花山，入房山。董公菴泉，牤牛河導源于此，入房山。小清河，入良鄉。黑龍潭，即玉斗潭，入昌平。巴溝，自萬泉莊入暢春園。滮泉，屑金泉，冰壺泉，錦瀾泉，規泉，露華泉，鑑空泉，印月泉，藕泉，躍魚泉，松風泉，晴碧泉，白榆泉，桃花泉，琴脈泉，杏泉，澮泉，瀏泉，洗鉢泉，浣花泉，漱石泉，乳花泉，漪竹泉，柳泉，楓泉，雲津泉，月泉，貫珠泉，二十八泉在泉宗廟。大沙泉，小沙泉，沸泉，三泉在泉宗廟外。丹稜沜，今暢春園。北海淀，南海淀，京西十五里。峋嶁河，海淀南。青龍桁河，注海淀。長樂河，今稱安河。薊邱集：出百望山，十里爲長樂河，水不闊而流駛。舊聞攷：百望山改名安河山，長樂河即安河，其地有南安河，北安河，長樂諸邨。玉蓮池，寰宇通志：在五峯山。舊聞考：疑即觀音閣前池。龍泉，山行雜記：寶珠洞山右有龍泉菴口，階下方池，深五尺餘，其西鑿龍口吐水。黑龍灣，舊聞攷：在黑石邨西二里。露池，長安客話：雅思山有池曰露池。舊有高梁水，出灤水，亦曰皂河，今爲玉河水道。車箱渠，分自高梁。洗馬溝，太湖，玉淵潭，丁家潭。燕家泊，已上四水，舊與西湖俱合灤水，今爲玉河水道。百泉溪，出麗澤關，流爲柳邨河，注盧溝。義井泉，密井注渾河。清泠泉，清旨泉，洊至泉，明一統志：覺山西有三泉，曰清泠，曰清旨，曰洊至。潭柘寺泉，宛平王志：潭柘寺在羅睺嶺，去京城西北九十里。行五六里，頼山四合，復里許，一山九峯，寺在其間，山故海眼，佛殿基即潭，潭徙而涓涓者不絕。翳月池。帝京景物略：在萬駙馬白石莊。

良鄉縣：今無山，舊有龍泉山，按：一統志，良鄉西至房山縣界十二里。方輿紀要載此山在良鄉縣西十五里。說者謂山已隸房山界，疑房山之龍泉谷或卽此山。其說非也。今考良鄉西至房山界十七里，則是山仍當在良鄉境矣。房山東至良鄉界十二里，而龍泉峪在房山治西北三十里，何得謂卽龍泉山耶？舊聞攷從名勝志載良鄉卷内，是也。遼石岡，遼一作料，一作燎，又名塔岡，方輿紀要：遼石岡在縣治東三里。岡有古城五座，方圓棊布。岡頂有多寶佛塔，隋建。金志作料石岡。舊聞攷：古城址已廢。料石岡之料亦作燎，佛塔今尚存。長安客話：良鄉縣東里許有石岡，赤色如燎，可以取火，因名燎石岡。舊有佛塔，亦名塔岡。伏龍岡。方輿紀要：伏龍岡形勢蜿蜒如龍之伏，故名。其川曰永定河，自宛平逕境，金門閘減河出焉，入涿州。金門閘減河，出永定河，入涿州。琉璃河，龍泉河自房山逕境曰琉璃河，受挾活河入涿州。挾活河，自房山逕境，又自涿州仍逕境，注琉璃河。挾活支河，注琉璃。牤牛河，自房山逕境，分二：一、黃管屯河，一、籬笆房河，復合，受雅河北支，又名廣陽河，受小清河、雅河南支，合雅河、茨尾河入涿州。牤牛支河，亦名小清河，入涿州。黃管屯河，籬笆房河，竝牤牛分支。小清河，自宛平逕境，注牤牛。雅河，自房山逕境，分支竝注牤牛。茨尾河，自房山逕境，分四支，復合，又分二：一、北支爲護城河，曰舊引河，一、南支爲新引河，合注牤牛。顧現河，出後窪子里，入三河。舊有玉帶河。出張家溝，入固安。

固安縣：無山。其川曰永定河，自宛平逕境，入永清。北莊減河，一名太平河，亦曰北邨減河，出永定河。求賢莊減河，自宛平逕境，入永清。金門閘減河，自涿州逕境，分二：一西股，一東股，入霸。巨馬河，自涿州逕境，入新城。舊有黃家河，亦曰黃家灣，引河入永清。馬慶河，亦曰屢淘河，分自渾河。屯子頭引河，自涿州逕境，合金門閘減河。曹家務減河，出南五汛，入南埝内減河。清涼寺減河，出南岸。胡林寺減河，崔營減河，竝出北岸。玉帶河，自良鄉逕境，注渾河。啞吧河，入東安。東湖，西湖，注渾河。桃水，自涿州逕境，注聖水。清涼水，劉公口。曲洛溝，太平寰宇記：曲洛溝源自督亢陂，徑縣南，東注方城界。舊聞攷：今縣西南十五里，有曲洛溝鎮，距督亢陂二十五里，接新城界。濩澱水，自益昌逕境，注巨馬。垣水，自良鄉今房山逕境，注聖水。蓮池，固安陳志：引舊志，城東八里，幽澄一碧。湮。醴泉。固安陳志：醴泉城西南二里，相傳平地泉湧，高尺餘，甘，愈痼疾。今湮。

永清縣：無山。其川曰永定河，自固安逕境，入東安。求賢莊減河，自固安逕境，入東安。舊有半截新河，出北六汛。

黃家河，自固安逕境，入霸。啞吧河，自東安逕境，復入東安。盧家莊減河，出北五汛，仍入永定。郭家務減河，出永定舊河南埝，入武清。坦坡埝減河，出郭家務草壩，入霸。雙營城減河，張仙務減河，馬家舖減河，冰窖減河，已上四河出南岸。六道口減河，小惠家莊減河，二河出北岸。穆家口河，出葛漁城。長淀泊，濩澱水，入臨鄉。今固安。八丈溝，自安次逕境，注巨馬。瓦河水。入文安。

東安縣：無山。其川曰永定河，自永清逕境，入武清。鳳河，自大興逕境，入通州。求賢莊減河，自永清逕境，入武清。舊有龍河，自大興逕境，入武清；又逕境，入武清。啞吧河，自固安逕境，入永清；又逕境，合乾溝入鳳河。乾溝，合啞吧河。東畔河，西畔河，竝穿啞吧河。響河，淘河，徐孟泊，黨子淀，蓮花泊，此水入武清。長淀泊，葛漁城東。桃河泊，合渾河。桃水，入河。聖水，入海。易水，亦曰南易水，入泉州，今武清。坦坡埝減河，自霸州逕境，仍入霸。北埝遥隄小引河，入武清。東沽港，亦曰垂楊渡，出渾河，入武清。八丈溝，入益昌。虖池河枯溝，入泉州。白祀溝，自廣陽今良鄉逕境，注聖水。呂公河，自文安逕境。狼城河，自霸州逕境，入武清。磨汊港，狼城汊河。琅川淀。分自白溝諸水，注磨汊港。

香河縣：城北二里曰黃土山，香河劉志：城北二里。又四里曰沙陀嶺。香河劉志：城北四里。其川曰北運河，自通州逕境，入武清。扳罾口河，自通州逕境，注北運。葉青店河，注北運。紙務河，出北運，注護城河。窩頭河，自三河逕境，亦曰尹家河，五河，百家灣河，入寶坻。窩頭支河，南出。渠口河，窩頭支流，亦曰蒲池河，蒲石河，合牛家港諸水。七里莊河，窩頭支流，合牛濟河。牛家港河，黃土山水，駱駝港河，三水合渠口河。牛濟河，合七里莊河。高駝子河，合牛濟河。雙港河，窩頭支流，入寶坻。王家務減河，自武清逕境，入寶坻。董家灣，香河劉志：在城南十里，淵而不流。舊有香河，劉志：香河城東里許，俗呼長溝，雖暑，掬之微馨，縣名以此。周家坨。劉志：在城東二里，涸。

通州：山，城東四十里曰孤山。方輿紀要：孤山在州東四十里，四面平曠，一峯獨秀，故名。李景隆攻北平，燕王自大甯還至沽山，列陣於白河西，即此。按：通州高志，孤山在城東三十里，與三河縣交界，高可二十餘丈。山頂有塔，頂全圮，尚存中下幾層。塔旁有古寺。日下舊聞，有明馬申錫登孤山書寶峯寺壁詩。燕山紀游載，盤山除夕，燈出通州孤山塔上。其川曰北運河，白河自順義逕境，又曰潞河，露河，西潞水，潮白河，是爲北運河。合榆河，受涼水河。又曰泗河，入香河。榆河，沙河仍稱榆河，俗呼富河，自順義逕境，受通惠河，入北運。通惠河，玉河下流自大興逕境，又曰大通河，大通橋河，裏漕河，裏河，注榆河。通州護城河，南水關渠，西水關渠，西海。倉溝，東海水，已上五水，分自通惠河入榆河。港溝，出北運河逕境，入武清。鳳河，自東安逕境，受涼水、新河入武清。新莊河、瀦水、舖河、安沽港河，皆鳳河異稱。涼水河，自通州逕境，分爲二：一、東北流曰南新河，入北運河，一、東南流曰新河，入鳳河。涼水新河，詳上。扳罾口河，出孤山，入香河。窩頭河，自順義逕境，入三河。舊有瀦河，新莊河，亦曰新河，倉頭河，舊爲鳳河故道，今合窩頭。黃漚河，入飛放泊。已上三河，分自盧溝。泥泮河，通州高志，引舊志：城南四五里，纔二三尺，源無考。飲羊河，或云即蕭后運糧河。七里龍潭，通州高志：舊志，城東二十里，廣袤一頃，深不可測。張維基考云：即方輿備考所載之百花潭也。今城東南運河東窩坨廟，即此。馬家莊飛放泊，南辛莊飛放泊，栲栳垡飛放泊，柳林海子，延芳淀，已上五水，並在故瀦縣境，注鳳河。珠浦巷，通州高志引舊志，城東北二十五里。養魚池，出通惠。流水溝。治北九里。

三河縣：山，城東十五里曰堡子山，三河陳志：東十五里。按：縣有兩堡子山，一在西北。曰八里嶺，陳志：東十五里。又五里曰蔣福山，按：蔣福山，薊州沈志云，在州西北五十里。盤山志云，山在甘泉山後。今考薊州西五十里爲三河界，三河東二十里爲薊州界。三河陳志云：蔣福山在縣東三十里，一作蔣府山，据此，山在三河境，與薊界接也。畿輔輿圖屬三河，不屬薊州，今從之。段家嶺，方輿紀要：在縣東二十里官道旁。城北十五里曰靈山，三河陳志：靈山，縣北十五里。名勝志：靈山去縣治十五里，三面出泉，形勝記所謂北倚靈山者也。又十五里曰栲栳山，亦名窠羅山，一名苛嵐山，俗呼石城山，按：薊州沈志：苛嵐山在州西六十里，又名窠羅山，近稱栲栳山。然考薊州今境，西五十里即入三河界。三河陳志：栲栳山在縣北三十里是也。故不載於薊州陳志。又云，栲栳山荒基如石城形，土人亦稱石城。又一在北五十里，又一在西北四十里，是石城山有三。

又二十里曰清涼山，一名青龍山，陳志：北五十里。曰石城山，畿輔唐志：石城山在縣北五十里。又十里曰陀山，一名寶陀嶺。陳志：即寶陀嶺，城北六十里。按：名勝志，畿輔唐志皆作陀山，水經注：五百溝水出駝山北。城東北五十里曰崌山，陳志。城西北二十五里曰馬鞍山，俗呼馬家山，按：陳志，馬鞍山在西北二十五里，畿輔輿圖鞍作家。又五里曰狼山，陳志：西北三十里。又五里曰聖水山，陳志：西北三十五里。又五里曰石城山，按：陳志即兔耳山旁小山，山在西北四十里，上有石城，故名。又十里曰蟠龍山，初名旁立山，陳志：在西北五十里，舊名旁立山，建行宮，後改名。舊聞攷：蟠龍山行宮，乾隆十九年移建於山迤北大新莊。蟠，畿輔輿圖作盤。曰鳳凰山，曰堡子山，曰王魁山。陳志：俱在縣西北五十里。其川曰泃河，自平谷逕境，亦曰渠河，俗呼紅娘子巷，合洳入薊州。洳河，石河自懷柔逕境，入平谷，復逕境，爲洳河，合泃。天井莊溝，自密雲逕境，注洳。月池，古溝，馬房溝，竝注洳。顧現渠，自良鄉逕境，注泃。張各莊溝，靈山泉，亦曰小河。二水竝注泃。洳河支流，即芮家營水，亦曰七度水，注泃。不老淀，亦曰沵老淀，南港，南塘，注洳河支流。鮑邱河，入寶坻。麻兒窩溝，尹家溝，竝注鮑邱。窩頭河，自通州逕境，入香河。龍潭，三河陳志：在城東二十里蔣福山。聖水泉，陳志：出聖水山。靈山泉，明一統志：靈山麓三面有泉，清冽。鏡兒淀，陳志：鏡兒淀亦在蔣福山，積水一泓，下有滲泉，登盤諸峯，俯觀如鏡。涸則民居耕之。舊有孤山陂水，方輿紀要：縣西北六十里。渠河塘。合泃。

武清縣：無山。其川曰永定河，自東安逕境，至天津入海。求賢莊減河，自東安逕境，入鳳河。鳳河，自通州逕境，至天津，合永定。港溝，自通州逕境，入鳳河。北運河，自香河逕境，至天津。王家務減河，即青龍灣引河，亦曰上引河，一名東減河，自北運河東出，入香河、寶坻，復逕境，入甯河。筐兒港減河，亦曰下引河，一名西減河，自北運河東出，逕天津，入甯河。舊有泉州渠，從泃入潞。龍河，自東安逕境，復自東安逕境，合鳳河。郭家務減河，自永定逕境，合鳳河。坦坡埝減河，自霸州靜海逕境，入天津，注清河。東沽港，自東安逕境，注三角淀。虖池河枯溝，自安次逕境，合八丈溝，入巨馬。呂公河，自東安逕境，入三角淀。狼城河，自東安逕境，入三角淀。易水，自安次逕境，入文安。鮑邱水，清河，竝合滹沱。蓮花泊。自東安逕境。

寶坻縣：無山。其川曰薊運河，自三河入薊州，其水南爲縣境。大沽水，三支合注薊運。南灘沽，大劉莊水，魯沽，長亭水，小靳莊水，五水注薊運。鮑邱河，自三河逕境，合窩頭河，注薊運。鮑邱支河，合窩頭支河。鮑邱白家莊支河，注鮑邱。鮑邱新河，亦曰八門城河，入薊運。窩頭河，自香河逕境，入鮑邱。雙港河，自香河逕境，注七里海。窩頭朱家鋪支河，亦曰高渠河，合鮑邱支河。窩頭曹家園支河，至蘩淀。褒鹹河，亦曰繡鹹河，桔槔窪支河，小支河，注鮑邱。褒鹹支河，仍入褒鹹。水流莊水，月河淀，劉四寡莊水，龍虎莊水，四水注褒鹹。還鄉河，即巨梁水，亦曰環香河，分東、南二支，竝注薊運。王家務減河，自香河逕境，入武清，復逕境，入甯河。小月河，小淀，二水出薊運，還注。黃花淀，流爲東淀。東淀，入甯河，亦曰東淀河。油香淀，鯽魚淀，程泗淀，亦曰承司淀。三淀水出王家務減河。扒拉淀，辮子淀，亦曰蘇子淀。蘩淀，三淀水通窩頭。八道沽，出王家務減河。苦鹽坨水，大龍灣水，小龍灣水，三水注黃花淀。甘泉，寶坻洪志：甘泉在河北寺東南數武，康熙二十九年駐蹕，飲而甘之，因名。舊有柳沽河，自玉田逕境，注白龍港。草頭湖，一曰草頭沽，合潮河。糧河，分自薊州。淤泥河，寶坻舊志：淤泥河，西北二十五里。大龍潭，小龍潭。寶坻洪志：大龍潭，城東五里；小龍潭，城東十里。今竝無攷。

甯河縣：無山。其水族之房紮如山者曰蠔山，蛤山，甯河關志：蠔山在北塘海中，去縣九十里；蛤山在沿海一帶，去縣八十里。蠔蛤乃水族之房物，負房鱗集，層纍如山，俗因以山呼之。其川曰薊運河，亦曰潮河，自寶坻逕境。罾口河，出七里海，注薊運。王家務減河，自寶坻逕境，穿入薊運。筐兒港減河，自天津逕境，注七里海，入薊運。金鐘河，自天津逕境，注薊運。新河，注薊運。七里海，受東、西二減河。後海，受東減河。曲里海，注薊運。北淮魚淀，南淮魚淀，塔淀，塌淀。皂淀，已上爲甯河四淀。西減河逕北淮魚淀。東淀，自寶坻逕境，注後海。

馬跑泉，在蟶頭沽。齊家沽，治北三里。南沽，南五里。江右沽，南八里。大麥沽，北八里。幫道沽，西北八里。捷道沽，東南九里。麥子沽，東南十五里。東淮沽，東北二十五里。中興沽，西南三十里。北澗沽，西南三十里。船沽，西南四十八里。南澗沽，西南三十里。句樓沽，西南四十二里。漢沽，南四十八里。馬杓沽，西南四十八里。李家沽，東南五十里。李家沽，西南五十里。蟶頭沽，東南八十五里。甯車沽，西南百里。塘兒沽，南百二十五里。田家沽，西南百三十三里。已上諸沽，通薊運。新河莊内鹽溝，外鹽溝，塘兒莊鹽溝，三溝注薊運。崔家溝，通漢沽。二溝莊四舊渠，亦曰鹽溝，注薊運。江潢口莊南渠，落坡亭東渠，幫道沽東渠，青泥莊北渠，板橋莊西渠，大麥沽西渠，劉可莊東渠，張新莊東渠，胡家莊東渠，高家臺後渠，田家莊頭南渠，甯河城北渠，崔成莊渠，甯河城東二渠，東窩莊渠，倒流窩莊西渠，南窩莊北渠，甯河西門外渠，西關莊渠，江右沽西渠，楊家莊北渠，孟家莊南渠，菜園莊三渠，朱莊北渠，孟舊窩南渠，米廠前莊東渠，南渠，西渠，米廠後莊東渠，南渠，西渠，塌慈莊南渠，朱家莊西渠，木頭窩莊渠，苗家莊渠，麥子沽渠，馬家莊南渠，北渠，北澗，沽東渠，中興沽渠，鄭家莊渠，大楊莊渠，小楊莊渠，塘兒莊渠，已上四十八水，分自薊運。杜家新莊渠，任家泊，任千户莊東渠，前沙窩莊西渠，北渠，後沙窩莊西渠，大艇莊東渠，劉家莊二渠，王御史莊東渠，党家莊北渠，小田家莊北渠，大趙家莊東渠，勾樓沽東渠，李家沽北渠，西渠，漢沽莊北渠，南渠，黃沽莊渠，趙家園莊渠，曹田萬莊渠，董家莊渠，靳家莊渠，陳家莊渠，小傅家莊渠，莊頭莊渠，小胡莊渠，桐城莊渠，胡家莊渠，張家莊渠，盧家務渠，崔莊渠，塞上莊渠，鐵師坨渠，營城汛北渠，塌淀莊渠，已上三十六水，注薊運。紀家莊渠，注王家務減渠。馮家臺南渠，東隄頭莊南渠。二渠出筐兒港減河。

昌平州：山，城東二里曰亢山，一名亢家山，畿輔唐志：一名亢家山，州東二里。又四里曰影山，畿輔唐志：遠望之，其影先見。昌平宋志：影山在州城東六里，爲東山口障護。又一里曰平臺山，昌平山水記：東山口內一里，水中有小山，曰平臺山，明成祖嘗駐蹕。又三里曰九里山，一名綿山，又名宜山，宋志：九里山在城東十里，一名綿山，又名宜山。按：李因篤芹城小志，緜山在州東十五里，或名宜山。元混一方輿勝覽載有緜山寺。又十里曰蔣山，宋志：蔣山在城東二十里，上有神仙洞。曰漿水峪，采訪册：在城東二十里。又五里曰大湯山，又一里曰小湯山，宋志：大湯山在城東二十五里，又東里許曰小湯山。按：一統志云，東三十里湯山。今據宋志。又二十里曰大駝寨山，畿輔唐志：州東四十五里，山厓陡峻而頂平漫，少東有石洞十數，洞內有泉。宋志：大駝寨山在城東桃林麻峪之北。又二十五里曰史山，宋志：史山在城東七十里。城南五里曰孟祖山，舊志奪，今據采訪册補。又十里曰白石山，舊志：白石山在城南十五里，山石潔白，故名。按：畿輔唐志，昌平舊志，均有唐家嶺，在州南四十五里。按今有邨名唐家嶺而無山，且在宛平境，今刪。城西八里曰雪山，按：舊聞攷引畿輔山川志，雪山在州西八里，有狄梁公祠。畿輔唐志云，九里。又三十二里曰柏谷，按：宋志云，柏谷在城西白羊城南。又云，白羊城在城西四十里。又十里曰尖山，宋志：尖山在城西五十里白羊口內。曰馬鞍山，曰茱萸陀，曰搶風崖，宋志：俱在白羊口內。又四十五里曰雞冠崖，宋志：雞冠崖在白羊口迤西四十五里，僻處萬山，峯巒險峻，內有礦洞。又十五里曰鶴頂山，俗呼鍋頂山，宋志：鶴頂山在城西六十里禾子澗，俗名鍋頂山。按：畿輔唐志云，州西三十里，非也。又十里曰牛心山，宋志：牛心山在城西七十里，與上常谷口近。又十餘里曰長城嶺，薊邱集：北山上平衍，西五里有嶺曰長城，微有古堞剥蝕，傳是秦皇之址。有泉出焉，曰馬跑。又西二里，有了思臺，而西又十里皆峻嶺也。灰嶺險倍於長城，石如蛤粉。下山有城，是鎮邊之廢邑。又西八里有城，是曰鎮邊。宋志：長城嶺在城西禾子澗，馬跑泉迤東。按：馬跑泉邨在城西八十里，然長城嶺西亘十餘里，故城西九十里之邨，以橫嶺名也。鎮邊城在山下，亦在城西九十里。曰灰嶺，詳上注。城北三里曰城後山，采訪册。又一里曰蘇嶺，畿輔唐志：州北四里。又八里曰饅首山，宋志：饅首山在城北十二里。又八里曰晏磨峪，采訪册：在城北二十里。又四里曰玉華山，宋志：玉華山在城北二十四里。又八里曰金櫃山，畿輔唐志：昌平州北，居庸關城西，形如金櫃。又十八里曰黑山，按：此卽天壽山東峯，明景陵在焉。宋志云，黑山在城東北五十里，爲黄花鎮通衢，山如列屏，下有泉澌。又二十里曰銀山，有鐵壁崖，古佛崖，白銀峯，佛頂峯，天府廣記：銀山冰多，雪層積，故名。麓有石崖，黑色，又名鐵壁，頂爲中峯。燕山紀遊：銀山度嶺數折，峯分爲三：左一峯，石卓立如錐，峯下法華寺，後爲古佛崖，再上爲鄧隱峯説法臺，復躡危磴五六里，爲中峯，頂峯石鋭如斧刃。昌平山水記：銀山有隱峯十詩，曰白銀峯，曰佛頂峯，曰古佛崖，曰説法臺，曰佛覺塔，曰懿行塔，曰雪堂，曰雲堂，曰茶亭，曰濛泉，金大定六年立石。按：方輿紀要、山水記俱云：銀山，州東北六十里。惟畿輔唐志言七十里，與宋志合。曰柳家谷，曰丹兒谷，宋志：二谷在銀山。城東南五里曰龍泉山，舊名白浮山，宋志：龍泉山卽白浮山，在城東南五里，上有都龍王祠，山半一洞，有人梯石而上，初狹漸廣，行里許，水聲砰訇，不敢前。洞北麓有潭，潭西北，泉出亂石洞。按：一統志云，白浮山在州東南十里，上有二龍潭。城西南四里曰鳳凰山，按：宋志，鳳凰山在城西南四里。明一統志云，筆架山南曰鳳凰山，出城西四里至紅門，兩山並峙，連翩如鳳翥。又二十一里曰神山，一名神嶺峯，亦名駐蹕山，昌平山水記：在州西二十五里，其山長而北袤，凡二十里，石皆壁立，高可十丈，其頂皆白。山之南有棲雲嘯臺，高二丈許，正北有石梯可上，金章宗建亭於此。舊傳山下有石床，石斧，今亡。天府廣記：山高十餘丈，西北袤二十里，金章宗游此，鐫駐蹕字，上有臺，章宗自題棲雲嘯臺四字。又二十里曰虎兒陀，曰九女陀，曰仙人陀，宋志：虎兒陀在駐蹕山西，又西南有九女、仙人二陀。按：駐蹕山西袤二十里，三陀在其西。又十里曰牛山，宋志：牛山在城西南五十里，下有泉，相傳有神女降自山，飲泉而竭，故名。曰畫眉山，宋志：畫眉山在城西南五十里泰州務北。按：宋彦山行雜記云，金山口度嶺至冷泉村道旁，行二里曰泰州務，其後畫眉山。帝京景物略云，畫眉山在西堂村北，産石黑。畿輔唐志，畫眉山在宛平西北二十里。成德淥水亭雜識，齋堂村在西山北百餘里，産畫眉石處。諸説互有異同。今攷泰州務在昌平州城西南五十里，與宛平縣治北二十三里界相近，唐志云宛平，非也。又四十里曰六華巖，曰小神山，曰青利山，又南十里曰長峪，又西五里曰德勝巖，亦曰鳳凰巖，曰孤松巖，山南曰西峪，少北曰白鶴峯，薊邱集：鎮邊城西十里有堠，曰唐耳，背據大山，斜界居庸、鎮邊廢邑。其南皆山，中爲衢路，東曰六華之巖，西曰小神之山，曰青利之山。巖分形如六華，其第四巖有洞，是爲鳴臯洞。南十里有聚曰長峪。又西五里有崖，曰德勝，又曰鳳凰。上有蘭若，山下出泉，二十里達於渾河。山西有觀音洞，又曰孤松崖。山南嶺曰西峪，其下有碑，不可辨識。自長峪東二十里有聚，曰菩提塹，有寺曰白瀑寺，出山而北，曰白鶴峯，又折而東，則走高崖。曰碧駕巖，曰通明山，曰鷹揚山，曰涔落山，薊邱集：鎮邊兩旁皆山，南曰碧駕，曰通明，曰鷹揚，曰涔落。碧駕之崖有小湖。城西北六里曰小金山，宋志：山在城西北六里西山口內，日午人過山下，光影入衣，如金色然。曰錦屏山，亦名鹿馬山，宋志：錦屏山又名鹿馬山，在西山口內。曰銀泉山，亦名銀錢山，宋志：銀泉山又名銀錢山，在大紅門迤西。又四里曰虎谷山，又五里曰大虎谷山，長安客話：駐蹕山西曰虎谷，其旁土岡名小金山。昌平山水記：西山口西四里有虎谷山，又五里爲大虎谷山。宋志：虎谷山在城西北十八里，內有握雲洞。按：顧說大虎谷在城北十五里，宋說十八里，蓋据山之西北言。曰大谷山，谷一作峪，宋志：大谷山在城西北十五里。按：明昭陵在此。畿輔輿圖云，大峪山，州西北十八里，非也。曰照壁山，畿輔唐志：州西北十五里。方輿紀要：照壁山，方如屏障。曰積粟山，宋志：積粟山在城西北十五里，相傳元時積粟於此，下有唐朱懷珪墓。按：方輿紀要，積粟山在州西二十里，與軍都山相屬，然今境當從宋志。曰玉帶山，宋志：玉帶山在城西北十五里，山腰有白石若帶。又一里曰長水峪，采訪冊：在城西北十六里。又二里曰天壽山，初名黃土山，明翁正春翁文簡集：燕山去神京百里而近，諸陵在焉，更名天壽。方輿紀要：山在州北十八里，本名黃土山，即軍都諸山之岡阜。志云，脈自西山蜿蜒而來，羣峯連亘，流泉環繞，永樂七年卜建山陵時幸此，因賜今名。歷朝陵寢皆奠焉。正統十四年，也先入犯，焚毀陵園，于謙遣軍分屯天壽山。弘治十三年，火篩自大同深入，亦遣大臣守衛天壽山。嘉靖二十九年，有俺答犯州東門，官軍潛伏林內，奮出擊卻之。蓋控禦要地矣。山水記：天壽山環山凡十口，自州西門而北八里爲大紅門，門東三里曰中山口，又東北六里曰東山口，距州東門八里有松園，方廣數里，又北而西十里曰老君堂口，旁有老君堂，因名。又西十五里曰賢莊口，又西三里曰灰嶺口，官軍駐守於此，又西十二里曰錐石口。三口並有垣，有水門。崇禎九年，昌平之陷，自此入焉。又南十二里曰雁子口，又西南三里曰德勝口，距九龍池四里，有垣，有水門。又東南十里曰西山口，距州西門八里，又東二里曰榨子口，距大紅門三里。凡口皆有垣。陵後通黃花城，自老君堂口至黃花城四十里。嘉靖十六年，命塞天壽山東西通黃花鎮路口是也。曰小谷山，亦名潭子谷，宋志：小谷在城西北十八里，又名潭子谷。又一里曰水峪，采訪冊：在城西北十九里。又一里曰軍都山，亦名居庸山，北跨宣化府懷來縣界，方輿紀要：州西北二十里，層巒疊嶂，奇險天開，太行第八陘曰軍都，即此山也。後漢永平中，胡騎經軍都，耿舒襲破其衆，斬匈奴兩王。其後盧植嘗隱居於此。晉建興中，段匹磾欲擁其衆徙保上谷，阻軍都之險，是也。又東漢立縣於軍都山南，或以爲秦縣也。按：此山北跨懷來界。乾隆府廳州縣圖志，軍都山在昌平州西北，懷來縣南五十里。宋志，軍都山又名居庸山，在城西北二十里。曰雙鎖山，宋志：雙鎖山在城西北二十里。曰翠嶺山，一名陽翠嶺，亦呼十八道嶺，宋志：翠嶺山在城西北二十里。舊志云，陽翠嶺，又名十八道嶺。畿輔唐志：雙鎖山、翠嶺山俱在東北二十里。今從宋志。又按：明永陵在翠嶺。曰筆架山，方輿紀要：天壽山條下云，今州東北十五里玉帶山，又五里筆架山，三峯並列，迴出雲表。中峰之下，太宗元宮奠焉，所謂長陵也。曰黃山一嶺，又一里曰黃山二嶺，宋志：黃山一嶺在城西北二十里，又西北里許爲黃山二嶺。又四里曰蓬山，宋志：蓬山在城西北二十五里。曰沙嶺，宋志：在長陵後。曰寶山，亦名聚寶山，宋志：寶山又名聚寶山，在城西北二十五里。按：明茂陵在此山。曰湯峪山，方輿紀要：湯峪山州西北二十五里，溫水出焉。宋志同。曰石門山，畿輔唐志：州西北二十五里。曰五鳳山，亦名蘇山，宋志：五鳳山又名蘇山，在城西北二十五里。曰養馬峪，采訪册：在城西北二十五里。曰天門峽，曰梯雲峽，宋志：天門峽、梯雲峽，俱在德勝口內。溪山集：從紅門望長陵而西入峽中，爲德勝口關城。曰溝溝巖，亦呼峋峋崖，有紫極峯，昌平舊志：呂真人祠有二，一在溝溝崖紫極峯。又三里曰回回陀山，宋志：回回陀山在城西北二十八里。畿輔唐志云，西北二十里。今從宋志。又二里曰石縫山，宋志：山在城西北三十里，峯極峻。曰幽都山，按：一統志，山在州西北三十里，相傳古幽州以此名。方輿紀要、通典以爲山在北荒也。洪亮吉與邵編修辯爾雅斥山書曰若常山即今恒山。爾雅，恒山爲北嶽。堯典，宅朔方曰幽都。則北岳可名幽都之證。故郭注亦曰幽都，山名是也。晉太康地志云，幽州本以幽都得名。曰柏齡山，畿輔唐志：在州西北三十里。曰妙高峰，按：宋志云，妙高峯，春明夢餘録，在居庸關諸山之南，與天壽山相接，中開一罅，即居庸關，山峻而秀，故以妙高稱。或云在州城西南擡頭村、南龍泉寺一帶。曰彈琴峽，方輿紀要：居庸關城八里爲上關，有小城，南北二門。又七里曰彈琴峽，水流石罅，聲若彈琴。又三里曰蓮花山，亦名八寶蓮華山，一名金嶺，宋志：蓮花山亦名八寶蓮華山，又名金嶺，在城西北三十五里。曰羅漢山，曰白馬山，宋志：竝在城西北三十五里。又四里曰翠屏山，宋志：山在城西北三十九里紅門内之西。又一里曰羊兒陀，宋志：羊兒陀在城西北四十里白羊口內。又半里曰狼山，亦名崑山，方輿紀要：狼山在州西北四十里，其東北有古陽夏川。或曰山亦名崑山。元致和初，燕帖木兒敗上都兵於白浮之野，上都兵走崑山，收集散亡復戰，又敗走昌平北。又曰香山，宋志：香山在城西北。順治六年冬，工部差官踏勘，自居庸關東南煙洞溝起，至關北陳友諒口止，俱封爲香山，每歲五月采辨香料於此。城東北六里曰望兒山，宋志：山在城東北六里。又三里餘曰莽山，莽亦作蟒，昌平山水記：東山口內三里有莽山。宋志：蟒山在東山口內北三四里許，如蟒伏然。又十里曰黃泉谷，宋志：黃泉谷在城東北二十里，內有清涼洞。又五里曰麻峪，采訪册：在東北二十五里。又五里曰白泛嶺，宋志：白泛嶺在城東北三十里香堂村北。又二里曰神嶺，亦名三思嶺，宋志：神嶺又名三思嶺，在城東北三十二里，芹城北，高百餘丈，下有龍潭，即芹城水源。燕都游覽志：神嶺一名三思嶺，以其高峻，故名。曰牛蹏嶺，宋志：牛蹏嶺在三思嶺北。曰箭穿山，宋志：箭穿山在香堂村北，中有圓孔，如箭穿然。曰中字山，宋志：中字山在抱榆泉村北，宛如中字。又三里曰桃峪，采訪册：東北三十五里。又三十五里曰玉峯山，帝京景物略：山石盡白，樹多蘋婆果，入山者取道二：一從白泛嶺入，路險難；一從三思嶺牛蹏嶺入，差平。曰峪口山，畿輔唐志：東北七十里。曰大崵山，亦呼羊山，畿輔唐志：羊山東北七十里。宋志：大崵山在城東北七十里桃谷口內。曰小崵山，崵亦作羊，宋志：小崵山在城東北七十里。曰紅崖谷，宋志：在大崵山東。曰赤菴谷，宋志：在城東北七十里。又二里曰橋山，采訪册：在城東北七十二里。曰黃坎嶺，宋志：在城東北又十二里黃坎村北。又三十八里曰觀音崖，鸚鵡峯，宋志：觀音崖、鸚鵡峯，俱在渤海所公家莊。按：渤海所在東北一百十里。又洞曰仙人洞，山水記：洞在山麓，可容二百人。洞口向東，從石梯而下，石皆倒垂，下爲平地，洞西壁有一門，近門上有石鐘下懸，長數丈，門之內少入，轉而南，見石罅如夾道，深黑，人不敢入。燕都游覽志：仙人洞在紅門內東山腰，去碑樓三里，躡磴而上，洞口僅容一人，僂而入內，若大廈，日色下燭，石皆倒垂。寒厓洞，在駐蹕山，據畿輔唐志。觀音洞，在德勝崖。神仙洞，在蔣山。清涼洞，在黃泉谷。重石洞，華崖洞，思義洞，三洞俱在銀山。朝陽洞，凡二，一在銀山，一在鎮邊城南門外。天橋洞，在西山。仙居洞，在西山崖。蓮花洞，井兒洞，宋志：蓮花洞極深，可行三四里，中有石門。井兒洞欹側可數丈，有衆泉，二洞在神仙洞西南十餘里。鳴皋洞，在六華崖。黃花洞，在蘇林口內。握雲洞，在虎峪山後。舊有觀石山，按：魏地形志云，燕州燕郡軍都縣有觀石山。今未詳。其川曰榆河，㶟餘水亦曰溫餘河，出延慶，逕昌平，爲月兒灣，㶟餘潭，北沙河，受龍眼泉、虎眼泉、暖泉、百泉、天壽山泉、九龍泉、東山口水、翠屏山泉、百仙莊泉、龍王山泉、白羊水，合南沙河，亦曰沙河，入大興。龍眼泉，虎眼泉，暖泉，百泉，有原泉、黃泉、響泉。天壽山泉，九龍泉，東山口水，翠屏山泉，即永液泉。百仙莊水，涼水河。龍王山泉，即白浮泉。白羊水，龍眼泉以下諸水，出昌平，注榆河。九龍池，出九龍泉。玉斗潭，即黑龍潭，水自宛平逕境，合南沙河。南沙河，自宛平逕境，合黑龍潭、岔河、滿井、南沙澗諸水，會北沙河，曰沙河。沙河，南、北沙河會流而名，合綘州營河、抱榆泉、龍泉寺水、湯山泉、新湯池、行宮泉、芹城水、楊家巷水、惠澤龍潭、桃谷水、暴榆泉、蘇家口水，又名沙子營河，入大興。綘州營河，自順義逕境，合抱榆泉、龍泉寺水。抱榆泉，東流，河出州東北，合綘州營河。龍泉寺水，出一畝泉，下流爲雙塔河，合綘州營河，又名葫蘆河，受湯山泉。一畝泉，詳上。湯山溫泉，湯谷泉源二：一、大湯山泉，二、小湯山泉，俗呼湯泉，亦名湯峪川，合注龍泉寺水。新湯池，海子合龍泉寺水。行宮泉，合龍泉寺水，注沙河。芹城水，出神嶺麓龍潭，合惠澤龍潭、桃谷水、暴榆水、蘇家口水，注沙河。楊家巷水，合芹城水。惠澤龍潭，出大湯山，合芹城水。桃谷水，出桃谷，注芹城水。暴榆水，白浪河合桃谷水。蘇家口水，合桃谷水。七度河，黃頒水，亦曰朝鯉河、水谷河、黃花鎮川，源四，出延慶，逕境入懷柔。黑山塞水，出塞外逕境，合七度河。九度河，九道河源二：一水谷，一銀山蒙泉。入懷柔。蒙泉，出銀山，即九度河南源。山水記述隱峯十詩，一曰濛泉，據知亦作蒙。渤海水，源四：一響水閘，一泉溝，一珍珠泉，一慕田谷，逕境入懷柔。青龍潭，昌平宋志：老君堂西。玉蟒潭，宋志：城西北三十八里。紅沙潭，宋志：城西北三十九里。暘山潭，宋志：潭在桃谷口內大暘山，澄且絜。鍾營泉，宋志：泉出鍾家營，流逕孟祖、白坨等村，又逕官房入地。蓮池，畿輔唐志：在州東南龍泉山甘露。魚池，畿輔唐志：在龍泉山觀音洞。白泉，宋志：泉在城東南四十五里西，小口村西南，清可見底。黑泉，宋志：白泉東二里，黝然沸出，中有金沙，鄉人開渠引流。馬眼泉，畿輔唐志：州西南二十里。大、小缸泉，宋志：在城西南三十五里。團泉，冷水泉，竝在城西南，據采訪册。安泉，在城西南七十里。亂泉，宋志：城西南長城嶺下。德勝泉，宋志：在常谷城口西，德勝寺山麓。廣澗泉，宋志：在城西北三十八里。濯纓泉，宋志：在城西北四十里。蕙泉，宋志：在渤海所。飲馬泉，宋志：出城東北七十里銀山麓，與蒙泉同出一山，然非互受。高崖水，宋志：高崖水出西山高崖口，西南流，逕高崖口村入地。海子水，宋志：出北海子村，東南流逕花果山，又南流逕下莊村東南，左合上莊水，又南入地。仙人池，宋志：在駐蹕山李兒港。雙泉河，宋志：導源城西北皂角谷。溝溝巖泉，方池，肅松録：德勝口南，兩山相夾，中峯石壁高三十仞，壁右有方池，流入崖下爲瀑。西爲西峯菴，菴右有泉，僧引之入香積。碑文皆稱溝溝崖。爾雅：水注谷爲溝。而帝京景物略以岣峋易之，何哉？蓮花洞泉，井兒洞泉，宋志：蓮花洞石門中開，漸聞水聲。井兒洞有泉清冽，竝在神山西南。舊有温水，北谷水，竝注濼。祁夷水，北連水，達於濼。易荆水，注濼餘。孤山水，亦曰埍界水、昌平水，昌平河，注易荆。高梁水，方輿紀要：在州西。牛山泉，宋志：在城西南五十里，山下有泉，相傳神仙降自山，飲泉而竭。馬跑泉，出長城嶺。

順義縣：山，城南五里曰福山，順義黄志。又十五里曰龍山，明一統志：龍山在縣南二十里，下有龍泉。又數里曰孔山，按：水經注，山上有洞，穴開，故土人以孔山稱。據一統志，在縣南二十餘里。黄志，縣南平岡分三支，無崇阜，俗稱三山不見山，即此。城北二十里曰牛欄山，一名順義山，亦名金牛山，方輿紀要：宋王曾上契丹事曰：順州至檀州漸入山，牛欄是其要地，明改名順義山。昌平山水記：山上有洞，俗傳有金牛出焉。至今洞前石壁爲小槽形，名曰飲牛池。遼史拾遺，引塞北小鈔曰：牛欄山，相傳有中峯洞，洞内金牛時常出現，然山不甚高，遠望之僅，蜿蜒一邱耳。舊聞攷、畿輔山川志亦名金牛山。遼史百官志，遼置牛欄都統領司。一統志：牛欄山東南漕河嘗有把總戍守。又里許有小山，曰靈蹟山，山水記：昔有仙人騎牛來遊，因名。城東北二十五里曰狐奴山，一名呼奴山，長安客話：牛欄山與狐奴山相望。山水記：水經注，水不流曰奴，蓋以山前瀦澤名也。其北麓鳥道而上，里許漸闊漸平，有寺。寺後有小石城。山下有龍潭，今涸，山西南百步有漢狐奴縣故址，魏黄初二年省。方輿紀要：呼奴山，縣東北二十五里，亦名狐奴山，其北麓有小石城，其西南麓又有一城，相傳後漢鄧訓與上谷太守任興，將兵屯狐奴山以拒烏桓，此城卽訓所築。或曰漢狐奴縣故城。縣舊志：鄧訓開水田二千餘頃，今尚存。又西百步許曰鞋山，黄志：狐奴山西百步許鞋山，孤峯竦峙，踵趾如舄，故名。城西北三十五里曰桃山，亦名桃谷山，按：方輿紀要、舊唐書謂之桃谷山，山有五峯，如桃花瓣，巨石錯落，横亘數畝。元致和初，上都兵入古北口，留重兵屯燕樂城，以輕騎進抵桃山，雅克特穆爾掩擊之於白狼河，追至桃山，降其衆，燕樂聞之遂潰。白狼河卽白河也。志云，桃山在縣南十五里。恐誤。唐書，開元二十五年，徙燕州治於幽州北桃谷山。一統志云，桃山。舊聞攷云，桃谷山。曰史山，畿輔唐志：在縣北三十五里。方輿紀要：在縣西北，山高百餘丈，南望京師，盡在目前。名勝志：山石戴土，高百餘丈，狀如眠弓，南望京師城闕，金碧眩目。寺宇皆唐時建。縣舊志，山有卧佛寺。其川曰白河，自懷柔逕境，入通州。懷河，七度河自懷柔合九度、小泉諸水，通稱懷河，逕境，亦曰大小潞河，注白河。沙河，自大興逕境，入通州。絳州營河，亦曰西河，榆河，高麗河，源二，一出范各莊，一出寺兒上，入昌平。窩頭河，亦曰漒漒河、箭杆河、牛家務河、絳河、窩頭莊水、蒼頭河、蕭后運糧河，無專源，入通州。曲水泉，入白河。靈蹟泉。黃志：泉出靈蹟山。

密雲縣：山，密雲丁志：京師北趨灤陽至密雲，始入山逕，小別大宮，紛糅千里，大抵以黍谷山巾其顛，冶山柱其頰，大圖山挐其嶺，燕樂山據其脊，青草頂山振其尻，五峯白蓮伸其股，平頂詘其右臂，緣邊諸山聯其衛絡，內境諸山實其藏胃。城東七十里曰錐山，亦名大谷錐山，漢志謂之鐵鑛山，俗呼鎚山，元五行志：至元十三年，官言檀州大谷錐山出鐵鑛，有司覆視之，立四冶。丁志：錐山，縣東七十里，即鎚山，西北有大谷。漢地理志，鐵鑛山即此。西連龍門、清洞諸山，以極潮河，南控梨花、跨鼓諸嶺，以抱東塞牆子，巨鎮也。城南八里曰聖水山，按：畿輔輿圖云，聖水山縣東南十里聖水村，非也。密雲丁志云，聖水山城南八里，又村莊門聖水頭南八里。又七里曰黍谷山，一名寒谷，一名燕谷，劉向別録：燕有黍谷，地美而寒，不生五穀，鄒子居之，吹律而溫氣至。王充論衡：燕有谷，地寒不生五穀，鄒衍吹律致氣，既寒更爲溫熱，以種黍，黍生豐熟到今，名之曰黍谷。昌平山水記：黍谷亦謂之寒谷。吳越春秋：北過寒谷。畿輔山川志：遼建避暑殿於此。丁志：黍谷山，縣南十五里，西南屏障也。一名燕谷，一名寒谷。峯巓喬松，遠見百里。西南諸山，陂陀演迤，至黍谷始一矗，南絡橫山、白檀山出境，東絡銀冶嶺、銀鑛山出境。按：明一統志、畿輔唐志並云在懷柔東四十里，與今界異矣。一統志云，在密雲縣西南十五里，與丁志所云縣南微異，參之采訪，山從西來，至南一矗，以丁志爲是。舊聞攷云，密雲舊城東門外有鄒衍吹律處碑，因建新城，瘞。今新、舊二城夾道中，有鄒大夫祠，據此，則黍谷應入密雲。又五里曰白檀山，方輿紀要：縣南二十里，漢書李廣弭節白檀。又曹操伐烏桓，田疇請以盧龍口越白檀之險，掩其不備，是也。畿輔唐志：山之陽有白檀柳，因名。曹操破烏桓於柳城，城在山曲。按：懷柔吳志云，在縣東三十里，或遂據以爲山在懷柔，非也。密雲丁志云，白檀山縣南二十里，徵之顧、唐亦合。曰密雲山，亦名橫山，方輿紀要：縣南十五里，晉咸康四年石虎攻段遼於令支，遼棄令支奔密雲。晉紀云，段遼爲石虎所敗，奔平岡山。蓋近漢平岡縣界。唐置橫山城，爲守禦處，蓋置於山下。昌平山水記：密雲山一名橫山，郡所以名也。畿輔唐志：密雲山藏雲霧，故名。按：乾隆府廳州縣圖志云，山在縣南二十里。徵之丁志，參以采訪，正合。顧云十五里，難以概今矣。城北十五里曰神山，一統志：縣北十五里下有水潭。又三里曰馬頭山，丁志：馬頭山，縣北十八里，危嶺竦首，其西爲白河分流處。又七里曰大圓山，丁志：大圓山，縣北二十五里，冶山來脈也。其西黃姑山，金羅山會之。其北堡子頂，鐵頂嶺，戶部嶺環之。邑北諸山，至大圓山爲一束。又三十五里曰燕樂山，別名桃花菴山，超勝菴山，丁志：燕樂山，縣北六十里。舊圖桃花菴山，超勝菴山，統此一山，以菴別名也。宜從燕樂山爲正。密雲咫步皆山，而平疇廣衍者凡三：一今縣治，一石匣城，要陽故城地也，一燕樂村，在此山下即燕樂故城也。山高約十里，緜亘幾二十里，周圍九岡十八谷，東眄霧靈，西拊橫嶺、大圓、黍谷皆在几案。通志、邑志、陳志佚之，可補也。山有上寺、中寺、下寺，唐開元十三年石幢尚存。又一十里曰駝骨山，析名之，一青草頂，一柏查山，丁志：縣北七十里，二山連亘，分名之曰青草頂，其南曰柏查山，合之統名駝骨山。別有柏查山，在古北口。迤邊諸山，由桃兒山分支，循西嶺白蓮谷南趨，至此結穴。此燕樂山來脈。按：采訪冊，左右有西駝骨關，東駝骨關。又三十里曰窟窿山，采訪冊：縣北百里下有一孔，前後通明。城東南五里曰孤山，丁志：孤山，縣東南五里，左禦潮河。又十里曰銀冶山，山亦呼嶺，按：畿輔唐志云，山在縣南十五里，舊出銀鑛。畿輔輿圖云，銀冶山，縣東南十五里。密雲丁志云，銀冶嶺，縣東南十五里。然則當以東南爲是。曰梯子嶺，丁志：縣東南十五里。又五里曰酸棗嶺，丁志：縣東南二十里。按：密雲東南山境，悉取道銀冶、梯子、酸棗三嶺，險才通騎。城東北八里曰冶山，昌平山水記：上有塔，有石洞深邃，水四時不竭，東有草洞，昔人淘金址尚存。密雲舊志：俗傳有冶居其上。丁志：冶山，東北八里，通志作八十里，誤。上有磚塔，遼建。普濟寺廢碑今尚存。山俯瞰城邑，爲密雲主峯，北尊玉皇頂、皇極臺至大圓山爲正脈。東絡鳳凰三山，跨北嶺達九松山，亘長梁，抵東山，以界潮河，爲左支；西絡循神山，抵馬頭山，以界白河，爲右支。又十七里曰火突山，一名火炎山，亦名火燄山，畿輔唐志：火突山，縣東北二十五里，一名火炎山，巖谷峭削，色如火燄。丁志：火突山卽火燄山，在牆子關東二十五里。又五里許曰九松山，初名九莊嶺，康熙四十五年賜名，丁志：九松山，縣東北三十里，卽九莊嶺也，以奇松九株，賜今名。按：方輿紀要云，九莊嶺，縣西北三十里。水經注，鮑邱水自禦夷北塞外南流，逕九莊嶺是也。舊聞攷引舊志，又云東北二十八里，當從丁志。又三十里曰龍門山，香爐、清都、清洞，皆前後山也，清洞一名三教山，亦名青銅山，一統志：清都山在縣東五十里，舊有清都觀，故名。畿輔唐志：清洞山在東北五十里，一名三教山，中有三洞，下有三教寺。縣志作青銅山。丁志：龍門山，縣東北六十里，香爐、清都、清洞皆前後山也。山出道人溪水，爲白龍潭本源，別有黃巖洞，龍堂子蹟，今尚存。曰白龍潭山，亦名石盆峪，丁志：白龍潭山，縣東北六十里，卽石盆峪，有龍潭，狀如石盆。明戚繼光詩碣尚存。又二里曰印靈山，丁志：縣東北六十二里石匣城主峯。又三里曰白塔山，俗謂爲北山，丁志：白塔山，縣東北六十五里，舊圖所謂北山也，上建有甎塔，與冶山遙應，南拓小安口，北連娘娘頂，迤覆鍾山、黑龍潭山。又十里曰五峯山，亦名五指山，丁志：五峯山，縣東北七十五里，聳列如指，亦名五指山，黃巖口一帶巨鎮也。清水河循其左，乾埝河夾其右，西會潮河，若環帶焉，東絡青埰山，馬家溝極，大樹窪諸山，巑岏崱岃。又十五里曰瓦山，丁志：縣東北九十里，左峙白蓮窪山，合東潮河爲內對山口，南絡大小新開嶺，白河澗，芹菜嶺，北控南天門，皆輦道經過處。曰白蓮窪山，一名筆架山，丁志：白蓮窪山，縣東北九十里，一名筆架山，乾埝河、湯河夾之，三道梁界，其南歸兒嶺隘，其北東絡雅鶻安山、窟窿山，鋸齒山，極漢兒嶺、青石山出邊，曹家路一帶巨鎮也。又五里福峯山，丁志：縣東北九十五里，至古北口城五里，山之陽，練軍六營駐焉。曰潮河崖，舊聞攷：潮河入古北口，經柳林曲至南天門，四山環東。采訪册：東北九十五里潮河崖，有潮河神祠。又五里曰盤龍山，丁志：縣東北一百五里，在古北口東。曰卧虎山，丁志：縣東北一百五里，在古北口西，關道中通，左右夾踞，天險也。山之陽，柳營駐之，南抵陰山，即金史所云留斡嶺左東北夾道諸山。又曰棒棰厓，方輿紀要：在縣東北。隆慶元年，三衛彝酋董忽力勾土蠻十萬犯邊，勢甚猖獗，既折牆而出，至棒棰厓，迷失道，墜坑死者無算。城西北十五里曰鳳凰山，俗呼鳳山，丁志：縣西北十五里，白河分流夾之，南路卧虎、惠安二山，若割據焉。又十五里曰平頂山，畿輔唐志：縣西北三十里。丁志：元太子塞趾尚存，後扼水谷，左撫柏巖，白河以西諸山，羅伏其下。又十里曰水谷山，一名滴溜掛山，丁志：縣西北四十里，一名滴溜掛山，懸崖西向，雄關屹然，東絡開方、老鴉諸谷，達石塘嶺。按：谷一作峪。又十里曰石塘嶺，丁志：縣西北五十里，至鹿皮關五里，左襟白河，負城挾堡，爲西北最衝要地。西有鸚鵡崖，鹿皮崖。又四里曰鹿皮巖，畿輔唐志：西北五十四里。又一里曰鸚鵡崖，詳上注。采訪册：西北五十五里。又四十五里曰划車嶺，丁志：縣西北一百里，橫山分支，入邊爲划車嶺、杏樹溝、瑶谷、白崖、滴水崖、石灰嶺六山。而划車嶺最大，東西亘十里，白馬關右倚之。又城東曰金洞，畿輔唐志：縣東八里。元時嘗采金於此。按：此疑即草洞，見冶山注。黄崖洞，見上龍門山注。北曰仙洞，燕山叢録：縣北有仙洞，其深莫測，內有天然石佛五區，又有五色石，竦拔如筍，洞口有橋，人顧其下，深險不可渡。東北曰冶山洞，長安客話：縣東地名驚羅山，厓間有石門二扇，不可開，聽之，內有水聲。畿輔唐志：縣東北二十里，地名驚破羅。西北曰廣慧洞，畿輔唐志：縣西北二十五里。舊有黑松山，按：畿輔唐志云，山在縣北七十里。縣舊志，元時有黑松林，今無。丁志未載，所未詳也。香徑山。按：畿輔唐志云，東北百餘里。水經注，悉生藁本香，故名。丁志曰，東北一帶霧靈遠脈，淑秀所鍾，冬幹潛虬，春苗擷翠，美材香草，隨在取次，欲訪定名，殊難臆度。其川，曰白河，即沽河，自灤平逕境，合白關河，曰白河，亦曰白嶼河，白遂河，潡水，白狼河，外河，自在河，會潮河。白河支流，自馬頭山入懷柔，即今懷河水道。白馬關河，自獨石口逕境，注沽河，爲白河。紅土谷水，自塞外逕境，注白馬關河。馮家谷水，馮家渡河自口外逕境，注白馬關河。

黃巖塘水，自口外逕境鮎魚溝，蛇魚川間，注白馬關河。鮎魚溝，蛇魚川，夾黃巖塘水。水峪川，自口外逕密雲，注白河。黑城川，出平頂山陰，注白河。白道峪水，出口外逕境，入懷柔。大水峪水，口外逕境，出入懷柔。潮河，鮑邱水亦曰大榆河，出豐甯，自灤平逕境，會白河。湯河，自灤平逕境，受紅門川水，注潮河。乾墖河，源三，亦曰三藏川，三城水，注潮河。觀雞山水，注乾墖河。黑龍潭，注潮河。石匣三溪，一、芹菜嶺水，一、墖山水，一大窩鋪水，合注潮河。清水河，源三：一、小清水河，一、大清水河，一、南清水河，合流卽要水，亦曰大要水，注潮河。道人溪，出龍門山，亦曰石盆峪水，合清水河。金溝水，出金溝莊，亦曰金鉤淀，合恒河水，北窩山水，曰三河水，注潮河。恒河，恒一作横，卽清水潭，合金溝。扎窩山水，合金溝。天井莊溝，出坨頭寺，入三河。三台山引渠，出潮河，復入。舊有桑谷水，出桑溪，注鮑邱。桑溪，遼地理志：檀州有桑溪。巨落水，寒渡水，南澗於水，三河合巨梁。蟠泉，合西藏水。龍泉，龍芻水。二水合三藏水。

懷柔縣：山，城東十八里曰羅山，一統志：懷柔吳志。城西半里曰龍王山，一統志：山在縣西半里，舊城環其上，下有龍潭，深不可測。按：舊土城以此山爲界。又二里餘曰石塘山，亦名石廠山，昌平山水記：縣西三里。縣志：山在灰山右，明時有大工則采石焉，設工部廠。舊聞攷：明工部廠，今廢。又一里曰灰山，吳志：縣西四里。城北十八里曰景山，吳志。又二里曰紅螺山，亦名螺山，吳志：在縣北二十里，高二百餘仞，自縣望之，儼如屏幛。山下有泉，名紅螺泉。中有二螺，大如斗，夕吐光燄，山色爲之殷紅，故以名山。按：日下舊聞，檀州有螺山。金史，順州有螺山。王沂公上遼事，順州東北有螺盤山，皆指是山。或曰遼史檀州，統縣二，密雲，行唐。金史，順州統縣二，温陽，密雲。今懷柔爲密雲所析。彝尊以螺山爲卽紅螺山，似非無據。但考太平寰宇記，密雲有螺山、桃花山，今其地皆屬薊州。據一統志，密雲東南至平谷界九十里，又東南至薊州界六十里，共一百五十里。寰宇記，密雲東南至薊州界一百九十里，則舊時密雲所屬之地，尚有四十里，入薊州界。然攷魏氏土地記，曰漁陽城南五里有螺山。漁陽今薊州治。據此，是薊州近界，當又別有螺山，非郎今懷柔之紅螺山矣。其說甚辨。然攷寰宇記，密雲縣螺山，當卽據隋志所稱安樂郡密雲縣有螺山也。卽今密雲縣治。兩漢漁陽郡漁陽縣，及北魏縣幽州漁陽郡之漁陽，據李兆洛地理韻編，在今密雲縣西南三十里。土地記所云漁陽域南五里有螺山，亦仍爲今密雲也。自隋郡冀州而漁陽，乃爲今薊州治，不得據隋以後之漁陽，指爲屬薊州也。且薊州在密雲東南六十里，懷柔則在密雲西北三十里。清類天文分野之書，明洪武十三年分密雲、昌平二縣地，建懷柔。一統志，懷柔北至密雲界二十八里。今其山在縣北二十里，則未析地之前，山之屬密雲甚審。故朱氏以史志所紀之螺山爲卽指此也。又五里曰白牛山，吴志：在縣北二十五里。城東南五十里曰北務嶺，按：畿輔唐志云北屋嶺。吴志云東南五十里極陡峻，其最高處名蜈蚣梯。康熙年間，駕幸𩙿髻山，往返皆由北務嶺蜈蚣梯一帶，山徑險仄。曰金雞山，吴志：俗名金雞塘。又數里曰憫忠山，吴志云，東五十餘里。今攷，當在東南。又數里曰鳳林山，吴志：山下有宏善寺，李時勉宏善寺碑，稱其高聳秀立，鳳翥鸞停，林木森蔚，萬山之中有此勝景，爲天造地設云。按：憫忠山，金雞山，志作在東五十里。鳳林山，志作在東六十里。不載於唐志、舊聞攷、方輿紀要諸書，而縣志俱作在東，則已非在界内矣。知在東南者，志稱各山均按里數，鳳林山下卽接𩙿髻山、栲栳山，而亦作在東，栲栳山里數稍過，而與𩙿髻山，一統志作在東南，此爲左證。又二十六里曰栲栳山，吴志：在東九十餘里，峯形三面環拱如栲栳然，故名。按：一統志謂山在縣東南八十六里，今從之。又四里曰𩙿髻山，山水記：縣東南九十里有𩙿髻山，二峯高聳，上有碧霞元君祠。天下郡國利病書：密雲縣古北口關屬下，關寨十六，𩙿髻山其一也。城東北二十里曰神山，吴志。曰金鐙山，吴志：在東北二十里流水莊。西山頂夜常有光，因建金鐙寺。畿輔唐志云十七里。又十里曰駱駝山，吴志：在東北三十里，形如駝背，遠望畢肖。又二里曰卸甲山，一統志：在東北三十二里，相傳宋楊延昭解甲於此，下有掛甲柏樹。又八里曰象山，吴志：在東北四十里河北莊，形如象。

其川曰白河，自密雲逕境，入順義。雁溪河，出灤平，逕境，注白河。七度河，自昌平逕境，合九度、小泉諸水曰懷河，入順義。九度河，渤海水，二水竝自昌平逕境，合七度河。小泉河，出紅螺山，曰紅螺山水，亦曰螺山水，一名珍珠泉，合七度河。石河，出𩙿髻山，洳河上流也，入三河。疊道洩水溝，分自白河。徐家峪水，吴志：徐家峪在東南四十里，水自山下流半里，伏行地中數里，至順義武級村始出。昔人摘梨葉投澗中，異日於武級村水中浮出。孝弟莊河，吴志：在縣東二十里孝弟莊西，水無來源，以地形窪下，夏月水發，滙成大河，延袤數里，秋冬水涸，仍爲沙壤，故俗呼假河。黃龍潭，吴志：在城東三里。元寶湯。吴志：出栲栳山。

涿州：山，城西曰獨鹿山，方輿紀要：在州西十五里，下有鳴澤。漢元封四年，由回中北出朝那、蕭關，歷獨鹿、鳴澤，從西河還此。舊聞攷：今其地名陶家屯。州志：今土人名之曰東鹿頭、西鹿頭，土阜隆然，下爲豬澤。舊志謂卽涿鹿山，非也。涿鹿山在今保安州東南。城西北曰盤坡，吴志：西北三百里。涿鹿八景記：坡有上、中、下之分，西爲表而東爲裏，儼若畫屏，夕陽西墜，紫緑萬狀。續志：盤城雖西距三百里，而户口田賦，胥隸於涿，例得載焉。按：涿州西北至房山界三十里，然越房山之三坡，實隸涿。惟畿輔輿圖，三坡在房山西北二百里，與三百里之説又異。城東北曰浮落岡，吴志：東北三十里。舊有灰洞，石湖集：灰洞在涿北燕南，兩旁皆高岡，路極狹，無風而塵土坌積，咫尺不辨人物。其川，曰永定河，自良鄉逕境，復入宛平。金門閘減河，自良鄉逕境。巨馬河，自房山逕境，入固安。胡良河，自房山逕境，入巨馬。杖引泉，自房山逕境，入胡良。琉璃河，自良鄉逕境，會巨馬。挾活河，自良鄉逕境，復入良鄉。牤牛河，自良鄉逕境，注巨馬。牤牛支河，自良鄉逕境，注巨馬。清溝，出巨馬，入胡良。西城坊溝，石幢溝，二溝出巨馬。找子溝，亦曰潘家莊溝，柳河營溝。豹子莊溝，智軍莊溝，香營溝，北務邨溝，已上五溝入巨馬。舊有屯子頭引河，出白家莊，入固安。督亢溝，白溝水出督亢澤合枝溝。枝溝，合督亢溝，入巨馬。范水，入淶水，合巨馬。桃水，自良鄉今房山逕境，入陽鄉。今固安。涿水，奇溝數泉，合樂堆泉注桃。樂堆泉，注涿水。垣水，自良鄉今房山。逕境。東洛水，注垣水。獨樹水，注鳴澤渚。清泉，注巨馬。紫池月池，凡二：一在城東南，一在城西十五里，盈三百畝。今涸。連池，吴志：連池在城東北八里，兩池相連。乾池。吴志：乾池在城西十五里，衆潦所歸，而未嘗溢，一名百尺乾。

房山縣：山，其最者城西六十里曰大防山，亦名大房山，縣名以此，舊聞攷：防亦作房。隋圖經云：防山上有仙人玉堂，或卽水經注所稱石穴也。涿鹿記：房山在涿郡西北五十里，北接居庸，東抵漁陽，西連紫荆，所謂幽燕奥室也。縣舊志：房山本中條之麓，其中峻而且闊宛然如室。方輿紀要：在縣西十五里境内諸山，此山最爲雄秀，古碑云幽燕之奥室也。亦曰大房嶺。五代梁貞明三年，契丹圍幽州，晉王存勗遣李嗣源等趣救，至易州，以步多騎少，不利平原，乃自易州北踰大房嶺，循澗而東，距幽州六十里，與契丹遇，契丹卻，晉兵翼而隨之，契丹行山上，晉兵行澗中，每至谷口，契丹輒邀之，嗣源等力戰，敗契丹兵於山口，乃得出，至幽州。金廢主亮貞元三年，以大房靈峯寺（按：金史海陵紀作雲峯寺）。爲山陵，遷其太祖阿骨打、太宗吴乞買葬焉。曹學佺房山記：房山縣西六十里，所過村落曰瓦井，曰天光，曰孤山口，皆與山勢爲升降。過此，則崇山如環，幽溪如帶，涉溪沿壁，乃至山麓，巉岩兩壁，中開一綫，鳥道盤旋，五里至石梯，僅容半跬，高數百磴，左右絙長百尺，陟者緣之。梯盡處，折而東北，可一里，入山門，見諸菴稠疊，獨上方寺正中，旁有兩磵流下，聞而不見水。又東折，巖下有泉，山下有洞如城，僧依洞爲窟。第一洞猶隱隱見影，二洞卽黯黑無光，三洞是一小竇，圍可三四尺，深五六尺，入三洞，倏高廣，燎炬不見頂，旁有一潭，抵九洞，無路，有穴如井，霧氣蓊塞，履滑衣溼，不易前進。至十三洞，路尚不窮云。大抵一曲爲一洞，十三洞約六七里，洞中之石，玉白鏡瑩。其境之最者，曰蓮華山，片片如青蓮瓣。曰龍虎，宛肖其狀。

曰長眉祖師，儼然道者衣冠。曰石榻，層層筆立。曰石鐘鼓，叩作鐘鼓聲。又其最者曰須彌山，曰雪山，曰萬花樓，山之上有重樓焉，吐花如靈芝數萬朵。曰仙人橋，跨清溪而渡。曰十八羅漢，爲修短欹正各狀貌。曰接引旖，從頂倒縣，縹緲若拂。出洞之後，依然天光，迴若隔世。畿輔唐志：大房山在縣西北二十五里。房山王志：大房山支出恒嶽，由龍門、赤城曲趨東南。按：畿輔輿圖，山在縣西六十里。城西三里曰留臺尖山，王志：西三里拔地卓起，伏如虎蹲。按：畿輔唐志云，縣西二里。又七里曰塔兒山，王志：西十里。曰鳳凰山，王志：西十里。又五里曰蛾眉峪，王志：西十五里，形如蛾眉，故名。曰石門峪，王志：蛾眉峪北上，有十王塚，金之宗藩也。曰冷峪，王志：西十五里，在石門峪北。又三里曰九華峪，王志：西十八里，金陵右側。又二里曰茶樓頂山，王志：西二十里，上有金章宗歇涼臺，已圮。曰火燄山，王志：西二十里。曰長溝峪，劉芳喆國門近游録：孤山口東八里，東、南、西、北甘池四村，亦謂之長溝谷。王志：西二十里，茶頭頂右側。曰寨峪，王志：西南二十里。曰獅子崖，王志：西四十里。曰水峪，王志：西四十里。城北三里曰抱羊岡，王志：北三里。又三里曰羊頭岡，亦名羊頭阜，王志：北六里，狀如羊首，故名。又作羊頭阜。舊聞攷：羊頭阜即羊頭岡，見一統志。又六里曰中和峪，王志：在縣北十二里。按：一統志云，在縣北十八里，山腰有湧泉，長流不竭。今從王志。又八里曰連三岡，王志：北二十里。又五里曰七斗泉山，畿輔唐志：縣北二十五里，下有泉。又五里曰半壁山，一統志：在縣北三十里，壁立千仞。又二十里曰龍華山，王志：北五十里。又三十里曰大安山，方輿紀要：在縣北八十里，山高險。薛居正曰：大安，幽州西名山也。唐天祐末，幽州帥劉仁恭築館居其上，曰此山四面懸絶，可以少制衆，名曰大安館。其子守光遣兵攻之，虜仁恭以歸。城西南四里曰牛口峪，王志：西南四里。又二十一里曰龍扒峪，王志：西南二十五里。又五里曰六聘山，亦呼綠屏山，按：王志，西南三十里，又稱綠屏山。日下舊聞云：六聘山見於遼史、寰宇通志及明一統志，近時士子多守廣輿記爲兔園冊削去不載，人遂略焉不攷。康熙癸丑，登上方寺，見兜率寺南十方院東，有金大定中懺悔上人墳塔。後十四年，復游上方，於孤山口西麥田中見元延祐間所樹碑，則集賢學士魏必復所撰，稱此地爲六聘山。六聘之義，地志不詳，疑卽霍原教授之地。舍原之外，無人足以當之矣。晉書：霍原字休明，燕國廣陽人，元康末與王褒等俱以賢良徵，累下州郡，以禮發遣，皆不到。冊府元龜：許猛爲幽州刺史，素服霍原之名，將詣之，主簿當車諫，不可出界，猛歎恨而止。原山居積年，門徒百數。劉芳喆國門近游録：十方院旁僧塔甚衆，中一塔特高，嵌有碑，題曰六聘山天開寺懺悔上人墳塔記。曰黃山，按：舊聞攷云，黃山今在房山縣西北七十里。唐志、王志均云在西南三十里。又王志偁山爲桃葉口，要害。舊聞攷云，桃葉口今在縣西南二十五里。又十里曰一堵牆山，王志：西南四十里，石壁巉峭，高三百餘尋，長五百步，儼若版築，其下可容數百家。曰幽嵐山，亦名紅螺山，一名寶金山，舊聞攷引涿州舊志：山在縣西南四十里，即幽嵐山，山勢峻嶒，諸峯羅列如劍戟，古刹存焉。帝京景物略：紅螺嶮在上方山東三十里，循九龍峪，度八達嶺，入桃葉口爲下嶮；過龍潭水，有洞曰紅螺，爲中嶮；復上半里，其右松棚菴，再右觀音洞，爲上嶮。出嶮有嘉遯菴。嶮舊名幽嵐，一曰寶金山。按：紅螺、幽嵐、寶金，據劉侗說，止一山也。王志又以幽嵐爲紅螺，而別列寶金山。曰金剛山峯，王志：在紅螺上嶮。曰八達嶺，帝京景物略：度八達嶺，入桃葉口。曰溝山峯，一統志：雍正八年正月二十日，鳳凰集於房山之溝山峯。曰朝陽巖，北游紀方：朝陽洞西有巖，曰朝陽巖，石壁逾百仞，橫亘里許，巖麓溪水色緑如鴨頭，產魚極美。又二里曰黃龍山，畿輔唐志：縣西少南四十二里。按：王志云，四十里。又八里曰般州山，方輿紀要：西南四十里。按：王志云，西南五十里，有南、北二寨，環列於山嶺。曰車營嶺，北游紀方：車營嶺，小岡疊阜，起伏連綿。曰峕羅陀，周賀析津日記：峕羅陀在房山縣境，東有萬壽寺，俗呼天台寺。曰樂嶇山，王志：西南五十里。曰猴兒山，王志：西南五十里，與樂嶇山相近，如猴蹲狀。曰歡峪山，王志：西南五十里，中一峪，寬平可居。按：畿輔唐志云，西南七十里。曰上方山，王志：西南五十里，有上方寺，山峯環列如芙蓉，鑿石爲磴，攀鐵絙而上，絕頂有泉，如斗，涓涓不窮，長松修竹，清氣逼人。中曰兜率寺，即上方。左右旋列，菴堂凡七十餘處，山洞淨室十餘處。阮旻錫上方山記：度盧溝，循房山而西，到接待亭，一望皆丹厓翠壁，游者捨騎扶笻，逕步折得稍平處爲歡喜臺，前登兜率門，兩峯壁立，中砌石級，鐵鏁高垂，凡三轉，至毘盧頂，山中爲刹，七十有二。曰北峕，錢柏齡奧室記：北峕雙厓峭立，澗流其中，老樹千章，瀑泉三疊，注爲龍潭。朱竹坨文類：自上方山麓折而西至北峕，雙厓如門，琳宮梵舍，對峙左右，老樹欹斜，交蔭磵谷，寒葉盈尺，人行蔌蔌有聲，流泉三疊，鳴空山中，注而爲池。曰齋星陀，房山佟志：西南五十里，上方山之東嶺。阮旻錫上方山記：峯最尊者爲齋星陀，華嚴於此齋星，曰摘星，訛耳。僧巢其巔，下如飛鳥然。按：長安客話作摘星陀。紀纂淵海作摘星嶺。皆誤。又畿輔唐志云，宛平縣西二百里，有摘星嶺，疑即此。曰望海陀，佟志：西南五里，上方山之西嶺。長安客話：毘羅頂有一斗泉，望海峯。曰百峯陀，佟志：西南五十里，紅螺嶮之右弼。曰石經山，一統志：石經山在縣西南五十里，本名白帶山，亦曰芯題山，生芯草。方輿紀要：般州山西南爲石經山。隋圖經：智泉寺僧靜琬見白帶山有石室，遂發心書經十二部，刊石爲碑。太平寰宇記：白帶山在范陽縣北四十里。帝京景物略：房山縣西南四十里，有山曰白帶山，生芯題草。又曰，芯題山，藏石經者千年矣，故曰石經山，亦曰小西天。周忱雙厓集：出獨樹村四里，兩山對峙，外隘內豁，小溪中出石，參差如犬牙，冰觸石流，潨潨有聲。沿溪行十里，有巨石數十，橫布水中，躡以渡，登平岡以望，峯巒不可勝數，中一山石，火燄而草樹獨盛，詢知爲白帶山，小西天之徑在焉。迤遷至山麓，壁立似不可登，徐望之，有磴道直上，及山半，有石室，曰義飰廳，唐乾符中僧藏貴所建。折而東，鑿石爲道，廣不滿尺，橫於山腹者一里。折而北，條石爲階，凡九十九級。級盡，行百步，復有階如前，級差少。折而南，有石堂東向，方廣五丈，曰石經堂。堂有几案罏缾之屬，皆以石爲之。下以石甃地使平，壁皆嵌以石刻佛經。孫承澤畿輔仙釋志：静琬，里居姓氏不可攷，訪求名勝，至燕涿州北白帶山，見峯巒靈秀，遂採石造十二部石經。

又十里曰五指巖山，佟志：西南六十里，五峯高聳，勢如五指，故名。按：唐志云，西南六十五里。又二十里曰白雲山，佟志：西南八十里，羣峯巃嵸，時有白雲繚繞山腰。城西北八里曰荆子山，佟志：西北八里，巒岫廣坦，中皆空虚玲瓏，穿貫四達，居人於明末避兵於内，上多荆木，故名。曰歇息岡，佟志：西北八里。又二里曰六角峪，佟志：西北十里。又二里曰羊耳峪，一名紅羊峪，佟志：羊耳峪一名紅羊峪，在縣西北十有二里，有大石高二丈，其形似象，名象石。又三里曰三盆山，一統志：山在縣西北十五里，山巔平廣約十餘畝，下有流泉三曲，狀如仰盆。按：佟志云，西十五里。又五里曰三峯山，一統志：縣西北二十里，三峯並列，高插雲漢。按：金諸帝陵舊聞攷引涿州舊志稱，在縣西北二十里雲峯山。金史海陵紀，以房山雲峯寺爲山陵是也。唐志、佟志，俱不著雲峯山名，惟佟志於三峯山稱金陵在其下，則雲峯、三峯爲一山也。曰龍城峪，一名伏龍穴，一統志：房山西南有伏龍穴，一名龍城峪。按：佟志城作峪，云在縣西北二十里，下有伏龍穴，穴有清和觀遺跡。又十里曰連泉山，佟志：西北三十里，大房山之嶺下，共一泉。曰龍泉峪，採訪册：西北三十里。曰龍虎峪，採訪册：西南三十里，上方山。又十里曰九龍峪，採訪册：西南四十里。曰大石嵑，冬官紀事：嘉靖三十六年修復殿工，命侍郎張舜臣、主事李鍵於大石窩采石。日下舊聞：大石嵑在縣西南四十里黄龍山下，前產青白石，後產白玉石。舊聞攷云，大石窩已淪入水中。又五里曰聖水峪，採訪册：西南四十五里。又五里曰穀積山，方輿紀要：西北五十里，峯巒突兀，形如積穀。城東北三里曰瀑水厓，按：佟志，在丁家窪西嶺，懸瀉十有餘丈，波濤如雷，下滙爲淵，深不可測，流入於河。唐志，厓作巖，稱在縣東北三里。又洞曰孔水洞，佟志：在大房山東北。章潢圖書編：孔水洞在大防山東北，上有懸厓千尺餘，下有石窟，闊二尺許，泉水從中湧出，深不測。唐胡詹作記，云有人篝火探之，行五六日，莫究其源，但見仙鼠晝飛，賴鱗時現。帝京景物略：孔水洞時有白龍出，輒化爲魚。開元間旱，每遣使投玉璧。金太和中，忽桃花流出，瓣如當五錢。北游紀方：孔雲水洞，佟志：在上方上嶺西，昔居人避兵於此，及出洞後，大水溢流數日。石經洞，佟志：在石經山上，洞凡七，傳爲七龍所穿。帝京景物略：北齊南嶽慧思大師，慮東土藏教有毁滅時，發願刻石藏閟，封岩壑中。坐下静琬法師承師付囑，自隋大業，迄唐貞觀，大涅槃經成。山上雷音洞高丈餘，四壁刻經，四柱刻象。前石有扉，維以開閉。几案瓶罏皆石。臺有欄，橫與堂亘。堂左洞二，右洞三，堂下洞二，皆經。唐迄元，代有續刻，經目列石幢。萬曆壬辰，達觀和尚覩像設衰頹，石板殘蝕，率僧芟除，啓洞拜石經，石下有穴，藏石函一尺。雙厓集：白帶山小西天，有石堂，東向，方廣五丈，曰石經堂。堂左石洞二，右石洞三，復有二洞在堂之下，石經板分貯其中。始隋沙門靜琬，其徒道公等續之，至遼統和、金明昌間增刻，前後納洞中石凡七百餘條，有石幢記其目。每洞以石爲窗，欞用鐵固之，石本之近窗者，可以窺見。其左洞有靜琬貞觀八年碑記，嵌以門上。洞北有石池，石井。姚廣孝逃虛子集：石經貯於巖洞者七，地穴者二。洞以石門閉之，穴以浮圖鎮之。自隋、唐迄元，碑碣森列。洪武二十一年正月，道衍奉命往觀，賦詩鐫於華嚴堂之壁。辟穀洞，一云張良洞，寰宇通志：黃山上有玉石洞天。舊聞攷：俗傳漢張良微時隱此，亦名張良洞。佟志：乃張子房辟穀之所，洞中有獨橋，十八灘存焉。北遊紀方：半壁山西山半一小竇，曰辟穀洞，峭絶不可上，北爲背陰洞，對山望其東，有正覺洞。正覺洞，見辟穀洞注。王禪洞，佟志：北二十里，世傳以爲王禪隱居於此。紅螺洞，佟志：在紅羅上嶮石梯迤北。朝陽洞，佟志：在紅螺上嶮，金剛山峯側。北游紀方：朝陽洞有二，形如連珠，相隔約十尋，俱疊石作坡，繚以短垣。靈泉洞，佟志：在紅螺中嶮，乳峯菴翠竹林側，有池水，永不竭。其川曰巨馬河，淶山一曰渠水，出廣昌分支，自淶水逕境，爲巨馬河，又曰十度河，入涿。胡良河，甘泉水，入涿州。杖引泉，一名黑牛水灌河，亦名西域寺河，又名半壁店河，合白玉塘泉入涿州。白玉塘泉，合杖引泉。三汊河，小河，竝巨馬分支。龍泉河，琉璃河上流，自宛平逕境，合河北新莊水河，北村水亦曰漫水河，合七斗泉，又曰蘆河，亦呼蘆村河，合沙河，入良鄉。河南北新莊水，河北村水，七斗泉，三水注龍泉河。北沙河下流爲東沙河，西沙河下流爲南沙河，合流通稱沙河，注龍泉河。山水，注北沙河。牛口峪水，坨頭窪流爲莽流河，亦曰牤牛河，注沙河。長溝峪水，注牛口峪水。涼水河，出石罅，注沙河。壩兒河，注沙河。山澗水，山溪水，竝注壩兒河。挾活河，俠河亦曰夾河，非濕之溝，非理之溝，韓姑河，韓村河，源三，入良鄉。一斗泉，斗笠泉。青楊溝，蟬哦水，黑龍潭水，青龍潭水，四水俱注挾活河。牤牛河，自宛平董公菴泉逕境，曰順河，又曰順水河，莽牛河，莽流河，公村河，入良鄉。雅河，鹽溝水，即福祿水，入良鄉。茨尾河，源二，河入良鄉。甘池，合胡良。聖泓池，佟志：金陵主峯九龍口之水所滙，同歸於石池，流瀉不竭。天橋湖，牛角湖，一在紅螺山嶮左峯，一在其右，據佟志。孔水，出雲濛山，溫泉也。據房山王志。三盆水，出三盆山，據佟志。烏龍潭，佟志：在城西北七十里黑龍關。瀑水，佟志：在丁家窪西嶺，懸瀉十丈有奇，其下淵不可測。舊有防水，亦曰羊頭溪，注聖水。欒水，桃水，入涿縣。

垣水，亦曰北涉溝，頃前河，出良鄉，今房山。入陽鄉，今固安。孔水。入聖水。

霸州：無山，舊有南山，臺山，莫金山，雁頭山。按：方輿紀要，南山在州東七十里，喬林修竹，周匝十數里。名勝志：州東二十里曰臺山，九河水所經也。臺基三，如鼎峙。又方輿紀要，莫金山，州南十八里，相傳以莫、金二姓居此而名。宋設莫金口寨於此。俗名口頭村。一統志：莫金山在州南十二里。明一統志，雁頭山在州城南三十五里。又方輿紀要：雁頭山以鴻雁羣集而名，宋時有雁頭寨。長安客話：沙城、臺山二村皆平壤也。土人語云：臺山無山，沙城無城。臺山村在州東。舊聞攷：南山，臺山，莫金，雁頭諸勝，後經河水衝齧，皆成平陸。其川曰清河，即玉帶河，自保定逕境，亦曰會同河，會通河，夾河，通濟河，邊家河，入文安。中亭河，亦曰栲栳圈河，新挑河，出清河，合北支。金門閘減河，自涿州逕境，一西減河入中亭；一東減河，亦曰蜈蚣河，舊入中亭。劉家河，出清河中支，注舊永定河。韓家溝，亦曰臺山河，出清河北支，注中支。灌田溝，出中亭，仍入。魚津窪，清河穿窪。舊有黃家河，自永清逕境，注東淀。坦坡埝減河，自永定逕境，入東安，仍逕境，入靜海、武清。永濟渠，分自清河。鵝巢淀，陳人淀，燕丹淀，大光淀，孟宗淀，五淀合永濟渠。高橋淀，注柳汊河，合堂二淀。堂二淀，柳汊河，二水合高橋淀水。狼城河，亦曰信安河，出清河，入東安。金水窪，亦曰津水窪。汊河，護城河，八字河，頭道河，二道河，三道河，褚家河，七水分自清河。沙河支水，州南。磁河支水，自文安逕境。霸水。白溝支流，亦曰界河，草橋界河，合巨馬。

文安縣：無山，其川曰永定東支河，注清河北支。清河北支，自霸州逕境，曰勝芳河，運鹽河，合中南二支。清河中支，合南、北二支。清河南支，亦曰石溝河，合北中二支，入大城。左各莊河，清河南支之分支，仍入南河。王家泊河，清河北支之分支，注舊永定。磨磨淀，落波淀，托蓮淀，鴻鵠淀，筆同泊，沙尖淀，石成淀，慈老淀，黑母淀，四角淀，趙淀，亦曰趙家泊。牛臺淀，麻窪淀，火燒淀，白龍淀，橋兒窪，洋洛窪，底窪，紅窪，郭家窪，蓮花池，已上瀦水處凡二十有一。又通流河口凡九，李家口，急流口，急水河，脖項骨，柳河，小泗莊河，石槽河，小保里河，沙河口，大甯橋口，玳瑁口。舊有瓦河水，自永清逕境，注沙河。呂公河，分自勝芳淀，入東安。唐河支水，亦曰五渠，亦曰長鳴水。磁河支水，自保定逕境，入霸州。漳水，合滹沱入東平舒。今大城。滱水，合滹沱。易水，自泉州縣今武清逕境。合滹沱。大窪。子牙改道。

大城縣：無山，其川曰子牙河，卽滹沱下流，一名鹽河，又名沿河，亦曰下西河，自河間逕境，入靜海。子牙新河，亦曰支河，東北出。王口村引河，三堡西引河，二水注文安大窪。黑龍港河西支，合中東二支入靜海。臺頭河，玉帶河支流。辛張河，卽清河支流，自文安逕境，入霸州。孝順窪，大城張志：在縣西良村。相傳唐太宗征高麗，萬馬所飲。方輿紀要：舊有漳水，自文安逕境。巨馬水，合滹沱。溝河，合子牙河。王淋口支河，卽黑龍港西支。黃汊河，一名臺頭舊小河，卽子牙分支。王家東支河，西支河，中支河，分自子牙。楊家口子牙支河，改正河。麒麟窪，方輿紀要：在縣北，昔曾產麟。三家淀，畿輔唐志：在縣東北五十里，爲文安、靜海三縣之交。文、大之水由此北下。明萬曆中，靜海民築隄障水，文、大兩縣俱被水害，縣令梁綱請開之。李氏淀，畿輔唐志：縣北十里。濅水，名勝志：平舒縣在瀛州東北一百二十里，衡漳水在其界。趙一清水經注釋：說文，濅水出魏郡武安，東入滹沱，水從水濅聲，籀文𣸣字，卽衡漳也。虖池別河，漢志：河間國弓高虖池別河，首受滹沱河，東至平舒入海。五龍潭。大城張志：潭在玉皇廟後，滙半畝餘，今涸。

保定縣：無山，舊有黃猶岡，保定舊志：黃猶岡在路疃東北隅。舊聞攷：路疃卽鹿疃，其東北隅尚存小土阜，士人傳爲黃猶岡。其川曰清河，自雄縣逕境，亦曰玉帶河，古陳玉帶河，苑口河。月河，出清河，仍入。張口引河，亦曰維柳河，出清河，合十望河。十望河，卽王各莊引河，亦曰新開支河，楊家河，出清河入霸州界中亭河。趙王河，亦曰古藏糧河，自雄縣逕境，注清河。蘆僧河，巨馬支流，自雄縣逕境，入霸州。舊有鷹嘴壩引河，鹿疃引河，二河玉帶河分流。磁河支水，入文安。荷花淀。畿輔唐志：在縣西北。

薊州：山，其最者城西北二十五里曰盤山，舊名四正山，一名無終山，亦名徐無山，又名田盤山，俗亦呼盤龍山。謹按：欽定盤山志：盤山舊名四正山，一名徐無山，魏田疇隱居於此，故名田盤山，今不曰田盤，而曰盤山者，亦猶匡廬之謂廬山也。其山南距滄溟，西連太行，東放碣石，北負長城，瓣襲峰攢，面面開生。曹佺名勝志：盤山一名盤龍山，在州西北二十五里，高二千仞，周百餘里。四正山居志：盤山一名東五臺。自來峯，北臺也；先師臺，南臺也；紫蓋峯，中臺也；九華峯，東臺也；舞劍臺，西臺也。晾甲石爲下盤，古中盤爲中盤，雲罩寺一作自來峯爲上盤。上盤之勝以松，中盤以石，下盤以水。釋智朴盤山志：都門至盤山百八十里。四十里至通州，渡河，二十里至煙郊，又二十里至夏店，又三十里至三河，又二十里至段家嶺，五十里入山，過公樂，經許家臺，歷長嶺，至亂石村。又云，盤山舊名四正山，一名徐無山，以田疇隱居於此，又名田盤山。田疇率宗族他附，從數百人，入徐無山中，營深險平廠地而居，躬耕以養父母。今感化寺是其遺址，寺碑載魏太和中，無終縣民田氏，兹焉營辦。姬志真田盤先生之説，誕妄無稽。田盤之確屬何代，自齊而來，是何郡邑，必有本末見於傳記，如焦山之於焦先，匡山之於匡君，乃可以山當之。竊意以人名山，必歸子泰，田盤先生之有無，正自不必辨。補遺云：盤山舊名無終山。徐無山乃無終山之譌耳。始於陳壽作田疇列傳，後人沿襲，不復辨別。曹操表論田疇云：疇率宗人避難於無終山。又陶潛擬古詩云：辭家夙嚴駕，當往至無終。又劉之推九州要略：古漁陽北有無終山。是也。若遵化城北有徐無山，亦謬傳耳。

盤山之峯凡十，挂月峯，自來峯，紫蓋峯，雙峯，九華峯，嶕嶢峯，翠屏峯，錐峯，獅豸峯，碎玉峯，盤山志：挂月峯上鋭下削，爲盤山之最高者，定光佛塔累其上。自來峯一名北臺紫蓋峯，五峯之中爲特尊，一名中臺雙峯。舞劍臺北三里，兩峯並峙如丫角，一名玉峯，峯背有塘。九華峯一名東臺，一名削玉峯。嶕嶢峯，上方寺主山，壁立千仞，青削到地，鬼斧神工，鳩聚於此。翠屏峯在天成寺後，古木千張，悉從石罅中迸出，層層鱗砌。錐峯，紫蓋峯，北過峽處，峯小而鋭如錐。獅豸峯在黑龍潭東南三里，碎玉峯在鷹兒嶺北。舊聞攷：九華峯，聖祖御製古中盤詩，有中盤遥望蓮花峯之句，因定名蓮花峯。

巖凡九，上白巖，中白巖，下白巖，龍巖，喘氣巖，斧鑿巖，碎玉巖，飛翠巖，龍首巖，盤山志：白巖在九華峯，有上、中、下三巖。上巖卽九華峯，萬松蓊鬱，今童然骨立。龍巖在上盤，喘氣巖在盤山，舍利塔下有石刻字。斧鑿巖在龍鳳菴西南路北，大小高低，形如斧鑿。碎玉巖在獅豸峯北二里，懸石纍纍，欲墮不墮，其上卽碎玉峯。飛翠巖在上甘澗後。龍首峯在青溝主山上，似龍首昂然，呀然如有所語。

嶺凡八，大嶺，砂嶺，長嶺，鷹兒嶺，歡喜嶺，浮青嶺，盤嶺，金雞嶺，盤山志：大嶺雙峯寺西五里，其山南折，忽斷如巷。萬曆中，開盤路，有佛剎、茶亭，碑版留題頗多，今廢。大嶺南去十里有小阜，曰砂嶺，路不甚陡。智朴曰：砂嶺自昔稱險峭。明萬曆中，僧明澄募工去其磽確，鑿爲坦途。長嶺在史家莊南，入山道。鷹兒嶺在黑龍潭南二里，形如鶻立。歡喜嶺，衞公菴、東道菴西，卽舞劍臺。浮青嶺，天成寺西，上青浮翠，涌至舞劍臺。盤嶺，甘露菴西北上五里，至盤谷内，有青溝禪院。金雞嶺在舍利塔後。

峪凡八，黑塔峪，青楊峪，砐硧峪，田家峪，白峪，盧家峪，松樹峪，怪子峪，盤山志：黑塔峪，少林寺東北一里。青楊峪，茶子菴南上一里。砐磪峪，在山西南。田家峪，在山西。白峪，衛公菴西南八里。盧家峪，在山西北隅，東有秀峯菴，北有龍泉菴，南有玉石塘。松樹峪，自來峯東七里。怪子峪，九華峯前羅門。東北支山曰小盤山，據盤山志。城東七里曰鳳凰山，亦呼七里峯，薊州沈志：山一名七里峯，在州東七里，形似鳳，四面皆平壤，中有孤原突起，相傳趙普讀書處。又十一里曰桃花山，沈志：山在州東十八里，山有桃花，放較先，以此得名。東接皇陵五十里，爲鑾輿必經之路，乾隆年建行宮於山半。按：方輿紀要，桃花山在州西南六十里。長安客話：桃花山去薊州南二舍許。今城東別有桃花山。此，據有兩桃花山。又十二里曰朱華山，沈志：山在州東三十里內，端慧皇太子園寢。又五里曰峯山，沈志：州東三十五里。又十五里曰龍山，沈志：東五十里。城西十里曰五名山，一名興隆頂，俗呼娘娘頂，盤山志：五名山一名興隆頂，一名娘娘頂，盤山東南十五里。沈志：在州西十里。又五里曰牛頭山，沈志：西二十里。又十里曰沙嶺，沈志：州西三十里。又二十里曰甘泉山，一名石嫠山，沈志：甘泉山，州西五十里，有泉極甘，因以得名。絕頂有大石，狀如犬，故又名石嫠山。曰段家嶺，沈志：西五十里，三河縣接壤。城北五里曰崆峒山，一名空同山，亦名翁同山，盤山志：崆峒山一名翁同山，薊州城北五里，上有崔府君祠，又名府君、山。名勝志：空同山相傳黃帝問道之所。日下舊聞：岷州、原州、肅州、汝州、薊州、贛州，皆有空同山。史黃帝本紀云，西至於空同，登雞頭。世以爲隴右之山，無致疑者。左傳哀公二十六年，宋景公游於空澤，卒於連中。大尹興空澤之士千甲，奉公自空桐入，則汝州之山也。山下有廣成城，澤上有廣成觀。宋宣和中，汝守林時請於朝建立。說者謂，襄城、具茨，壤地相接，疑軒皇問道當於此地。然稽之爾雅，北戴斗極爲空桐，空桐之人武。司馬彪注莊子，亦云空桐當斗之山。則空桐宜在北矣。且問道之文，載於莊子，其初往見廣成子，謂帝不足以語至道，退而築特室，席白茅，閒居三月，復往要之，廣成子南首而卧，帝順下風膝行而進，當日帝邑於涿鹿之阿，去薊甚邇，故不難復要之。又寰宇記，薊縣有笄頭山，空同、笄頭，相去不遠，而陳子昂薊邱覽古詩云：尚思廣成子，遺跡白雲隈。然則薊之空同，未可定其非黃帝問道之所也。汪溥崆峒山記略：薊州城北五里，有山曰崆峒，岦然獨峙，望之峯嵐峭拔，佳麗可愛。往者率多登覽，山麓上有徑，惟通單騎，山半有坡崇聳，騎不能陟，乃捫石磴，攀藤蘿以升，踰數百步，有崔府君祠，由此復升，則窮山之高矣。山下嶺曰鎖子嶺，沈志：在崆峒山下，形似鎖，故名。山北曰鐵嶺，沈志：在州北十里，石黑如鐵，懸澗極深。舊聞攷：在空同山北。城西北三里曰漁山，盤山志：漁山在盤山東南二十里。圖經：漁山在城西北三里，高百餘丈，周五里，郡在此山之南，故曰漁陽，水遶山下，故曰漁水。四正山居志：漁山多泉，冬夏歕湧成湖，士人因之開爲稻田，菰蒲荇藻，宛似江南。沈志：在州西北三里。薊之山不一，以漁山爲主。蓋衆山皆在此山後也。又十七里曰城山，又十里曰嵑山，按：平谷朱志，嵑山在東北四十里，上有三泉寺，金明昌中建。城山在東北五十里，四山高聳，中平如城。今考平谷朱志，北三十里卽入薊州界，在薊州治西北四十里。舊聞攷謂嵑城兩山隸薊州境是也。又引畿輔山川志云，嵑東在縣東五十里，城山在縣東六十里，距城愈遠，愈非今平谷縣境。又二十里曰三十二嶺，沈志：州西北五十里。城東北六里曰鍾靈山，初名賈家山，沈志：原名賈家山，在州東北六里，乾隆初年，恒親太王建園寢於此，改名鍾靈山。又二十四里曰川方峪，亦名椽房峪，沈志：東北三十里，又名椽房峪。又十五里曰黄花山，沈志：在州東北四十五里，山勢雄曲，松林葱翠。上有玉皇殿一座，鐵瓦無梁，後易琉璃瓦，有梁柱。山下卽榮親王園寢。按：畿輔唐志云，在州東北六十里。山南曰鞍子嶺，沈志：嶺在黄花山南，形如馬鞍。又數里曰葛山，汪由敦隆福寺碑略：隆福寺在薊州東，去孝陵一舍而近，因山爲基。按寺故有金泰和三年文林郎守左拾遺兼應奉翰林文字同知雲騎尉賜緋魚袋吕卿雲碑記，言是山名葛山。舊聞攷，一統志：昌瑞山本名豐臺嶺，葛山乃其餘支，甚不著。葛山之名，或統於豐臺嶺歟？按：葛山卽隆福寺地，在薊州東北五十里，與遵化州接壤。城東南八里曰神山，又名神仙嶺，亦名翠屏山，沈志：山在州東八里，又名神山嶺，山色鬱藍蒼翠，連亘如屏，又名翠屏山。山上有東嶽廟，後有塔名文筆峯。山下有石翁仲，似數百年物。山有峪曰峒子峪，沈志：在神山。又二十二里曰別山，沈志：在州東南三十里，圓秀鮮妍，逶迤數十里。山下則山海通衢也。自山海至此，俱有山，迤西無山，故曰別山。按：日下舊聞引州舊志云，別山西臨沽水，東據無終，行旅所由，雖有山名，而無高阜。攷云，別山爲薊之東南境，與玉田縣接壤。曰梯子山，沈志：在別山東五里，薊州、玉田接壤處。按：沈志載燕山云，在薊州東南五十里，薊州、玉田、遵化接壤處，山脈自太行山而來，迤麗而東，直抵海峯。燕國由此得名。今攷薊州東南三十里卽入遵化、玉田界矣，故不載。又盤山洞，曰白猿洞，盤山志：懸空石迤上，勢最險，壁鑿石坎二，坎容足蹈，未及踵，必布索牽挽，乃可達。上刻天門開三字，字徑五尺，旁署北海劉應節五字。按：白猿洞在蓮花峯。桃園洞，按：洞在挂月峯舍利塔下二里，將軍石畔。志云，深丈餘，其門以瓦覆之。華嚴洞，按：洞在少林寺西北一里，傍有静室二。朝陽洞，盤山志：去瑞雲菴半里。按：此亦在蓮花峯。文殊洞，盤山志：青溝前半里，縱一丈，横三丈六尺，東西兩山，相夾如廈，上刊文殊智地四字，字徑二尺，虞通參世瓔書。石龕，按：此亦盤山十一洞之一。志云，在西甘澗殿後，形如圓室，至元中王志謹修煉處。契真洞，在千像寺後。石雨洞，沈志：在天門開頂上。袁宏道遊記云：其洞壑，初不名，而新其目者曰石雨洞，洞在下盤道，聽澗聲覓之可得。守真洞，沈志：在秀峯菴殿後鑿成，深丈餘，菴在盧家峪也。舊有檀子山，按：元文宗紀，天曆元年九月，託克託穆爾與遼東軍戰薊州之檀子山。今名非舊，未詳厥山。藥兒嶺，通鑑：廣明元年七月，李克用自雄武軍引兵還，李可舉遣行軍司馬紹邀之於藥兒嶺，大破之，又敗之於雄武軍引境。通鑑注：藥兒嶺在雄武軍西。按：藥兒嶺，方輿紀要偁在州北。而不標里數。一統志，州北至黃崖關五十里，則此嶺或在薊邊亂山間。雄武城址在州東北。紀要偁嶺在州北，而薊州沈志已未之詳。**好草嶺**，遼聖宗紀：統和七年十二月，釣魚於沈子濼，獵於好草嶺。**觀音洞**，**老虎洞**，盤山志：觀音洞在古中盤東南，廢。老虎洞，青溝西五十步，爲雷所壞。按：此爲盤山洞十一之二。**其川曰薊運河**，梨、沙、泃諸水會於白龍港，亦曰運糧河。**梨河**，庚水亦曰柘水，雲浭水，沽河，出遷安，自遵化逕境。**沙河**，濼水亦曰車傘水，十河，砂河，出遵化，合梨河逕境，通稱梨河。**淋河**，陵河出遵化逕境，注梨河。**珠兒峪水**，**隅頭泉**，**黑泉**，**黃泉**，**大馱泉**，**桃源泉**，**天心泉**，**景家泉**，**龍泉**，**定福泉**，**龍王泉**，已上十一泉合注梨。**老廟泉**，出玉田逕境，注梨河。**下莊泉**，**高家窪泉**，**桃花山泉**，**神仙泉**，四泉注梨。**陽泉**，亦曰陽河，五里河，田縱泉，西海子，合黑馬泉諸水注梨。**涼泉**，距陽泉里許。**黑馬泉**，龍池河，漁水。**白馬泉**，**花園泉**，**緑泉**，四泉合陽泉。**紫金洴**，合梨河水。**梯子山泉**，出玉田。**泃河**，廣漢川亦曰黃崖川，頭道河，出口外逕境，入平谷、三河，復流逕境，合梨河爲薊運河。**將軍關水**，注泃。**限渠泉**，限亦作現河，盤山、龍口諸水，亦曰西窪，注泃。**龍口泉**，合盤山泉。**白澗泉**，合限泉。**瀑水泉**，合白澗。**段家嶺沙河溝**，注限渠。**盘山泉**，合限渠。**香泉**，沈志：在香水寺後，旱不涸，澇不溢，有謙之義，後改爲謙謙泉。盤山志：智朴以謙謙名之。**自來泉**，在古中盤，別是一天門內。**甘泉**，沈志：在普濟寺西南隅，後甃爲井。按：此康熙時智朴所甃。**醴泉**，盤山志：卽靜安寺井。州舊志：靜安寺，舊名醴泉院，金大定間改名。**涓涓泉**，沈志：在天成寺後，出翠屏峯石缺。**鷲泉**，在靜安寺西。**仙泉**，在東甘澗東南石上，有坎，深一尺八寸，四時不涸。**漱玉泉**，沈志：在青溝內，後甃爲井。按：此亦智朴所甃。**秩秩泉**，在漱玉泉南半里，清涼石迤上。**甘澗**，盤山志：甘澗有三，青溝前爲上甘澗，其下隔一小山，東爲東甘澗，西爲西甘澗。浮石舫在上甘澗東北峯，頂擁背石，與石舫相連。舊聞攷：上甘澗在盤谷寺前，東甘澗有觀音菴，西甘澗有淨土菴。**響澗**，盤山志：響澗自靜業菴一帶，水與磯石相確，鳴聲徹晝夜，瀉至晾甲石下出山。舊聞攷：晾甲石迤西欲盡處，橫亙若檻，奔赴之水，至此踴躍砰擊而去，跳珠噴玉，下注深淵。高宗御題曰千尺雪，並御製記文。**龍潭澗**，盤山志：澗東爲獅豸峯，西爲鷹兒嶺，兩山相夾，峭壁崚嶒。其下卽黑龍潭。**飛帛澗**，飛帛澗在天成寺西北隅，六七月間，澗水自空中注下如飛帛。**城口澗**，盤山志補遺：少林寺東北半里許有城口澗，最險峭，下有滴水巖，山削路絶，臂行肘接，蹋肩而下。

小龍潭，舊龍潭，黑龍潭，盤山志：龍潭有三，曰小潭，曰舊潭，曰黑龍潭。舊潭當澗中，滑不受履，往來隔絶。崇禎中，淨業菴主僧欲命工塹鑿搆橋，以便游履，甫興工，龍卽涌水數丈，霹靂而去，遂移下潭。其下潭亦有三，連珠而成，四壁陡絶，其水深淊，可望而不可卽，昔遇旱，禱雨輒應。蔣福山龍潭，盤山志：蔣福山龍潭亦有三。洗鉢池，盤山志：洗鉢池在千像寺內，今甃爲井，井內刻三字。蓮花池，入山中道。天池，盤山志：洗心石在天池上，周五丈，其面如砥，其後峯矗矗列如屏。智朴天池記略：天池，石池也，在西甘澗迤北，直上里許，三丈餘塊石而成，不假雕鑿，其深不盈尺，其水不涸，其南面有小口，方六七寸，凡夏秋之交，其水溢則自口而出，土人呼爲石盆，其上有磬，周五丈許，平如几筵，曰洗心石。黑龍池，盤山志：在報國寺前。紅龍池，盤山志：在少林寺東，石壁鑿紅龍，騰躍水面，傍鎸紅龍池三字，字徑二尺，後有帶川隸三字，字徑二尺，前有大定七年四字。鏡兒淀，在山西，周數里，登自來峯望之，澄瑩如鏡。青溝，盤山志：青溝一名盤谷，居盤之中，羣峯圍繞，水滙於一，逆流而西，自天成寺水口出山。金馬石溝，盤山志：金馬石溝在先師臺後。舊聞攷：先師臺在山之正南，又稱南臺寺，址僅存焉。燕子石溝，據盤山志稱，在報國東寺，今已無攷，惟燕子石，日下舊聞攷云尚存。五盆溝，盤山志：當澗中有五凹，各丈餘，能瀦水，故名。在茶子菴主山後。清池，沈志：清池在城東十五里，周一頃餘，四山圍繞，瀲灩於中，水色如藍。舊聞攷：清池今存。舊有平魯渠，其北漲水爲溝。藍水，注灤水。窰河，注沽水。金泉河。方輿紀要：金泉河，薊州城北平地泉湧，流爲馬申河。

平谷縣：山，城東三十里曰鳳凰山，平谷朱志：縣東三十里鳳凰山，在滑子莊西南，一峯特聳，高約里餘。曰白上嶺，朱志：東距城三十里，界連薊州。城南八里曰泉水山，一統志。又二里曰青龍山，朱志：在縣南十里。又五里曰氣鼓嶺，一統志：縣南十五里，山形如鼓，上有雲氣。城北十五里曰牛心陀，據一統志。又五里曰瑞屏山，朱志：城北二十里，連峯秀列如屏，上有石臺，下有興隆寺，元大德五年建，俗呼蕭家院。陳志：界連密雲。城東南十五里曰望京山，平谷陳志：邑南偏東有望京山，高於衆山，其頂平坦，上有大阜，距城十五里。城西北五里曰雙髻山，陳志：蕭家院西南，距城五里，三峯比連如髻，名雙髻山。自上而下約里半。按：蕭家院卽瑞屏山寺，在城北二十里，院之西南爲城之西北。又四十五里曰分水嶺，一統志：縣西北五十里。城東北十里曰漁子山，方輿紀要：縣東北十里，漁子山上有大冢，相傳爲黃帝陵。其北有漁子山堡，與密雲縣熊兒峪相接。漁山西南曰蕭家嶺，陳志：與密雲連界。

又十里曰峨眉山，曰靈泉山，曰柏子山，朱志：在縣東北二十里。按：一統志云，峨眉山，縣北二十二里。又五里曰妙峯山，朱志：在東北二十五里，峯巒秀拔。下有九沽泉。按：舊聞攷引畿輔山川志云，東北二十里。又五里曰雞足山，朱志：在東北三十里。其川曰泃河，自薊州逕境，入三河。龍潭，獨樂河，亦曰南獨樂河，篤樂河，漏河，注泃。馬各莊河，逆河，流河，二河注泃。周邨河，卽石河也，亦曰錯河，入三河，爲泇河。鄉泰凡二，一城南二十里大王務，一東北二十五里龍王廟。據平谷朱志。靈泉，平谷朱志：出城東北二十五里靈泉山。舊有北谿水，注鮑邱。五百溝水，注泃。河。合五百溝水注泃。

光緒順天府志二十一

地理志三

城池

德清蔡賡年纂　江陰繆荃孫覆輯

順天府居京師内城之北隅，大興、宛平爲坿郭京縣也。京城有專門詳於彼矣。府境之南爲固安、霸州，北爲昌平，東爲通州、三河、香河，西爲良鄉、房山，東北爲薊州，東南爲武清，西南爲涿州。固安之東爲東安、永清，霸州之南爲保定、文安、大城，昌平之東爲懷柔、密雲，通州之北爲順義，東南爲寶坻、甯河，薊州之北爲平谷。中晝郊圻，設險守國，城池之建，奚可不詳！凡形勢之方畸，里仞之突廣，或因或剏，例得備書。其邊障營壘，或偁爲城，非關建置，不入于篇。志各縣城池。

良鄉縣，舊係土城，高二丈。明隆慶中，知縣安上達增築之，（良鄉新志。按：志作安守魯，蓋楊守魯之譌也，兹从日下舊聞。）高三丈二尺，（新志。按：二尺字亦據日下舊聞補。）但西門缺甕城。垂二十年，知縣王道定補之。（新志。楊守魯良鄉縣西門甕城碑：良邑舊無城，隆慶初，貴陽安邑侯始城之。城有四門，皆設重關以爲固，故必有甕城焉。方城之時，東、南、北三門皆完，西門獨缺。垂二十年，濟陽王公至，始完之。公以才能，自香河移治兹邑，務在修廢蠲弊，與民更始。嘗巡城至西方，憑堞顧瞻者久之，乃外指山原而詢父老曰：山水時漲，此門得無患乎？對曰：水至則灌溢而入君侯之牀。還顧城中，而謂父老曰：是門也，於縣治察院獨不邇乎？匪真虞心庫獄，卽賓至而徵關尹，其何說之祠？彼大者且城矣，奚爲獨弗竟此也？父老曰：東南一關，冠蓋必出之途，飾之以爲觀美，而加以將迎脯資之勤，則足以逭譴訶而冀有譽，斯固非所及者。公太息曰：非我誰其完此！吾捐俸以爲資，僚屬効力，庶幾其辦之哉。爰鳩工庀材，授二尹張君以素，而使董其役。畚揭方具，士民爭相謂曰：吾父母獨爲邑完西門，微獨嚴於縣治，而防水衝，吾儕亦可以安枕矣。民競釋耰鋤而赴工，學士大夫咸遣丁壯從事，縣著姓之尚義者，更饒出大至數十百名。公悉勞來之，乃爲戒於衆曰：若獨無私事乎？吾不忍久以吾事勞爾也。户出役三日卽休，無復更事。民笑相語曰：爲吾良完城，而侯自以爲事，可謂無閒形骸於我也，何忍輟此而去！于是至者日益衆。張君戴星出入，勞苦於版幹之間，登登馮馮，甫閱月而工告訖矣。墉厚二丈八尺，高三丈六尺，袤三十餘丈，鍵闔雉堞咸具，煥然甲於他門而爲完城焉。公名道定，號懷田，濟陽人。張君名滚，號蒙泉，亦山東人。崇禎庚午，裹面土城修補增寬，周一千三百丈，計六里三分。門四：東曰迎曦，西曰寶成，南曰就日，北曰拱辰。頂寬二丈，底寬四丈，高三丈。本朝以來，迄未修葺，半就傾損。城濠舊引房山縣磁家務漢河水，又引怪陀邨龍泉。今則漢水不通，龍泉已涸，以茨尾河爲上流，四面石橋各一，東北面河身，久淤未濬。新志。

固安縣城，明以前不可考。正德十四年，山東盜掠河北，御史盧雍與知縣王宇始創土城。周方五里二百六十九步，東西徑三百八十步，南北徑七百零八步，高連女牆共二丈三尺，下闊與高同，上闊七尺五寸。爲門四：東曰甯遠，西曰豐樂，南曰迎薰，北曰拱極，各建層樓三楹。固安陳志。明顧清創建固安縣城池記：都城南一百十里，有邑曰固安，本漢廣陽國之方城縣。至隋易今名，歷唐、宋、金、元，常爲州邑，入國朝又百五十年，而城池之守未備，承平恬熙，上下循習，若以爲當然者。正德辛未，盜起山東，轉掠河朔，邑嘗被兵，民始知懼。上亦以廷臣議，詔增築郡縣之無城郭者。而固安猶未有以應命也。乃乙亥六月，御史盧君按歷其地，慨然念之，召知縣王君宇圖所以爲興築計。宇曰：此令之責也，敢不供命！以告民。民曰：此使君生我也，敢不盡力！於是爲之規其方位，劑其土物，籌其工費，以條約上王君，轉於盧君，復言於朝，得霸州及永清等縣各以其衆來助，羣心歡趨，一唱百和。起是歲七月，至明年四月，而城成。先辟其四門，而爲樓於其南北，曰迎薰，曰拱極，東曰甯遠，西曰豐樂。城周方三里二百六十有九步，高二十有三尺，其上爲女牆。牆四隅鑿池圍城，深廣各若干尺。總役夫三千五十人，食米二千三十有五石，用木以根計者三千七百九十餘，灰鐵洎石灰以斤計者十五萬七千三百六十二，費公帑銀七萬有餘兩。米則民間義助，別無所擾。民居當城，表者遷之，林木之蔓翳者啟之，而以其傍之隙地馬廠中爲通衢，而以其地益遷者。徙豫備倉於城中，而給民以其故址如其數，當遷者皆優於資給，民忘勞焉。御史名雍，字師朗，吳郡人，正德辛未進士，詳慎而敏，遇事優爲，不動聲色，城其一事也。王君字德周，關西鄉貢士，清勤奉職，在蜀之仁壽已有聲，城成，遂入判順天府，其可稱述不止此。縣丞劉濬、張經，主簿王慶，典史張綸等，贊襄左右，與有勞焉。法皆得聯書。速予記者嗣令孫君璁，皆有足嘉者。嗚呼！尚相與勉之，以無廢前人之功哉！明正德十五年六月立。嘉靖二十九年，知縣蘇繼改甃以瓴，其周方上下，高闊丈尺，與土城同。四十有四年，知縣何永慶增土加甓仍舊制，而重修之，高連女牆共二丈九尺，下闊三丈三尺，上闊九尺，垛口一千二百一十一個。崇禎二年，知縣秦士奇補修城垛。四年，申請塞砌六百餘口，中留礮眼。

本朝順治間，疊遭河沖。康熙十八年，地震坍塌。三十四年六月，大雨，水流盡隤。乾隆四十九年，陳志。按：日下舊聞考作十五年，修改砌磚。知縣李光理請帑重造瓴城，上厚一尺八寸，下厚三尺，城頂高一丈九尺，寬一丈二尺，下寬一丈六尺，通計下長九百五十八丈八尺，上長九百五十九丈九尺。咸豐二年，知縣吳燾捐修。三年，河決，城東北月牆衝塌。四年，知縣陳崇砥補修。城濠亦正德十四年知縣王宇所鑿。嘉靖六年，知縣李玦鑿深一丈五尺，闊三丈。崇禎二年，知縣秦士奇重浚，深三丈許，闊四丈餘，門設弔橋，兩岸築隄高七尺，闊五尺。陳志。明曹夢麟創建四門弔橋記：邑舊無弔橋。今之弔橋，作於秦明府莅任之三月也。時爲庚午初夏，公繕城製器之餘，周城浚池，深丈許，刱四弔橋。夫池舊有之，而今爲天塹；橋舊無之，而今爲天險。其版之堅，可以通車馬也。其機之括，可以任去存也。橫雲數柱，遊者可憑而題也。規制一開，繼者可循而葺也。明府負重之資，應變之器，胥具是矣。余承鄉先生言，爲弔橋記。記弔橋所以記明府也。乃援而歌曰：

横木平平，險以設思。神君既去，有橋傑思。西望太行，榆水環思。白河長久，惠曷竭思。

永清縣舊城，周三里，日久傾頹。正德五年，流賊突犯，燬官舍，刼倉庫，知縣郭名世始拓土城，袤五里餘。隆慶二年，署縣事霸州判官王建議廢寺塔廟觀，甃磚城，後被大水衝塌。萬曆三十七年，知縣王嘉績，四十二年，知縣楊夢雄重修。崇禎年，知縣余世名重修之。永清周志。劉惟蕙重修城垣碑記略：時知縣事者余世名，在崇禎七八年間。其略云：自我國家多故以來，無人不議兵，無地不議守，然議守者輒以修垣爲急。我侯余公來令是邦，乃登埤四顧，竊嘆曰：益昌首善地，斗大一城纔數尺，無寸險足恃，名曰城，實無異壘也，是可足恃乎！卽毅然以繕修爲己任。不請帑，不加賦，不殫力以疲民，不愆期以悞國，以永人衛永人，以民情鼓民力，首捐貲以爲士民倡，周幕疏於四境，設公宴於明倫堂，凡紳衿父老，各抱赤心，體侯德意，或量力修垛，或計土受工，或掘地而填築，或挈家以供役。自正月始事，三閱月而告成。計垛一千四百有奇，雄偉壁立也。又令籌神器，積穀草，貯硝磺，練鄉勇，創弩臺，不日皆具。神器數百有餘，武庫森嚴也。計穀草數萬有餘，倉盈庾裕也。計硝磺應用不窮，禦武有資也。簡丁壯千有餘名，一面可抵也。建弩臺共八座，矢石可下也。環以女牆，通以機橋，攻有備，守有資，或俯陴而瞷，或跨濠而擊，利在我矣。士民擇吉歌舞，答司隍之貺，爲侯祝曰：保障哉！有永邑以來未嘗有也。侯諱世名，江西奉新人。本朝康熙十五年重修，乾隆十四年改築，周志。城濠周圍三千六百步。乾隆十三年，天津道王師，以事議罰捐修永清城池。知縣張士英承修。永清李志。城周圍五里三分，共東、西、南、北四門，外設護城隄。隄爲明嘉靖四十二年知縣馮鑑建。萬曆三十九年、四十□年重修，並種柳。本朝順治、康熙間補葺。道光二十二年，知縣畢昌緒修之。李志。朱舒錦重修護城隄記略：永邑當桑乾下流，自蘆溝以南河出故道，遇夏秋漲發，恆被水患。縣治尤爲官署、倉獄重地，舊志載有明嘉靖四十二年縣令馮公鑑創建隄堰，周三千六百步以衛城池、居民。至萬曆三十九年，四十餘年間，凡重葺補種柳者再。逮國朝順治十四年、康熙十五年，又二次補葺之。新志不載隄堰之原委，豈以河隄既建，束水東下，遂不復致意於城隄耶？聞諸故老，城東北隅舊有街衢、廬舍、韓仙閣、察院署，因河決俱漂没，今成巨浸。又乾隆三十六年，河自黃家灣決，洶湧直逼西門。適城門陷，障之，遂南下，不爲大患。相傳因此隄重復修者歲久，隄已圮。嘉慶二十四年，河自支子營決，水自隄之西北隅入，直抵城垣，高於城居者六七尺。居民惶惶，堵築城門，補其罅漏，風雨奔馳，老幼號呼，凡五晝夜，危急之間，水勢頓殺，人心稍安。身臨其事者，至今談之無不驚嘆色變者，咸以嚮使隄堰完固，足當其衝，水則漫泱南趨，何至爲患如是？嗣自屢有重修之議，而事皆中輟。道光二十一年冬，我畢公來治斯邑，下車之日，問民疾苦，巡視城郭，已隱然有興修之意。逮因時政舉，爰集紳士耆老，勸諭殷實之家，捐資重修之，規模粗具，擬冰泮興工。十二月，公奉調署霸州，莫不歎興修之輟於垂成也。期年始復任，因決意興工。是役也，不假手胥吏，專委之紳士耆民。相度形勢，指授方略，於二月初十日，告於城隍廟之神而工興，越十二月而隄成。公又以挖河修橋爲善後事，至三月下旬而河橋畢舉矣。公名昌緒，山東淄川縣人，癸酉科拔貢生。同治八年，知縣李秉鈞將隄身加高，徧植柳木。李志。李秉鈞重修護城隄記略：戊辰夏，余自春明權篆益昌，甫下車，見護城隄一帶，環匝數里，勢漸傾圮。斯城踞永定河下游，一經潰決，勢不可支。洎閏四月二十一日，河由固安潰口水漲，直趨隄所，巨浪拍天，洪波動地，人心張皇，號呼載道。余即督工隄上，與城廂紳民晝夜巡查，風雨奔馳，越數月，水漸平，城內外獲安堵無恙。始知盡其心於數十年之前，收其效於數十年之後，微畢公之力不及此。爰與邑紳。賈如城、孟昭盛、劉玉桂等再四圖維，更加修理，捐貲助興版築一切工程費用，余與諸公親率辦理，俱不假手於人。從公之士，亦諒余因保衞地方起見，咸踴躍効命。周二千零三十弓二尺，於己巳二月朔興工重修，二旬之間，即告厥成。根柢堅固，規模崇峻，隄外之河因起土而疏濬之，亦復閎深就埋。邑皆歸功於余。余曰：紳董之力也，閭閻之福也，余何力之有焉？所慮者，沙積則易虧，不培其基何以固？水浸則易潰，不破其浪何以平？用是栽柳成行，沿隄保護，庶經久而不壞。但顧自今以往，芳林庇蔭，水波不興，而後之蒞斯任者，時修葺而光大之，俾庶姓免其魚之患，斯邑幸甚，余亦樂甚。十三年，李秉鈞復修之。采訪冊。

東安縣城，週圍七里二百四十步，東闊七百六十四步，南闊七百一十八步，西闊五百六十步，北闊八百步。高二丈七尺，廣一丈五尺，池深八尺，闊一丈二尺。明洪武二年，從常道鄉遷今縣治，城池未建。天順間，知縣于璧，成化間，主簿何瑛，始創濠塹。弘治十一年，知縣蔣昇重修基址，甎甃東門一座，爲鎮東門。正德六年，知縣周義築垣浚濠，建三門，曰安西，曰平南，曰拱北，四門乃具。十二年，知縣武魁又累土加厚，增立女牆，環城之外，浚以深溝，規制大備。嘉靖十六年，知縣劉繼先改北門曰迎恩，東曰曙海，南曰通津，西曰宗山。二十八年，知縣成印增修，城基廣一丈四尺，頂闊一丈，高二丈七尺，堞五尺，濬池深八尺，廣一丈二尺。二十九年，以甎包城之四隅，各四十丈，建角樓於其上。北門外復築月城一座，上建兩簷重樓。八月間，因流賊警，添掘濠塹，又甎修西門，更甃南門重樓。隆慶二年，知縣劉祐重修甎城。天啟五年，知縣鄭之城又重修。東安李志。沈應時重修縣城記略：甲子秋（按：爲天啟四年），鄭公來守是邦，計城圍之廣袤，修築之工費，又計邑之幅員若干里，里之居民若干郵，隨郵大小，出夫均役。翊歲仲春，諏吉興工，閲四月成城二千四百餘丈，復補城甓之殘者。崇禎元年，知縣歐陽保重修四門城樓，改題其額曰東昇、西爽、南明、北拱。本朝順治五六年間，渾河爲患，半遭衝圮。康熙十五年，知縣李大章修葺。乾隆二年，知縣張拔照部頒營造尺，勘估甎城，四面共長一千五百六十四丈。九年，清河道王□照原估勘築土城。十三年，州同李雲鵬承修。十四年興工，十九年工竣。李志。按：十九年工竣字，从日下舊聞考補。同治六年，署知縣張鵬雲興修，計城身一千五百六十四丈六尺，高一丈五尺，頂寬八尺，底寬一丈二尺，又修甕門四座，每座高二丈四尺，寬三丈，長二丈。又建四門，看門兵房共八間。七年，知縣李璋，八年，署知縣姚鎔接修竣工。采訪冊。

香河縣城，舊爲土城，明正德二年，始易以甎。嘉靖四十二年，知縣范經增高五尺，修角樓四座。隆慶二年，知縣萬通修敵臺十四座。萬曆二十年，知縣陳增美增高二尺。三十二年，河漲隄決，城垣半損，知縣李垂□重整之，周圍八百七十六丈，高連垛二丈三尺，垛口一千七百，敵臺每座圍三丈四尺，城濠闊二丈五尺，深一丈五尺。城四門，各建城樓。其門額東曰淑陽，南曰永明，西曰迎恩，北曰拱極。香河劉志。國朝乾隆三十二年重修，改南門額曰永清。舊聞考一百十八。光緒六年，知縣丁符九重修。采訪冊。

通州城，明洪武元年，裨將孫興祖因舊址修築。畿輔唐志三。城在潞河西，卽今所稱舊城也。甎甃其外，中實以土，周圍九里十三步，連垛牆高三丈五尺。門四，東曰通運，西曰朝天，南曰迎薰，北曰凝翠，門各有樓。宣德八年，都指揮劉斌重修城樓。正統十四年，糧儲太監李德、鎮守指揮陳信，以大運、西南二倉在城西門外，奏建新城護之，新城實始於此。甃以甎，周圍七里有奇，東連舊城西面。爲門二，一曰南門，一曰西門，各有樓，高止丈餘，不及舊城之半。畿輔唐志作高三丈二尺，周八里，今从州志。正德六年，巡撫李貢奏請增修新城，築高五尺。通州高志。明李東陽重修新城記：通州在國初爲北平布政司之屬郡，舊有城。自文皇帝定都以來，肇立京府，併置州衛。東南漕運，歲入四百萬，析十之三貯於州城，既久且富，乃於城兩門外關地爲西、南二倉。景泰間，以外警，復築城七里有奇，環而翼之，爲新城。時屬倉卒，規制未備，高止丈餘，視舊城不及其半。比年甎石剥落，内外出入，可登而越也。正德辛未，流氛爲患，副都御史李貢巡撫其地，深以爲憂。引水而環之三周，已乃詢諸有司，圖所以禦災捍患者。上疏言：天下之治，與其有事而圖，孰若先事而慮。今番上京軍數千名方留城守，宜以其隙計工修築，工部分司有廢甎數十萬，宜借以供用。上命户部左侍郎邵君寶、兵部左侍郎李君浩、工部右侍郎夏君昂，率僚屬往相其宜，悉如所議。君又留罪人所贖金，爲凡百費用。新城舊基，增築五尺，其外爲甎，内實以土，上復爲垛牆，六尺有咫，而長廣皆如其數。又爲敵臺，其西南爲甕城，重門懸橋，皆舊所未有。其爲役皆分番迭作，人樂趨事，不數月而成焉。於是知州楊濬、州學政洪畢等，謂兹役之重，不可以無述，介吾妻之從子岳序班梁以請於予。余惟天下大計，不外於兵民，兵民所賴以生者，必資乎食。兹役也，皆有賴焉。若所謂先事而備，則李君固言之，卽唐李絳所以告其君者也。顧狃於安逸者，恒以爲不足憂，而張皇者，又有所不及謀。比者盗賊芟刈略盡，遠近諸司猶晏安不復致慮，而李君方矻矻不暇，議者或以多事爲疑，亦獨何哉？予感其事，因叙其始末，為方來者勸，俾以羨財餘力益增而高也，其為補豈小哉！是役也，巡按御史陳君祥、巡倉御史詹君源實協其謀，董其事者則分守都指揮黃璽等十餘人。系之詩曰：文皇建都，治必南嚮。州名曰通，作我東障。高城巍峩，有兵有民。漕河北來，餉粟雲屯。儲盈庾增，新城是築。有功弗終，高及其腹。月傾歲頹，寢不及前。窺覘之患，孰防未然？屹屹臺臣，出治斯土。遭時多虞，實備羣侮。陳謨在廷，惟皇聖明。乃集羣議，乃覩地形。營兵如林，時屬戍守。且練且修，工弗外取。倉有積粟，鍰有贖囚。斯納斯出，財弗外求。因城為高，幾倍其半。其周七里，還彼三面。望之巖巖，即之巉巉。河流在陽，其水潭潭。前有連城，後有墿壤。越百餘年，既崇且廣。古亦有言，安不忘危。惟臺有臣，為藩為維。金湯高深，同彼帶礪。守在四方，傳於萬世。

萬曆十二年，知州張士奇修舊城。十九年，兵科顧九思奏修舊城。是年密雲兵備道王見賓詳准奏修新城，大加拆修，連垛牆高三丈五尺，厚丈餘，長一千三百四十丈有奇。南門題曰望帆雲表，西門題曰五尺瞻天。高志。唐文獻重修新城記略：密雲兵備王公見賓，飭兵密雲行部，相度要害，謂通州乃九重肘腋之上流，六國咽喉之雄鎮，地無若新城重，而城久崩阤，衛士日荷杆，縻大官餼無算。通州又無若新城為急，於是請督撫上聞。詔可。乃檄將吏決策之，捐朽剜蠹，植臺築虛，役夫悉取諸營軍，不以煩父老，經費悉取諸帑金贖鍰，及屯粟之餘，不以括民廪商橐。城高一丈，厚尺有咫，長一千三百四十丈有奇。首城樓，次角樓，次窩鋪，繚以周垣，濬以溝塹。工中程，材中度，延袤中地勢，塼埴中準繩，楛更而良，老更而壯，蓋癸巳以迄乙未，再浹歲而千里金湯之勢，不啻霞標而星列矣。將自今伊始，謹蓋藏，收保聚，貢道以肅，屯積以固，朝廷張犄角之勢，疆吏息版築之勞。用裁往額，而績偕古人，名雖重修，而事若鼎創，豈特一方一時之保障乎哉！昔書勤垣墉，禮制山澤，詩陳徂齊，易戒復隍，而春秋書築城者二十九，獨叔敖城沂，君子以為敏，子囊城郢，君子以為忠，維忠與敏，公實兼之，則通州今日之役是已。公名見賓，號晴江，濟南人，由甲戌進士至今官，時萬曆二十三年乙未。三十五年，知州梅守極詳修新舊二城，未行。三十七年，知州陳隨修新舊二城。崇禎三年，總兵楊國棟增修新城，較前高厚。本朝康熙九年，知州甯完福修葺新舊二城。舊城周一千六百二十六丈五尺，新城周一千二百六十三丈，城根寬三丈四尺，頂寬二丈三尺，城身外高三丈四尺，內高二丈二三尺至三丈不等。乾隆二年，知州韓亦詩以新舊二城坍塌，請以淤淺護城河道之土，挑挖為修城土方之用，且築且濬。經倉場總督塞爾赫奏准，動項興修。三十年，直隸總督方觀承，奏准動項重修，新舊城合而爲一，其舊城拆去西面，共爲五門，各建重樓。高志。按：三十年云云，改从日下舊聞考。舊城西面，拆去一百八十二丈，周圍實長二千七百七丈五尺，併添建女牆高一丈六尺。舊制城根寬二丈三尺，將城頂減去三尺，淨寬二丈，形勢相稱。所有裏皮城垣，全行改砌甎牆。三十五年，大雨，續有坍塌，知州龍舜琴詳修。三十六年，又被雨，續修。咸豐三年，兼管府尹賈楨奉敕籌款興修。高志。倉場侍郎全慶、順天兼尹賈楨、府尹李鈞，城工完竣奏疏略：竊照通州城垣坍塌，經臣文瑞具奏，於咸豐三年九月二十九日欽奉上諭：著順天府與倉場侍郎迅飭通永道，體察情形，督率地方官紳，實力趕辦。等因，欽此。臣全慶與前任倉場侍郎臣朱嶟，以工程緊要，當卽咨會順天府，轉飭欽遵。一面就近在通，先行督同該道，詳細履勘，因原請另立甎牆，徒費無益，議將坍塌處所及城樓海墁垛口等工，暫行緩修外，其外坯坍塌段落，裏外傾圮缺口及城門甕口等工，擇要估修。動用北塘礮臺存甎、西、中二倉舊厫廢甎，以資節省。此外，加料添灰，夫工飯食，需用亦煩，經費無出，請照直省捐賑新例，以制錢一千五百文作銀一兩，由地方官紳捐辦，並由臣全慶、臣朱嶟，率同該道及倉場監督等，首先捐廉以爲之倡，節經奏明。奉旨允准在案。臣等督飭署通永道金肇洛，率同地方官紳，先行購料僱夫，於上年十月中旬開工修理。時值天寒地凍，土作難極，而賊氛逼近天津，又未便稍事停緩。當飭該道等設法搶辦，暫資守衛，並將城門二十四扇修整如式。門櫰鐵葉，一律更新。迨至本年春融，接續開工。臣等飭將修理未能堅實所在，統行拆砌。核計改作十分之四，已責令紳士丁鶴皋賠修。臣全慶於三、四月間，兩次親詣，周歷察看，尚有未能周密，俱飭另行增補，一律完固，不准偷減草率。茲據署通永道金肇洛詳報，城垣外坯坍塌段落及裏外傾圮缺口，原勘及續坍共三十二段，湊長三百四十三丈，按段砌甎，高三丈二尺，底厚五尺，牆垣厚二尺五寸。裏面素土墊廂，層層打夯，頂上另作溝眼出水，與城一律整齊。此外城腳空虛及裂縫處所，尤爲吃重者二十四段，及各門甕口等工，均一一修補如式。共用礮臺整甎四萬七千二百四十四塊，中、西二倉廢厫碎甎合整甎三十六萬六百三十八塊。所有腳價工料等項，共用京錢四萬二千六百四十九串。自奉文勸捐，至完工截止，先後收過京錢六萬三千八百九十八串，除動用京錢四萬二千六百四十九串，尚盈餘京錢二萬一千二百四十九串，卽以歸補挑築北寺莊隄引河墊款，其不敷銀，仍一面設法勸捐等情。察此項城土，除垛口城樓裏坯海墁等工，先已奏明緩修，所有現修各工，調取原估作法册式，核對相符，檄對坐糧廳賀壽慈、漕運通判畢昌緒，會同順天府委員候補知府鄒培經，就近察驗。據覆，造作各工，均無草率偷減情弊。理合將辦理情形，恭摺謹奏。今新城南門題曰灌輸，西門題曰神京左輔，未詳始於何年。敵臺肇建於明正德六年，俗名空心礮臺。崇禎四年，督部范景文以州舊城東北與新城西南皆受敵衝，增建臺一座於舊城東北，形如扇。自左至右長十二丈，高三丈七尺。分中、下、上三層，俱有礮門。今新城西南者，年久傾圮，業已填砌，隨城一律平坦。舊城東北者，堅固如式。城濠，明萬曆二十二年，户部郎中于士廉周視兩城隍，併可爲池，奏請引通惠河水注之，可通漕舟，省陸輓費。詔如議濬之。長三千三百餘丈，加深二尺許，廣視深四倍。建閘一，橋四。本朝屢經疏濬，其橋座隨時修葺。乾隆二年重濬，今如舊。高志。

張家灣城，明嘉靖四十三年，順天府尹劉畿，以邊警請築張家灣城。周圍九百五丈有奇，厚一丈一尺，高二丈餘，内外皆甃以甎。東南濱潞河，西北環以濠。爲門四，各有樓，又爲便門一，水關三，中建屋若干楹。通州高志。徐階張家灣城記略：自都門東南行六十里，有地曰張家灣。凡四方之貢賦，與士大夫之造朝者，舟至於此，則市馬僦車，陸行以達都下，故其地水陸之會，而百物之所聚也。嘉靖癸亥冬，世宗皇帝以，有警，詔發營兵戍之。先聲播聞，凛不敢犯。然戍者無所據依，晝夜被甲立，勢實不可以久。甲子春，順天府尹劉君畿因以城請，司空雷公禮上議曰：城於戍，便於守固。世宗報可。敕順天府丞郭汝霖、通判歐陽昱，以二月二十二日始事，財取諸官之贖及士民之助者，木取諸營建之餘，甎取諸内官廠之積，石取諸道路橋梁之廢且圮者，夫取諸通州之衛卒及商若民之饒於資者。工既舉，而財不時集，階具以聞。詔光禄寺出膳饈之餘金三萬兩貸之。於是諸臣咸悦以奮，而巡按御史董君堯封、王君用禎，程督加嚴，越三月遂以成告。周九百五丈有奇，厚一丈一尺而高視厚加一丈内外加甃以甎。東南濱潞河，阻水爲險，西北環以濠，爲門四，各冠以樓，又爲便門一，水關三，而城之制悉備。中建屋若干楹，遇警則以貯運舟之粟，且以爲避兵者之所舍。設守備一員，督軍五百守之，而灣之人惟南北之搢紳，中國四夷朝貢之使，歲漕之將士，下逮商賈販傭胥，恃以無恐。至於京師，亦隱然有犄角之助矣。仰得國家建都燕薊，百六十年於兹，乃灣之有城，實自世宗遣戍之詔始。蓋世宗雄才大略，出於天縱，而訏謨睿算，又於夙夜計安天下之心，非偶然者。其功在社稷，廟偁爲世，雖未易以名言，然此固其一也。夫睹河洛而思禹，情也，亦義也。今而後登斯城者，於世宗能無思乎？誠使文武吏士，體保固郊圻之意，而殫謀以殿封疆，兵之守者，懷據依之便，居處之安，而竭力以奮武衛、其在賓旅，溯周防曲護之恩，而各修厥職以供朝廷之事，則庶幾爲能思世宗矣。階不敏，敢因紀成以規焉。萬曆三十三年修。四十年，知州楊宗裕修，崇禎四年修。本朝以來，間有修葺，現已半圮，惟城門啟閉如舊。高志。

漷縣舊城，明正德初，知縣郭梅築，土城周二里許。嘉靖二十二年，州同陳杲增修，加女牆，四門作樓，高一丈二尺，上闊一丈，下稍倍之，周三里。三十五年，知縣吕哲重修，題其四門北曰拱闕，南曰迎薰，東曰臨津，西曰通都，歲久傾圮。萬曆四年重修，甃以甎石，建南北門二，南曰迎薰，北曰鞏京，東西開小門二，各設小樓。周圍六百二十三丈，高一丈八尺，頂闊一丈一尺，底闊二丈二尺，女牆高五尺，濠深一丈，闊二丈五尺。三十七年，因雨圮，知縣艾友芝修。崇禎八年，知縣涂應召修，增高五尺，闊五尺。本朝順治十一年，水衝城之西、南、北三面，皆圮。十六年，縣裁守備徐達略加修葺，嗣後西、北兩門坍塌，城垣亦多傾圮，惟東、南城門規制猶存。同治七年，築土城，周四里。通州高志。

永樂店城，店舊無城，同治七年，州判胡世華捐築土城六里餘，併建四門弔橋。采訪册。

三河縣舊城，在縣東洵河之南，被水衝廢。後唐明宗長興三年，盧龍節度使趙德鈞改置今城，三河陳志城邑考：舊城在今縣東三洵河之南，建於石趙，廢於後魏。今三河城，即趙德鈞所置城，方六里，濠闊三丈，深半之。通鑑二百七十八：後唐長興三年，趙德鈞爲節度使，於幽州東北百餘里城三河縣，以通薊州運道。契丹來争，德鈞擊卻之。九月朔，城三河畢，邊人賴之。通鑑補二百七十八作九月庚辰朔，奏城三河畢。城方四里，内築土基，外砌甎石，高二丈，闊二丈，日下舊聞考引縣志，作高二丈五尺。四面凡九百六十餘丈，垛口凡一千三百餘，門樓四座，水門二，濠闊三丈，深半之。明嘉靖二十九年，知縣張仁增高五尺。四十二年，知縣劉文彬復增五尺。隆慶三年，知縣張綸增置角樓、敵臺。本朝康熙十八年地震，知縣任塾重修。三十年，知縣張鼐續修。雍正五年，贊善彭廷訓奉勅重修。十年，知縣林廷璧詳題門額，東曰就日，南曰來薰，西曰瞻雲，北曰承恩。乾隆三年，知縣唐積祖，九年，知縣陳基，十七年，知縣薛如春，併動項重修。二十二年，知縣陳湶又修葺東面十五丈，西面、南、北面二十九丈。三河陳志。

武清縣舊城，在今邶家莊南，明洪武初，遭水患，遷縣於西八里。元衞帥府鎮撫衙，即今治也。正德六年，罹流賊之變，知縣陳希文始築土垣。嘉靖二十二年，霸州兵備副使楊天章，以垣內多曠地，截去東北二面，築土城，樹以女牆。隆慶三年，巡撫都御史劉應節、總督軍務兵部侍郎譚綸，委參將姚龍、知縣段雲鴻、張鵬，相繼甃以甎，周一千五百七十丈，高二丈七尺，下厚二丈一尺五寸，上厚一丈五尺，雉堞一千九百八十八，敵臺一十八座。三門各建城樓，北面無門，建鎮雍樓。武清吳志。按：新志作鎮朔樓，而日下舊聞引縣志亦作鎮雍，意取雍奴，舊縣名也。隍深一丈二尺，東迤南水門一。吳志。修武清縣甎城記：武清縣故土城，距都僅百里餘，距鈔關僅一舍地。萑苻伏發靡常，庫庫一故土城，詎可遮颺風震雨之盜哉？會總督劉公議，城京南武清諸縣，大加甃圖保障。疏於朝，報可。遂檄諸道趨行之，復推擇參將姚君，俾主武清城事，蓋重難之也。先是，令尹段君與姚經始，忽調去，張君來代之，益治具飭工，與姚共。姚亦用心協謀相祗，事無敢逸。初畫城事，聞有爲三合土議者，衆嘵嘵，可否持兩端，幾淆亂矣。姚上言公。公下令當甃。邑士大夫及二三父老俱偁便，遂甃城。城大役也，費甚廣。公念畿輔連大供億，恐重困民，乃典巡撫楊公謀，發庫銀四千兩以助役。城半，費且未已。張察廢寺有木石，議取其材爲城用，未決，請於公。公命亟毀之。張乃撤寺凡十數區，得木石等材凡千餘數，勅吏登諸籍，遇城缺，即按籍取用，一不以徵於民。閱三歲，城成。城且堅。邑人至目之爲鐵城云。余往歲在塾時，聞鄉長老言，正德辛未之季，流民劉六、七輩，直走武清闤市中，殺吏民，刼庫獄，焚廬舍，慘不可言。嗟乎！使其時有今城，生民之禍必不至是矣。此其效可昭然覩也。工昉於隆慶之三年六月，訖於五年八月。周一千四百七十丈，高三丈，廣一丈。門各有樓，樓各有署，東遼海揚威，西太行獻秀，南控引畿服，俱出入通往來；北拱翼神京，獨不啟門，基窿窿，勢矗矗，用朝宗於宸居。角樓四，敵臺十有六，以備捍禦。水門一，橋三，以防障塞。蓋設險之義盡矣。總督劉公名應節，原任順天巡撫，歷升總督、兵部左侍郎，山東人。巡撫楊公名兆，都察院右僉都御史，陝西人。姚名龍，順天人。段名雲鴻，雲南人。張名鵬，山西人。兵備副使蔡公名可賢，又調山西按察司，北直隸人。吴公名兑，歷陞宣府都御史，浙江人，先督視有功。其縣丞王元麟、艾谿，經歷黄槳，陞任典史彭時，歷任典史曾述，儒學教諭孟宗魯，訓導周暉，以嘗有執事在工，因併記。國朝乾隆三十年，動項重修。城門三，東曰溯潤，西曰景岡，南曰定澄，北面不設門，建北極臺於其上。舊聞考一百十二。

嘉慶六年後，歷被水患。道光七年，知縣劉體仁捐修西北面，旋圮。知縣陳述之補修。咸豐三年，知縣胡啟文捐修東北城角，併挑挖城濠，四隅添設小橋，今已淤。同治六年，知縣諶命年增建城東南隅奎星閣。光緒七年，城中商民捐修西北隅城垣。武清蔡志。

寶坻縣城，明初祇爲土城，弘治庚申，知縣莊襗始易以甎，高二丈有六尺，厚如之，廣四尺，長一千二十八丈。門四，東曰海濱，西曰望都，南曰廣川，北曰渠陽，其城之總名曰拱都。寶坻洪志。按：舊聞考云，門四，其名仍金之舊。門之上有樓，海濱門之樓曰觀瀾，望都門之樓曰拱恩，廣川門之樓曰迎薰，渠陽門之樓曰威遠。又角樓四，東南環碧，東北挹青，西南慶豐，西北樂治。寶坻洪志。王鏊寶坻新城記略：維寶坻作固京畿，故有城，歲久而惡。弘治戊午，武進莊侯襗以進士來知是邑，始謀重作之。相方視址，程材蕆工，法嚴令一，衆手競勸，經始於庚申之四月，迄辛酉夏孟而城立矣，何其速也！城之周可七里，池繞之，而貫乎其中。爲門四，東曰海濱，南曰廣川，西曰望都，北曰渠陽。門之上爲樓，四隅爲角樓，作石堰於水者二，作浮梁於河者四。城高而堅，池廣而深，於是邑之老稚，欣欣相告。予謂城之設，以備患也。故城謝城朔方，詠於詩，城邢城楚，邱書於春秋，則城之作，豈可少乎！莊侯可謂能用其民矣。吴儼新修寶坻城記略：縣故城，其興廢不可考。自入版圖百餘年，四境乂安，守土者不思重門擊柝之戒，不復修築。今則漸復於隍，遺址之存者無幾矣。武進莊君誠之出宰是邑，瞻顧咨嗟，即欲有所爲，而猶恐民以爲厲己，未暇也。既二年，政成民和，乃以白於巡撫都憲洪公。公曰：是在畿内，保障之計不可緩。顧財用安出？爾其無病小民，毋耗公帑，惟其富且義者圖之。誠之承命惟謹，乃募民出粟受冠帶，民皆歡然聽命，而貴戚大族寓於邑者亦皆爲之助焉。甫期而工畢，名之曰拱都城，蓋取其密邇皇都也。書曰：爾身在外，乃心罔不在王室。公實有焉。

城周可七里，池繞之，深二丈，廣倍之。水關二，南曰節流，北曰開源。嘉靖末，城就圮，知縣唐鍊增修。萬曆中，知縣管應鳳復築月城，至國朝如舊。乾隆七年，知縣洪肇楙修葺，併濬城濠。洪志。乾隆三十一年，動項重修城門及門樓、水關等，名俱如舊。舊聞考一百十三。同治七年，知縣吴履福修葺。采訪冊。

甯河縣城，雍正九年，分寶坻縣之梁城所，設甯河縣。甯河丁志。曹學佺名勝志：梁城，五代劉仁恭築。無城池，四面環水，其西架石爲橋，以通往來。乾隆三十二年，知縣薛端採形家説，塞之以土，遂成大路。四門各立城樓一座。舊聞考一百十三。邑人廉芳西城樓記：甯邑爲梁城故址，三面距河，其西一面可通往來，建樓於兹，爲一方之門户也。明季流寇壓境，居民懼不免，謹闔扉匿避，相視驚愕，計無所措。既而賊至城下，輒驚竄，如有所追逐狀。移時劍槊聲寂然，開户覘之，賊已杳無踪跡矣。時倉皇中，有遥見樓上光怪奪目，久之乃没。事定，衆驚爲神，登樓禮拜，仰瞻關帝掀髯端坐，從者執刀侍立，皆凜凜有生氣。乃知盜之遠遁以去者，果神之力也。梁城人户，賴神生全，而斯樓實爲神所降格之地，凡後之生兹土者，過斯樓，念祖若宗得以無恙，而今日子子孫孫勿替，引之者可忘夫所自哉！余故以聞諸父老者而敬誌之。道光二十四年，知縣朱以升，光緒三年，知縣丁符九重修。采訪冊。

昌平州城，故永安城也，昌平宋志。舊志：州城有門三，其南曰永安。明景泰元年築。東、西、南三門俱重門，甕城内外，各有層樓，周一千四百九十二丈九尺八寸，高二丈一尺。徙長、獻、景三陵衛於内，以護陵寢。三年，并昌平治徙焉。先是，治在白浮圖城，至是始徙於此。天順三年，天壽山守備廖鏞奏建譙樓於城中。萬曆元年，因陵衛續設益多，於城南復築一城連之，牆減舊城四尺，祇有南門。宋志。舊志，新城門一曰小南門。甕城、箭樓亦微小。東、西、南三面，共八十四丈五尺。後兩城皆甃以甎。崇禎九年，兵部侍郎張元佐拆舊城南面甎石，宋志。按：舊志云，二城皆内土外甎。張元佐拆舊城大南門牆，補修東城。新志皆石字，誤，且上文本言皆甃以甎也。修補東門城樓，城遂合而爲一，周一十里二十四步，池深、廣各二丈許。

本朝康熙十四年重築，新、舊城均高三丈，池深八尺，闊三丈。宋志。乾隆三十三年，知州舒口重修。嘉慶二十五年，知州歸景照重修。采訪册。

鞏華城，在州城南二十里，安濟、朝宗兩水之間，舊名沙河店。明初北征及謁陵駐此，有行宫。正統時，爲水所壞。嘉靖十七年，以禮部尚書言，此爲謁陵之路，南北適均，居庸、白羊近在西北，邊防尤切，宜修復行宫，築城戍守。因於沙河店之東復建行宫。十九年正月，築城環之，名曰鞏華。南北徑二里，東西徑二里。門四，南曰拱京，北曰展思，東曰鎮遼，西曰威漠。其城外濬池，約離城六丈五尺，闊二丈，深一丈，先以勳臣若都督守之。二十八年，改副總兵，後又改守備。本朝設北路同知駐此。宋志。

順義縣城，縱橫四里，南昂北俯，又東北突出一隅，肩臂四折，瀕於河濱，宛若龜背形。周圍一千三十五丈九尺，連堞高二丈五尺，根闊一丈五尺，頂闊八尺。門四，東曰平秩，南曰迎恩，西曰晴嵐，北曰疊翠。城濠四周共長一千五十二丈有奇，深一丈五尺，口闊四尺，底闊二尺餘。順義黃志。明萬曆中甎築。本朝康熙十七年、十八年重修。一統志。同治七年，知縣王爾琨重修。采訪冊。乾隆三十四年，御製過順義縣城詩併注：行行過縣城，陌柳颺煙輕。白水橋爲渡，青郊塵不生。藩宣察吏治，保障廑民情。安樂真安樂，是縣古名安樂。春田雨徧耕。

密雲縣城，舊城，明洪武十一年建，周九里十三步，高三丈五尺，廣二丈八尺。城形西北微狹。置東、西、南凡三門，池深二丈，闊一丈五尺。新城距舊城東五十步，夾道界之。密雲丁志。按：顧炎武昌平山水記云，新、舊城兩端相連。明萬曆四年建。周六里一百八十步，高三丈五尺，廣二丈。城形正方，置東、西、南凡三門，池深闊如舊制。丁志。劉應節新建重城記略：昔先王以城郭溝池之備，責諸掌固，惟曰遏劉捍難，以定王國，以康兆民。易之坎曰：王公設險，以守其國。是故城以資險，險以資守，誰能廢之？在周宣盛時，仲山甫以上卿有築齊之役，詩人爲歌蒸民之章，比玁狁孔棘，則命南仲往城朔方，詩人於是賦出車，而以攘夷歸功焉。要之，自古圻甸要荒皆有城，故春秋有城必書，有築必書。然而以中原視邊陲，則邊陲重，若設鎮畿輔，以屏內翰外，則視邊陲爲尤重。我祖宗神武布昭，廓清沙漠，百數十年。嘉靖中葉，專設大臣一員，督鎮薊門，駐節密雲縣治。夫密雲爲古檀州，今蕞爾邊邑耳。城郭湫隘，不足容畜民庶。予前承乏茲役，將卜地東偏，建一連城，而未果也。乃關中晴川楊公來，謀之鎮撫監司諸君，毅然舉事，叢土命日，計徒庀材，伐石於山，陶甓於野，畚鍾取之軍丁，糇糧請自帑藏，毫髮罔干於有司。肇工萬曆四年，建五年而訖事。計城高三丈五尺，闊二丈，周圍一千一百七十九丈。甃以甎石，深其隍塹，樓櫓門闉，飛槽蔽堞，巍然偁雄鎮矣。夫密雲西拱京陵，與居庸、紫荊，相爲犄角，北臨古北，東控漁陽，西南則爲潞河，萬艘並下，國計攸關，此要害之地也。今者崇城百雉、層臺數尋，以畜衆則士馬雲屯，以貯餉則芻糧山積，此可謂金城天府之國也。龍盤自艮，水合在坤，雙城並峙，勢若連雲，兩河瀠洄，宛如襟帶，此風雨陰陽之所交會也。由是督府運帷，諸將抱桴，無事則厲兵秣馬以示備，有事則分道出師，勢若建瓴，此誠形勢之便。夫京師，天下之根本也。密雲鎮，其幹也。諸邊邑，其枝葉也。幹强，則枝葉愈茂，而根本益固，是故險其屯集，完其備守，由此以奏于襄之績也，而奠天子之邦，其功豈在山甫、南仲之下哉！本朝康熙中，舊城西北隅爲白河泛溢所圮。五十二年，奉旨重修。五十六年工竣，舊城知縣、典史駐之，新城都司駐之。丁志。按：縣志載，城西築石子隄一道以護城垣，今詳河隄。

石匣城，在縣東北六十里，亦曰石匣營。城西有石如匣，因以爲名。明弘治十四年建。周四里二百二十四步，城形正方，置四門。密雲薛志。明陸泰石匣營新建石城記：石匣隸密雲縣，去縣治六十里許。地形平衍，土脈隆厚。自成祖擴疆以來，民之居是者，卒狎於耕鑿，守在四境，不城不隍，龐無夜吠，以故訏謨樹畫之吏，相與安之而未嘗議城事。至弘治甲子，巡撫洪公忠閲勢度形，以此地東西北距邊不五六十里，去京百八十里，殆烽燧之交，而邊邑之藩籬也。值時方隆熙，刁斗不驚，故民獲保無虞，萬一敵騎奄至，將安所守乎？乃經維揆度，始建爲土城，方四里餘，内設倉場，名曰石匣營，俾民守之。然規模雖具，而爲制卑薄，不堪守禦。嘉靖戊申，孫公巡撫其地，復少增高厚，列以垛口，添設游兵三千人，而統之以游擊將軍，專領營事。數十年，民獲嘻嘻於樂業者，皆二公成城之功也。至庚戌，敵大舉内侵，自古北口入。癸亥，又自牆子嶺入。皆通經兹城，患至劻勷，民方凜凜，幸而賴有是城以爲屯守，閉門乘墉，備以馬步，捍以矢石，兼之敵無鬬志，乃幸收保無恙，然亦阽於危矣。乙丑歲，兵憲大石張公議曰：石匣三面距邊，翳城是庇，而累土爲之，易於圮鬣剥蝕，則非可恃以爲固矣。即如庚戌、癸亥之變，敵或以數千騎頓之四隅，是城庸足捍乎？民之不醢爲魚肉者幾希矣。無石匣，是無密雲也。又推而内地，可得安枕而卧乎？矧飆舉烏集，動以倏忽者，敵之恒勢，既不能挽强執鋭以禦其來，計惟增築石城以守耳。於是請於總督帶川劉公，而報者可焉。驅畫兵備張公、游擊方公，協衷贊議，若太學諸生馬天俸、黄應時、趙梁等，因述而記之。本朝康熙六十年，奉旨重修。後北城門樓及鐘樓圮。同治十年八月，縣丞何勒石置，縣丞及游擊、守備等補修，縣丞、游擊駐之。丁志。

古北口城，在縣東北一百里，距正關五里，亦曰北門坡，亦稱營城。跨山爲城，南控大石嶺，西界潮河川，爲古北衝地。明洪武十一年建。周四里三百十步，三角置東、南、北凡三門，原密雲後衛，衛省，入縣。理事同知、巡檢、都統駐之。丁志。按：石匣城、古北口城皆密雲邊城，因同知、縣丞分治之所，坿載於此。此外尚有牆子路城、曹家路城、石塘路城，俱明洪武年建。本朝併設武職戍之。今與柳林練軍等營，併詳兵制營汛。

懷柔縣城，舊爲土城，明洪武十四年創建。成化三年，巡撫閻某重修。弘治十五年，兵備道錢承德改築，去其西偏，而城其東偏。懷柔吴志。按：昌平山水記云，懷柔城大民少，弘治中截其東偏而築之，故縣治在西門也，城周四里六十步，三門。開三門，東曰咸陽，南曰拱衛，西門最小，以便汲水。吴志。謝遷重修懷柔城記略：懷柔爲邑，東連密雲、潮河，以抵於山海，西接昌平、居庸，以及於雲中，實古幽燕之域也。我太祖載造區夏，於是割昌平、密雲二縣之地爲懷柔，以屬於北平。及太宗定鼎燕京，陞北平爲順天，而懷柔仍隸之。經制之初，城郭未備。比歲巡撫都御史錢塘洪鍾，按節是邑，召知縣事祥符劉淮，授以規畫，俾圖新之。於時山東按察副使姑蘇錢承德適領兵備之任，專董其役。畚鍤雲集，板築併興，城以丈計者二千有奇，外悉甃以甎石，樓櫓雉堞畢備。闢二門以通出入，東曰咸陽，南曰拱衛。引渠通水道，俾無淫潦之患。始事於弘治壬戌之春二月，六閲月而告竣功。既畢，邑庠訓導閩人黄璋請記其成。弘治十六年夏五月日立石。知縣李士元復開大門於西，名曰留照，復易東門曰迎旭，南曰開薰，西小門曰湧泉。隆慶二年，知縣蔡孔泮增設甕城、敵臺。萬曆八年，知縣龐鳳鳴重修，仍易其門，又開一東小門，添設城樓三。其後知縣賈濬復加修葺。按：賈濬碑，志録其文，未詳年月，且侈述己功，殊無關紀述也，茲不録。三十三年，久雨城圮，知縣史國典重修。吴志。管朝爵重修城工記略：萬曆己巳春，懷柔城以霪雨傾頽。邑侯史君爲保障慮，申請修築，以不佞任分修之責。先分外口甎城，自東北角臺起，至南門東止，凡五段，共長七十丈八尺。裏口西門甕城甎工一段，長七丈二尺。繼分修隨牆上城，自東北角起，南至東南角臺西空止，凡五段，共長七十一丈八尺。大西門迤北土城一段，長二十五丈，西門迤南土城一段，長二十五丈，共土城一百二十一丈八尺，俱用墁頂。女牆甎灰壘砌，裏外口甎土城工，共一十三段，共長一百零八尺。自二月十四日始，至五月初十日報竣。萬曆三十三年五月日立石。其後，東大門、西小門俱閉，止留三門。本朝康熙五十九年地震，城北面圮。六十年四月，聖祖駐蹕懷柔，特命修築，越明年告成。吴志。同治七年，知縣蕭晉榮，九年，知縣孫蘭溪，先後重修。采訪冊。

涿州城，舊爲土城，明景泰初，知州事黄衡，始甃以甎石。垣高四十尺，基之廣倍之。方各有門，門有樓，前曰迎恩，後曰通濟，左曰進德，右曰積慶。鋪舍三十二，女牆一千八百三十，隍深十丈，廣倍之。城之中有夾城，如人之束帶。中有券門，曰通會，上有重樓三楹，左鐘、右鼓，以啟晨而警夜。天順九年，知州石端修。涿州吴志。明殷謙重修通會樓碑略：天順紀元，都指揮同知石公端分守涿州，以郡無更樓，詢諸耆老，對曰：去州治西北一里，有門曰通會，築土爲臺，上有房三楹，以司更漏，歲久爲風雨所損，十餘年未有復修之者，獨臺兩旁有二小屋，以懸鐘、鼓而已。公曰：兹非缺典歟？且更樓必務崇高，吾構之可也。先是，近城有隙地，可二三百畝，官禁人不得耕耨。公令士卒佃其中，收其藁，以陶瓦甓易其粟以營材木，皆有餘積。公知樓可構也，乃筮日啟工。時郡之官屬耆庶，咸欲捐資以佐厥工，公弗煩衆，悉卻之。至於士卒之在役者，無慮數百人，公皆撫卹給俸廩，以激勵之。而官屬之涖其事者，率以公之心爲心。由是人皆樂於趨赴，羣工展藝，併手皆作，士卒効力，晨夕弗懈，不踰月，黝堊丹漆，輪焉奐焉，而工告完。凡構樓三楹，其高廣尋尺，皆合矩度。樓成，飭更漏，戒更卒，晨昏鐘鼓之期，晝夜時刻之節，抱關啟閉之候，咸中法則。公又多方築城池之未固者，治城扉之將破者，修護門之垣，新擊柝之舍，皆人不告勞而事有成效。則更樓之構，蓋公興滯補敝之一事也。涿州吴志：樓建未詳所始。元至治二年作層樓於涿州，鹿頂殿西疑即其址也。今祀文昌神於其上。

本朝康熙六年，知州李勳重修。周圍高厚，皆仍其舊，東、西、南三門名亦如舊，惟北門改通濟爲拱極。舊聞攷一百二十七。城周九里五十九丈，延袤一千六百四十九丈有奇，垣高三丈，基廣二十四尺，上較基殺三分之一，雉堞二千一百九十有九，東、西、北闉闍各三重，南二重，城形東北缺，自西以南，則環而突出也，土人因名爲卧牛云。城上舊設巡鋪五所，煙墩一。南城上有魁星樓，康熙十一年，知州傅鎮邦移建東南隅，後改建正南。乾隆十二年，知州張志奇復移建東南隅舊址。池深七尺，廣三倍之。南北弔橋各一，水門一，在西門南偏。康熙年間，州判馬星鑄鐵爲柱四，界流以杜出入。嘉慶二十五年，知州盛世琦重修城垣。涿州吴志。按：志又云，前志謂漢、魏以後，州郡屢更，今之州城，不能確指爲何時所建。元命直脱兒建城郭，以處降人，則元時又有增築矣。蓺文志載元王惲涿州移置考，謂孔子清廟本在南城東南隅，因復悟州城南北若連環然，意置州時，展築南城而廣大之，今市中隔城，本故縣城南門也。謂前後證據甚明，無可疑者。然則今治之爲舊城無疑，特後加展拓爾。

華陽臺，在州城内西北隅。吴志。長安客話：舊傳燕丹與樊將軍置酒華陽館，卽此。舊聞考：臺今廢，惟城西北有窪地十餘畝，中有土阜，高數尺，周數十步，土人指爲臺之遺址。又北門之西，有土隆然，附城而上，高于城丈許，俗呼爲煙墩，或謂卽華陽臺，然俱無可取證。

房山縣城，創於金大定間，舊聞攷。顧祖禹方輿紀要：房山本良鄉、宛平、范陽三縣地，金大定二十九年始置萬甯縣，明昌二年，改奉先縣，元至元二十七年，改房山縣。曹學佺名勝志：金萬甯縣遺址，在縣治西，餘詳疆域。垣高丈餘，周圍一千四百四十步。方各有門，東曰朝曦，南曰迎恩，西曰仰止，北曰拱極。明隆慶初，始甃以甎石。又房山縣志：房山舊是土城，隆慶己巳，知縣李琮采石甃之，增崇至三丈。房山王志。邑人鄭民悦新建石城記略：粤考房山，民醕俗樸，居天府之右臂，去居庸諸邊，尤爲密邇，金湯之險，良不可缺。原築土墉，迄今已久，傾穨之患無常，而捄度之功不輟，民殆日擾擾焉，用滋勞費而已。我豐崖李公，諱琮，字協中，以阜平廉吏，推調房山，仁厚蒞民，廉明守己，聞大司馬霍公具題房、良爲京師首善之地，宜繕城以衞之，肫肫保愛之懷，若有默契然者。迺親與度量，約計八百丈餘，石採於西山，灰取於南阜，厥高三丈，厥厚三尺，而經營修理之宜，高下廣狹之數，罔非公之區畫矣。經始於戊戌之秋，落成於己巳之春。道光二十九年，知縣李圖重修。咸豐三年，知縣張汝弼承修竣工。高驤雲養恬齋筆記。

霸州城，舊傳燕昭王所築，名勝志。宋將楊延朗修葺以控遼，當時號爲北方重鎮。長安客話。金元時，築土墉。日下舊聞引城邑志。明景泰五年四月修。舊聞考引明景帝實録。明弘治辛亥，知州徐以貞建東、北城樓二座。己未，知州劉珩以包甃城，北面建南樓。霸州朱志。顧清霸州修河繕城記：霸州在京師南二百餘里，厥壤卑下，西北諸山水，散行燕趙間，比其合皆匯於是。既匯而盈，然後東流出丁字沽，會白河以入於海，其源衆而委迫，遇霖潦則溢而上，壞民田廬舍，歲用不登，氓以告病。州之城築以土，無甎石之固，水至則齧之，歲久益壞。弘治戊午，東魯劉君珩來治是邦，是歲築河隄，起涿州東境，接固安楊先務、荆垡等邨，至州之趙邨務臨津水口，經州南關，過保定、文安、蘇家橋，抵大城縣之辛張口，總三百餘里，廣尋有二尺，址倍之，崇丈有八尺，旁植柳以爲固，其間爲水口一百六十有七。隄既成，水乃無患。己未，甓州城先北面當水衝者，以次及其餘城，舊無南門樓，至是新作之，并爲樓於北城，與故東、西二樓相望，皆飾以丹漆，基以剛石，可久弗壞。其外爲深濠，跨四橋於濠上，當城之門。城之高，丈有七尺，周六里三百二十步。濠之深如城之高，而殺其一尺。其上爲固防，防之上亦樹以柳。凡一十七月而隄與城俱竣。二役所費薪膏、楗瓦、木石之類，爲錢以四十萬計，皆官自經紀，不以煩民。既訖工，又以其餘力作大橋於州東苑家口，以濟往來之人。新州學祭器、師生會食器作、順天府行府、太僕分寺、馬神廟及諸藏庾、廨舍、壇壝、衢路，以次一新，而民不知費，可謂得佚道使民之義矣。正德癸亥，知州王汝翼總東、西、南三面包之，復創建各角樓、鋪舍。嘉靖庚子，兵備副使王鳳霖增修，城高三丈五尺，周六里餘，堞一千五百一十有二，城下濠深一丈二尺，廣七尺，環隄植柳，屹爲巨防。城門三，東曰臨津，南曰文明，北曰瞻極。北甕城門曰迎恩，東曰旭升，南曰向離。向無西門，相傳避西來之水，不設門而樓臺具焉。朱志。隆慶庚午，知州田可徹增築，高三尺。萬曆癸巳，知州錢達道重葺，增築敵臺八座，每座各建樓櫓，城下築馬道，廣八尺，浚重塹，引水入之池，上重築周垣，計一千四百七十五丈，增植柳樹。崇禎己亥，知州朱朝藩復增築之，明末半圮。

本朝雍正二年重修。咸豐癸丑，被水，城垣坍塌三十九段。同治二年，知州毛慶麟重修。同治十年秋，霪雨，復損，待修。霸州周志。

文安縣城，漢令趙夔創建。文安楊志。按：縣志，古蹟柳河，有古城，指爲舊文安城，其上有趙夔祠，然則今之邑城，未必即趙建遺址也，第莫可考矣。明正德九年，知縣王鼎重修。楊志。李時修城記略：正德辛未，河北盜起，摽掠諸州縣，已而大衆屯聚文安，視他州縣荼毒獨甚，坐城之廢故也。歲癸酉，齊東王君來尹是邑，顧而嘆曰：民保於城，城關於令，城之廢，民弗能生矣。迺集邑耆舊，諭之攢土城成，因以鑿池，併力交作，興役於甲戌三月，閱明年乙亥秋迺訖工焉。城周圍九里，高若千丈，列雉堞，建樓櫓，題其門額，南曰來薰，北曰拱辰，東曰迎恩，西曰永定。由是文安之民，咸欣欣焉賴以無恐。王君名鼎，字公實。相是役者，縣丞王景沂云。周一千二百七十五丈五尺，計七里一分高二丈五尺。城門五座，角樓四座，敵臺警鋪八座。其門北曰拱辰，南曰來薰，又小南門曰作新，東曰迎恩，西曰永定。池深丈餘，闊三丈，外護以隄。崇禎九年，奉敕重修，城增高五尺，共計三丈，添甎堞、甕城。知縣張上春修，每遇隄決，洪波浩蕩，城不浸者三版，時有城頭作古渡，樹杪成芳洲之句，亦可見此城之窪下也。本朝康熙二十八年，知縣張朝琮重修，南門城樓、東門城樓極其高聳，小南門久閉，自是創開。楊志。乾隆三十三年，知縣阮基領帑，加甎砌城，添設門樓，修橋濬池。舊聞攷一百二十二。

大城縣城，創建失考，明初惟有舊址。正德七年，知縣石恩卽址築土城，雉堞悉具。嘉靖四十年，知縣余尚貢甎甃西、北二面，添修南門甕城。四十五年，知縣張應武復甃東、南二面，建角樓四座，西、南門樓二座。隆慶二年，知縣趙德光建東、北門樓二座，並建敵臺、譙樓。大城張志。馬雲鳳保障記略：吾邑地悉遼曠，無寇儆之虞，故城未之設。正德六年，遭流寇之變，緣土築垣。越歲，石侯恩繼至，復增垣堞。繼此，代州吴侯璞加意修葺之。嘉靖壬戌，創始包砌石城，西、北三面，堅峻改觀者，迺先任東遼余侯尚貢，而其績未竟也。乙丑冬，大同張侯繼余侯之後，而於已造者增飾之，未造者創建之。未三月，而東南城告完。隆慶己巳，欒安趙公德光來宰大城，潔己惠民，百廢具舉。一日謀及士庶曰：城垣更新而門宇未飾，則關防疎矣，奚足城？於是捐俸市木料甎石，不日而門宇、守鋪、敵樓恢廓矣。復於城外東、北二關新建郭垣門樓者二，並修譙樓，比之舊制，高峻突空，巍然壯麗矣。

城周四里一十三步，高一丈六尺，基闊八尺，巔闊八尺，雉堞一千零九十餘。其門東曰通和，西曰安阜，南曰明遠，北曰恩光。池環四里五十三步，廣六丈，深七步。崇禎六年，知縣毛雲翰添築城牆，增土六尺。十年，添修東、北門甕城二座，外濬池一層，復浚舊池，深闊倍之。

本朝順治九年，河水決隄，城垣受損，知縣馬騰陞修築，又重建東南城樓爲魁星閣。張志。乾隆十年，知縣失名。重修，采訪册。按：舊聞考作順治九年重修，乾隆八年改築，並引縣志偁，故城基址在城北，土壟迴折，相傳是舊城，又傳名越州城，今縣城仍舊址築，只得其半。久復傾圮。同治六年，知縣彭瑞麒按舊城基址，捐資修建，並挑濬城濠，一律深通。采訪册。

保定縣城，舊城，相傳宋團練使楊延朗所築，周六里，袤六十九步，高三丈，闊二丈，池導玉帶河水環其外。明嘉靖二十九年，知縣吕焕創置新城，依舊城之西北隅，而東、南二面則創築焉。保定成志。王顯忠吕公生祠記略：侯于嘉靖丁未冬來知保定縣事。縣故無完城，積垣故址，爲宋團練使楊延朗所築，以控契丹，數百年來無能改其故。歲庚戌秋，羽書告急，郊圻震驚。保定恃侯得不恐。事定，侯作而嘆曰：設險立防，爲國首務。於是首出俸金以倡之，度地量工，酌舊址而較其内地，棄東南，依西北，以便守也。崇雉堞，飾樓扉，以壯觀也。侯名焕，字堯文，浙之崇德人。高一丈五尺，周八百八十九步。其門東曰通和，樓曰論文，南曰南薰，樓曰講武，西曰惠安，樓曰萃景，北曰拱宸。樓曰玉流環聚。城隅有櫓門，外有橋，池深八尺，闊一丈，城欲甃以瓴，尋遷去，事寢。日下舊聞引縣志，城五月而告成，焕自爲記。萬曆三十九年，知縣田龍以東門逼近學宮，移近巽方，上蓋層樓，塐魁星像於内，成志。後漸坍塌，迄今未建。采訪册。高雲驤重繪縣境圖記略：城基向己方，明嘉靖時築，就舊城之西北隅，而取其正西之土築南面，取其正北之土築東面，當時爲設備計，本急就章，坍塌後，間存土埂而已。

薊州城，創始未詳，舊惟土城。明洪武四年，甃以甎石，周九里十三步，連女牆高三丈五尺，爲堞二千四十，南瀕沽水，北倚山原。城門三，東曰威遠，西曰拱極，南曰平津，各有樓。正北無門，上有樓。薊州沈志。按：城之中衢，建有鼓樓，沈志藝文載陸樹聲重修鼓樓記，日下舊聞引作重修城樓記，今按其文，當从沈志，且有關城垣考證，備録於左。

明陸樹聲薊州重修城樓記略：薊州爲京輔要鎮，左扼山海，右控居庸，背連古北，距東、西、南各四百餘里，而薊當其衝，枕山帶河，重關複鎮，遞爲應援，以翼蔽畿輔。又有東則朝鮮、朶顔，貢使往來，率道境上；南通西河，餽餉食；玉田、寶坻魚鹽之利，雄甲他鎮；故崇墉巨屏，特設守備。宿勁兵，豐儲峙，以顯城守備。北阻岡，不門，惟東、西、南設三門，上緣崇墉，各建麗譙、角樓，弩穴分峙四隅。中衢則建鼓樓，屹立與三門等，俯瞰闤闠，足稱壯鉅。歲久傾圮，寖失舊觀。臬司西平王君誥、户曹固安段君錬，圖新理之，經始於嘉靖二十六年六月，落成於二十八年七月。

敵樓二座，更端三十二間。崇禎十五年拆毁。日下舊聞。本朝康熙十八年地震，西門甕城倒塌。三十三年，知州張朝琮修葺。沈志。張朝琮重修甕城記略：歲在甲戌，朝琮以河令來牧是州，下車之日，見西郭甕城傾圮，傍存中陷，如井中天，急欲修葺，而力不從心，綢繆之念，未嘗一日去諸懷抱。已而霪雨浹旬，磚石日墮，恆阻於途。漁陽父老咸相告曰：城堞積壞久矣，往時過此者，率多死傷，以功費浩大，故司牧者勿遑興舉。朝琮心中惻然，乃召匠，計其值，甎灰木植工役之類，需用千金，卽先發銀各窰户燒甎灰，復置簿勸輸，同城文武各官，暨紳衿耆庶，隨意捐工，共二百餘金，其不足者，悉自朝琮捐措。於五月十九日興工，越三月而告成，堅固一如其舊，上爲覆屋，以禦風雨，未能及當日之宏麗者，貧吏力有不逮耳。若夫隨時葺補，毋使傾圮，實有望於後來之賢者。並修東、南二門。又城下水溝二道，一在東門之南，一在南門之東，以洩城內雨水，久淤。三十四年，復疏濬之。四十一年，賜帑修城，沈志。按：志並偶，康熙四十年二月，工部題奏修城事宜，奉旨：這薊州城，著阿爾法清格理前往修理，欽此。欽遵。牌行到州，於四十一年三月興工，九月告成。三門各建樓，四角各建角樓。正北無門，城上建樓曰北極。其東門曰永固，西門曰永甯，南門曰永康。雉堞二千百七十，城濠舊載東門至南門深六丈，闊五丈，南門至西門深一丈，闊七丈，西門至東門角深三丈，闊八丈，東北角至東門深一丈，闊十丈。嘉慶十五年，知州趙錫蒲捐資重浚，並於隄岸栽柳以護之，今間形淤塞。沈志。

平谷縣舊無城，永樂二年，營州中屯衛自塞北徙入，安置平谷縣，創建土城。成化丁亥，始甃甎石。明成化三年，巡撫閻本增築之，高二丈五尺，址廣三丈五尺，頂殺址三之二，周六百丈，包以甎石，池闊二丈五尺，深半之。平谷朱志。商輅平谷新城記：平谷縣在薊州治西北八十里，古漁陽地，今爲順天屬邑。西連密雲、古北口，東接山海，道經遼東，北臨極邊諸山。永樂初，置營州中屯衛以鎮之，蓋重鎮也。縣故有土城，歲久積圮。今巡撫都御史閻本謀諸總兵焦壽、參將劉輔，疏請於朝，得允。爰命衛指揮袁忠等，督軍夫增築之。城高二丈五尺，址廣三丈五尺，頂殺址三之二，周圍六百丈。爲城門四，門有甕城，又名置門。城之外爲塹，闊二丈五尺，深半之，沿塹植榆柳幾萬株。經始於成化丁亥四月，訖工於明年二月。嘉靖三十一年，巡撫孟春重修。朱志。邑人王鏜重修城池記略：嘉靖壬午，郊圻盜發，居人內外恐怖。口安巡撫孟公春、兵備熊公相協謀設策，地方無恐。迺命掌篆指揮季君勳修築，缺者補之，廢者葺之。建樓於諸門之上，東曰接盤，南曰觀瀾，西曰迎恩，北曰鎮遠，腰鋪隅樓，次第結搆。四十二年，復有警，俄退，知縣任彬撤舊城而新之，增高五尺。四門各樹以樓，東曰挹盤，西曰拱辰，南曰迎泃，北曰威遠。城隅增鋪舍四，重浚城濠，環植以柳。朱志。張四維平谷修城記略：縣舊有城池，歲久夷陁，攀堞往來，不異周道。今尹任君彬既視事，思以興葺之。癸亥冬，邊警至，任君部率市民，分地守之，始免於危。事平之後，任君乃禮延邑之名德、巨室、閭長、黨正，諭將有事城池，爲扞圉策。衆驩然稱便。遂上其事監司，諏日戒工。城以丈計，凡周六百五十，撤而修之者過半，城舊高二丈二尺，增築五尺，俾益崇。又於城四門各樹以樓，扁其東曰挹盤，西曰拱辰，南曰迎泃，北曰威遠。城隅增鋪舍四。又濬其隍丈餘，沿塹悉植以柳。當四門之衝，置便橋焉。經始於甲子閏二月廿日，竣於是歲六月之望，凡五閱月而工成。隆慶二年，知縣瞿聽重濬城濠，又深丈餘，闊亦多半，并葺城牆裏口，堅厚近丈，修砌垛口，東、西二門添置弔橋。本朝康熙四十九年，賜帑重修。朱志。朱克閬重修城池記：平邑星分箕尾，郡號盤陰，北列瑞屏，南繞泃水，爲神京三輔要地，誠天漢之津梁，幽百年以來，漸近傾圮。邑令鄧君來祚，詳請重修，未幾卸事。大憲命北路廳李公化植爲之經始，我憲臺張公在，相繼董率，竭力殫心，功難悉述。至謝公鴻恩，聿觀厥成，而工告竣。總爲計之，卜吉於丁亥，鳩工於庚寅，報最於辛卯，約費帑金四萬四千二百有奇，而城若金湯，池若天塹，焕然維新矣。余於壬辰夏題署茲邑，下車聿始，見夫高壘巍峩，與妙峯同其崒嵂，陂池淵浩，與靈泉共其湛深，僉以爲設險守國，可爲斯民保障也。豈知其士敦詩書，農安耕鑿，民情之醕樸，民風之敦龐，無形之險，隱寓於有形中哉！爰於課士勸民之暇，稽其始末，珥筆而爲之記。燕之關隘也。邑城肇於永樂，修於成化，完於嘉靖。文正公商輅、邑御史王鏜曾爲之記。至我國朝，屹然如故，

乾隆三十年，知縣鄧來祚重修，三十六年落成。采訪册。

華陽吴祖椿校

地理志四

治所

德清蔡賡年纂　江陰繆荃孫覆輯

宋范成大志吴郡官宇，輒攷故事，併異時名額必識之，以備考古，意謂治所建置與疆域沿革相佐證也。且設官以治民，設官宇以視民事，視同傳舍，毋乃傎與！順天州縣治所，半仍明舊，或廓其址，或新其宇，不必悉如舊觀。永定河環流畿甸，管河官吏半駐府境。他如倉場、鹽場、邊關、驛傳，其公廨所在，又地里輻員所攸繫也。凡宜標名以爲證者，悉著於篇。其官制自有專書，兹不具列。志治所。按：州縣采訪未到者，各謹從闕以待補。

順天府治，在地安門外鼓樓東，即元大都路總治舊署，明爲順天府。大清一統志。王直重修順天府記署：至元中，大都路廨治無定制，至或假民房以庀事。其後乃市諸民，得地二十畝，爲屋以居。我朝有天下，改大都路爲北平府。永樂元年，北京建，又改北平府爲順天府，因故署爲治。孫承澤春明夢餘録：順天府治即元大都路總治舊署也。元初，官吏辦事佛寺中，至大中監路平章政事莫吉奏，請以錢四萬二千五百緡買靈椿里周氏地，計十九畝，建爲公署。永樂定鼎於此，遂因其署而爲順天府。本朝因之。府尹署南嚮，門三重，堂三楹，室宇壯麗，規模宏敞。堂西北爲演耕所，東爲土穀祠，西爲包公祠。順天府舊册。明萬曆二十五年，大堂災。三十六年重建，有碑記在堂後空院東。其西有元大都路碑，劉賡書，碑陰趙孟頫書。大門內東隅，光緒八年，添置候審所，府尹周家楣奏立，堂後設東、西轅門、大門、儀門，併南向。儀門內爲聽事堂，東爲知愧齋。采訪册。秦瀛順天府署知愧齋記畧：知愧齋者，府尹聽事堂之東，余所居以治文書、接僚屬者也。尹之名始見於尚書，漢時京兆尹，其秩頗尊，唐、宋以來，韓、歐諸公皆嘗爲之，而包孝肅之治開封也，風裁峻厲，有閻羅包老之目。今順天府府尹官廨，有包公祠。先是，蔚州魏敏果爲府尹，嘗書於聽事之堂曰：我愧包公。其額尚存，余不敏，才行無似，乃亦來跡其任，聽事於兹，實懼且恧，因顏其堂東之室曰知愧齋。舊制，三品衙門印皆用銅，惟府尹得用銀印，蓋重之也。乾隆十四年後，雖特簡大臣兼管，而印仍歸府尹。肅清畿甸，鎮撫百姓，宜思有以塞是職者。顧數十年來，因循窳惰，僅成畫諾，於一切政事，概讓之總督，卽兼管大臣亦懔不復詰，優游拱手，静若無事，而部臺得以勢相諉，起而撓之，若任事一不當，則輦轂下耳目甚近，物論蜂起，聲名易敗，以不專之權，加以易撓之勢，重以易敗之名，其爲可憂也甚矣。而澤不被於三輔，化不行於列牧，烏能無愧乎！聽事堂後爲內宅。采訪册。道光十八年，府尹曾望顏重修。采訪册。按：日下舊聞載有天星堂、候氣室，今久無考。光緒九年，府尹周家楣重修。采訪册。

府丞署，舊在大門內東北隅，久廢。采訪册。

治中署，在尹署內宅轅門東。采訪册。

糧馬通判署，在大門內東隅。采訪册。

經歷署，在治中署東。采訪册。

司獄署，在大門內西，包公祠之前。采訪册。

照磨署，在司獄署間壁。采訪册。

捕盜營千總署，在內轅門西。采訪册。

捕盜營把總署，在大門內西。采訪册。又捕盜營弁駐所，在經歷署後。

順天學政署，在扁担胡同，道光十六年建。采訪册。學署詳學校，各州縣均同。

大興縣治，在安定門迤南教忠坊，南向，縣舊册。明永樂中建。見冰鑑堂記。

大門至署宅，共六層。土地祠、監獄，併在大門内，其堂爲冰鑑堂。乾隆二十七年，知縣仁和周贇新修。采訪册。周贇大興縣冰鑑堂記：大興古幽州域，其名昉於金源。明永樂中，始建縣署，落畿輔東北隅，爲京兆左翊，顧地勢庳下，遇暴雨則爲水壑，屢修屢壞，居者困焉。丁丑春，余蒞是邦，覩舍傾圮，每歲捐俸修葺爲常。歲辛巳，大雨時行，積水深四五尺，今年雨復連旬，傾圮益甚。夫大興，首邑也，衙署，公所也，今頽廢若此，其曷以樹華封之望？於是告大吏，咨虞部，動帑金若干兩，鳩工庀材，首疏水道，繼築階除，又增高舊址尺有五寸，其餘棟楹板檻之撓剥者，蓋瓦級甎之破缺者，赤白之漫漶不鮮者，並治之，匝月之間，門牆廨宇皆復舊規，而兹堂乃焕然一新矣。昔裴延晉爲幽州刺史，修復督亢渠，溉田萬頃，焦旭爲大興令，勤恤民隱，無使失所，此二公者，均匪以求一身之安。余於聽事之庭，亟爲整治，豈徒飾觀瞻、謀棲息而已哉！國家重熙累洽，百有餘年，首善之區，風湻俗美，先訓行以進光，尤稱易治，則夫新斯堂也所爲明作有功，冀以宣上德而厚民生者，誠不可忽已。堂故無額，落成，顔□冰鑑，蓋用以自勗云。同治十二年，知縣上元汪家勳重修。光緒九年，府尹周家楣、知縣管近修重修。采訪册。按：大、宛兩縣牙署編列在前，重其地也。

縣丞署，在禮賢鎮，距縣治一百里。采訪册。

典史署，在縣治大門内。采訪册。

巡檢司三，其署一在禮賢鎮，距縣一百里；一在采育鎮，距縣七十里；一在黄村鎮，距縣五十里。采訪册。

慶豐閘閘官署，在二閘門之南。采訪册。

宛平縣治，在地安門外迤西積慶坊，南向。縣舊册。大門至署宅共六層，監獄在大門内，二堂東爲古墨齋。萬曆六年，邑令李蔭建，以雲麾殘石甃之壁。國朝乾隆五十八年，武進胡遜重建。采訪冊。燕都游覽志：古墨齋在宛平縣署內，唐李北海所書雲麾將軍碑，邑令李蔭購得，甃之署壁。翁方綱古墨齋記：明從化黎瑤石古墨齋記畧云：良鄉縣學有北海所書雲麾將軍碑。雲麾名秀，幽州人。碑舊在官廨，不知何時校官裂爲柱礎，好古者深惜之。近復脩學舍，更以新砥，置而不用，推之瓦礫中，過者不睨也。友人邵生正魁、董生鳳元往經其地，蹤跡之，則古礎存焉。以語宛平令李侯，侯喟然興歎，寓書良鄉令，輦至都下，搆齋於寢室之右，納礎壁間，屬藩參王子世懋，署曰古墨齋。李侯暨歐子大任諸君歌以落之。侯名蔭，字于美，南陽人，工詩，善書法。歐博士集中，嘗與李宛平唱和者也。是記作於萬曆六年戊寅夏六月。黎民表字惟敬，號瑤石，廣州從化人，時官內閣中書舍人。歐大任字楨伯，南海人，時官國子監博士。是時又有盱眙李言恭，亳州朱宗吉，皆同賦雲麾將軍斷碑歌者也。按：是碑，逸人太原郭卓然摹勒並題額。李秀，字元秀，卒於開元四年，葬范陽福祿鄉。劉侗帝京景物畧云：李蔭所得六礎，共存百八十餘字，碑首尚存唐故雲三字。其後少京兆王惟儉，攜其四礎之大梁，今僅存二礎，可辨者數十字而已。董文敏得宋拓殘本，是未作礎以前者，凡數百字。而戲鴻堂摹勒四十七行，三百二十八字，綴集成句，訛失頗多，且不著是碑之名，觀者憾焉。予去年於吳門借摹董藏舊本，而適武進蕙麓胡子來知宛平事，政成務暇，雅稽古蹟，勒爲二石，去其泐蝕者，文雖未全，恰與鶴堂行數相等，得三百六十有三字，以視昔日李侯所得六礎之字乃倍過之，予爲重書古墨齋扁，復李侯之舊觀，存北海之妙蹟，紀都門之掌故，資藝林之攷據，並撮述黎記大畧，以補吳記所未備云。同治五年，知縣余汝修重修。光緒九年，府尹周家楣、知縣蔡壽臻重修。采訪冊。

縣丞署，舊在縣治大門內，後移住門頭溝。采訪冊。

典史署，舊在縣治儀門東，後廢，賃屋治西嘉興寺。光緒九年，府尹周家楣重建。采訪冊。

巡檢司四，其署一在蘆溝橋，距縣四十里；一在齊家村，距縣一百七十里；一在王平村，距縣一百里；一在石港，距縣一百三十五里。采訪冊。

石景山同知署，在拱極城，乾隆三十年修，永定河志。光緒三年重修。防汛公署，在北二工上汛七號。永定河續志。

永定河北頭工上汛武清縣丞署，在本汛十四號，光緒元年自頭號移建。永定河續志。

北頭工中汛武清縣丞署，在本汛四號。永定河續志。

北二工上汛良鄉縣丞署，在本汛七號。永定河續志。

北二工下汛東安管河主簿署，在本汛六號。永定河續志。

南頭工上汛霸州州同署，在本汛十二號。永定河續志。

南頭工下汛宛平縣丞署，在本汛八號。永定河續志。

都司署，在盧溝橋東，嘉慶十八年建。永定河志。

石景山外委無署。采訪册。

柳村閘官署。

通永道署，在州城内天恩胡同西偏，通州高志。建置年月失考。咸豐十一年，通永道德椿飭屬攤捐重修。采訪册。按：通永道隸於順天府，故從州志録於此，霸昌道同。

霸昌道署，在昌平州城内西南，舊爲察院，明崇禎間改。光緒五年，霸昌道裕昆重修。昌平宋志。

東路捕盜同知署，在通州新城内草廠南，康熙二十六年，直隸巡撫于成龍奏建。同治十一年，同知郝聯薇重修。通州高志。

司獄署。

南路捕盜同知署，在大興縣之黄村，乾隆五年重建。采訪册。王者輔重建公署碑記畧：康熙二十七年，朝議從直隸巡撫于成龍之請，畿輔近地，特設四路同知，而南路則領一州八縣，駐右安門外三十五里大興縣之黄村，地當孔道，曠野人稀，時有萑苻之患，故置官吏，建廨宇，并設千、把三員，馬步兵百名隸麾下，蓋以緝奸宄爲至易，而察九州縣之吏治民生亦至便也。嗣廨宇以年久圮壞。雍正三年夏，復爲暴水所衝，前丞程君鳳文，以議修建，則爲費不貲，不若僦居，徐圖其後，因移治於村南二十五里之龐閣莊，斯亦一時權宜之策也。後乃安土重遷，憚復故址，溷官府於市廛，疲兵民於奔命，如是者十有四年。乾隆三年冬，予承乏莅兹土，相形勢，度機宜，益信前人議駐黄村有深意，確不可移，爰刻狀白當事，請復舊治。俱報可。卽鳩工庀材，戒期書役。經始於乾隆四年正月二十四日，三閱月而廳署落成。又建大堂三間，以爲蒞事臨民之所。堂以前，儀門、大門、廊房計三十四間，內左、右翼一十八間，卽爲歲科童子考試地。堂以後爲室五十有一間，齋舍、庖湢，供帳、器用之屬，莫不畢具。署既成，復移治於此。復度隙地於署之東偏，建書院十有四間，具脩脯，延塾師，使野處之秀，咸得就學。署之西偏，則建三廳，以爲武員公署，拓地四千弓，搆營房百有八間，以居步騎之士，暇則親莅，以時肄習之，弦歌之聲，與鳴鏑之聲相和，期月以來，氣象稍已改觀。然則啟此宇，宅此土，以仰承國家建署之本意，又烏可已哉！至於考廢興得失之迹，而增益其所未備，以盡其職之所當爲，是有待於後之莅兹任者。工既成，爰礱石以志始末。采訪册：東偏書院十四間，西偏三廳，武弁公署，營房百有八間，早已無存。

光緒六年，同知陶彦壽重修。廳册。

司獄署

西路捕盜同知署，在蘆溝橋，康熙二十八年建，有碑。廳册。按：碑記，卽西路同知祝兆麒詳請勒石公牘，其畧云：自設西路捕盜衙門以來，幾及二載，官無公署，無以昭體統，兵無房舍，無以安棲止，致廑憲台淵衷，乃不欲以之糜國帑，而勸諭庶司，公捐起蓋，某又何敢旁諉？隨卽躬爲經營，次第就理，其兵房久經報完，今公署亦已告竣矣。既蒙題設捕盜之官，復添設捕盜之兵，既建造各廳之署，並甯衆弁兵之居，將四路官制營規，屹然爲甸服之屏障矣。敢祈特賜鴻文，勒之貞珉，以昭示來兹，使後之莅是官者得以覽止焉云云。康熙二十八年八月勒石。道光二十七年重修。采訪册。

司獄署

北路捕盜同知署，在昌平州城南二十里鞏華城。鞏華城舊爲沙河店地，明嘉靖十九年，築城戍守。詳城池。本朝設北路同知駐此。廳冊。同治十二年五月，同知鄭沂開工重修，光緒元年十二月工竣。昌平宋志。

司獄署，光緒二年，司獄戴繼恩重修。廳冊。

良鄉縣治，在城内西偏，明正統中，知縣王弼建。正德初，知縣孟純繕葺。良鄉楊志。劉武臣重修良鄉縣署碑略：良鄉，古燕中都地，今爲畿第一劇縣。路控東、西、南三方，内外大小臣工之宣納詔令者、稟承職事者、朝者、賀者，往返必信宿焉，將迎無虚日。令以下，若丞，若簿，若典史，皆分屬諸路以候，及暮始歸，秉燭視事，無幾，文移山積於前，命吏抽檢，取其利害之尤切且近者料理而已。帑藏竭於供餽，車徒困於奔馳，民不能支，至轉徙他郡，若是者皆不暇問也，而況於縣署乎？良鄉縣署，正統中，前令王君實建之，迄今餘六十寒暑，日就敝陋。令於兹者，非不欲新之也，皆坐劇不能耳。孟君德厚，以鄉進士來令兹縣，歎曰：此亦天子輦轂之下，而縣署乃爾！豈所以壯京師示多方哉！雖然，當先其急者。遂鋭然抑豪强，去奸宄，祛弊蠹，雪寃滯，賑窮乏。未幾，竭者足，困者起，轉徙者還，四境之内，恊然大治，乃撤縣治而新之。自瓦磚鍛礪，以及竹木，凡營構所需者，如取諸左右然，羣匠皆駭愕相顧以爲異。蓋君自履任來，已屬心於此，官府有羨輒儲之，而人不及知也。工凡九閲月而完，總若干楹宇，其高翼翼，其整炳炳，其黝堊加於舊規，信數倍不啻矣。始縣署之未新也，士民懼其將厲己，頗以爲念，至是歡甚，益德君，謀勒石圖不朽，且以爲將來者之勸。本朝仍之。其堂爲忠愛堂。光緒六年，知縣彭慶颺重修。良鄉新志。

縣丞署，在縣署迤南，舊在縣署忠愛堂東。又舊有主簿署，在忠愛堂西，久廢。咸豐四年，縣丞白維移建於此。良鄉新志。

典史署，在縣治儀門迤東，光緒二年，典史陳國祥重修。良鄉新志。

防守禦署，防禦署，並在縣東街。采訪冊。

守備署，在東門迤南。采訪冊。

北頭工下汛宛平縣丞署，在本汛十二號。永定河續志。

皇華館，在縣東門外迤南，光緒四年，知縣楊炳謙捐廉創建。采訪冊。順天府兼尹畢道遠、府尹周家楣片奏：順天府所屬良鄉縣，爲出京第一驛站，凡奉欽命查辦事件，及出膺疆寄、典試、督學諸臣，首經其地，向無行臺使館，每就客店住宿。臣家楣於光緒四年履任後，與署良鄉縣知縣楊炳謙商覓地址，建置皇華館，以備居宿。隨據擇地繪圖，鳩工購料，於良鄉縣東關，計地二畝五分，建北正房五間，東、西廂房各三間，門樓一座，官廳二間，大門一座，兩旁門房各二間，車門一間，中厠二間，周圍牆垣及門前照壁，東、西轅門，需銀一千一百兩有奇，當由臣捐銀三百兩，餘擬籌款撥濟。旋據楊炳謙聲稱：自願捐廉興辦。於是年四月告成，由臣等飭令歷任各該縣，隨時修葺，並因順天府現輯志書，一併列入，以期有基不壞。奉旨：依議。欽此。

固安縣治，在城西北隅學宮之右，明洪武二年建。成化十年，知縣朱善集貲拓基，堂門倉庫，燦然畢具。本朝仍之。舊有鑾駕庫，在堂東，義倉在堂西，申明、旌善二亭在大門左右，今俱圮。道光年間，二堂縣宅半圮，知縣朱瑞金修葺。咸豐四年，縣治大堂、獄牆復圮，署知縣陳崇砥重修。今大堂三間，堂前爲大門、儀門。大門內東土地祠，西監獄，左、右爲皂役房。儀門內東、西吏廨共十間。堂後爲牧愛堂，再後爲知縣宅。宅西爲花廳，廳後爲館舍。固安陳志。

典史署，在縣治內西北隅。陳志。

把總署，信安汛，在縣南大街道西，牛堝汛在牛堝集。陳志。

鑲紅旗防守尉公署，在南街西向。陳志。

永定河道署，在南關外東隅，舊在北岸分司署，地本低窪，乾隆二十八、九年，雨水圍浸。三十年移建今地。其防汛公署在北關外十里鋪，屬南岸四工第五號隄上，立夏後駐劄於此。固安陳志。同治十二年漫口衝塌，重修。永定河志。

南岸同知署，在縣西門內。本在縣東祖家場村南，乾隆三十年建。同治十年，與守備署對換，重修。其防汛署二所，一在南岸三工十五號，一在南岸四工五號，均圮，今重建於南二工金門閘。永定河續志。

北岸同知署，在縣北張化村東，亦乾隆三十年建，固安陳志。道光十四年漫口衝塌，未修。采訪冊。

北二工涿州管河州判署，在本汛十四號，永定河續志。光緒三年，州判淩道增重修。采訪冊。

北四工上汛涿州管河州同署，在本汛二號。永定河續志。

北四工下汛固安管河縣丞署，在本汛十五號。永定河續志。

南四工管河縣丞署，在本汛四號。永定河續志。

河守備署，一在祖家場，一在東關外。永定河續志。

永清縣治，在城內稍西，明洪武中，知縣盛本初創建。嗣是修葺俱無考。乾隆三十四年五月，知縣劉桺捐廉，重修大門、儀門、東西科房、大堂、二堂、三堂、四堂、五堂。永清周志。大門前有照壁，儀門左、右爲三班所，大堂迤西有馬神廟，東有科神廟，東南隅有鐘樓，周志。按：鐘文有宋官號，詳金石。西南隅有監獄，北有禁卒所，其南爲獄門。大堂後爲川堂，左爲齋宿處，右爲積儲庫。門房迤南毗連二屋，爲捕盜營住宿處。咸豐六年，知縣蔣元瑞，同治十年、十三年，知縣李秉鈞重修。永清李志。

典史署，在縣治大堂迤東，乾隆三十五年建。周志。

霸永巡檢署，在城東南五十里信安鎮。道光十九年，移禮賢巡檢於信安，爲霸永分司。信安鎮街東西向，中街道北爲永清界，道南爲霸州界。同治五年，巡檢劉凝鈞詳借養廉，霸州四百兩，永清二百兩，於永清界買民人鄭紹卿莊基改造。李志。路北大門前有照壁，門内甬道，大廳左宅門，北上房。采訪冊。

三角淀管河通判署，即雙營公館，在城東十二里前街路北。大門前有照壁，北房三間，川堂一間，北房三間，又北房三間，上房五間，東有南房二間毘連，又一間，西廂房一間。道光二十五年，直隸總督訥爾經額重修。公館西有龍王廟，李志。光緒二年重修，權爲通判署。采訪冊。又公館西路北，有雙營留養局。李志。

北五工管河縣丞署，在本汛十號。永定河續志。

北六工霸州管河州判署，在本汛十號。永定河續志。

北七工東安管河主簿署，在本汛十二號。永定河續志。

南五工永清管河縣丞署，在本汛十四號。永定河志。

南六工霸州管河州判署，在本汛十二號。永定河續志。

南七工東安管河主簿署，在本汛十六號。永定河續志。

東安縣治，在城内，明洪武二年，主簿華得芳移於今所，規模草創。永樂二年，知縣李驥重修大門。正德十一年，知縣武魁建譙樓於上。嘉靖四十五年，知縣王宗堯拆毁。崇禎元年，知縣歐陽保精堪輿，照舊重建。八年，知縣何達海復毁之。儀門三間，戒石亭一座，萬曆間知縣張汝藴易以牌坊。本朝雍正元年，訓飭州縣諭文敬刊牌坊，在大堂前。大堂舊名牧愛堂，知縣馮沂改忠愛堂。未詳年月。二堂爲思政堂，其西偏爲虚受堂。乾隆六年，知縣張鴻疇建。十二年，知縣李光昭題額。庫房舊在大堂左，後移思政堂右。乾隆六年，移思政堂左。監獄在儀門西，大門内甬道東有土地祠，祠後爲馬神祠，又甬道東有鐘樓，明建。東安李志。同治十一年，知縣毛璋重修二堂四間，二堂東、西廂房六間，三堂西廂房三間，四堂三間，四堂東、西耳房，東、西廂房及東院書房、厨房。十三年，知縣劉枝彦捐修六房辦公所十間，舊志，吏公所東西共十間，廢。並修飾大堂、大門。光緒六年，知縣王益壽修大門內道東福德神祠。按：即土地祠。采訪冊。縣丞署今廢。李志。

南八工上汛武清管河主簿署，在本汛六號。永定河續志。

典史署，舊在縣丞署南，後改在縣大堂西，李志。今廢。采訪冊。

香河縣治，在城中西街，大門三間，明知縣楊孜建譙樓於上，香河劉志。明汪諧譙樓記畧：古者都邑無大小，必有麗譙，以棲鼓角，于以警昏曉，時作息，起民心之瞻敬，非細故也。故善爲政者，未嘗緩視之。香河距京城東南四舍，爲下邑，舊未有樓，鼓角之具無所施設，觀者病焉。東阿楊孜領縣事，既三載，百廢具興，乃謀於寮吏，鳩工掄材，拓縣門故址，爲樓其上，中穹旁殺，如翬斯飛，週以欄楯，塗以黝堊，堅好完美，蔚爲偉觀，於是邑耆老田林、丁鑑輩，咸願攻石以紀厥成。舊臨街。萬曆六年，知縣馮叔奇改入五丈有奇。七年，知縣王道定鑄鐘其上，大門內西舊有寅賓館，久廢。監獄在儀門外。六房在大堂前，東、西列各二間。堂側有庫房。劉志。同治二年，知縣黃曾，光緒元年，知縣楊因培重修。采訪冊。

典史署，在大堂東，劉志。大堂、住房并圮，未修。采訪冊。

通州州治，在州城北門內迤西，明洪武三年建，明末多圮。本朝康熙十八年地震，盡圮。三十年後，知州程俊、王光謨先後重建。乾隆三十二年，知州曹元瑞重修二堂、三堂、內宅及正房、廂房。三十五年、三十六年，疊遭大雨，未經重修者，復多坍塌。四十一年，知州龍舜琴將大堂及兩廊科房十二間，儀門，角門，大門，聖訓亭等處續修，今如舊。監獄在大門內西向，舊分內、外二監。乾隆三十年，知州萬廷蘭將外監歸併內監，現在囚房六間，女囚房一間，獄神廟一間，禁卒房一間，更夫房一間。庫房，明時有東、西兩間，在大堂之右。康熙十八年，地震圮後，均未復設。乾隆三十二年，知州曹元瑞以徵存櫃糧，藏貯内署，殊非體制，詳請於大堂東，將舊官廳一間，改造庫房不果，至今未建。通州高志。

理事糧馬通判署，在州舊城内西街。高志。

漕運河務通判署，在州張家灣城内，今圮。高志。

管河州同署，舊在州治大門内東，康熙十八年，地震盡圮，未建，基址并入州署，今駐東關土壩公署。高志。

管河州判署，舊在州治大門内西，康熙十八年，地震圮。二十六年，州判陸謙修。三十六年，州判李桂芳重建二堂。乾隆三年，州判李揆俟因署坍圮，賃屋而居，基址并入州署，今駐北關石壩公廨。高志。

駐漷管河州判署，在州南漷縣城内東北隅，即漷縣舊治。高志。岳正漷縣奉敕重建記：漷，畿縣，附京師不百里，永樂初置九屯，募致徒者。後薦沴，相繼亡去，繼今屯遺十餘家，土著之民不滿千户，爲之代輸田，疏鹵耕，費而寡獲。當南北水陸之會，小有力者不業本，輒事輓載以逐利。婦女荒於蠶織，但饋餉以佐夫男。加役重賦穰，官吏因之以漁獵。故邑無郛郭、肆市，大小公宇，圮毁湫穢，蕩如村墟。郊民掤土茇茅，以避風日。俗使氣仗節，有怨報訐，不爲死惜，遠近傳爲醜地。選人得除，即抑首悵然，賀者匪慰則唁，雖吾土人，亦自陋無敢舉以誇詡他邑者。天順初，吾得罪西戍，吾伯氏以書報曰：邑喜得大夫，甚賢而材。比吾賜還，已四閱歲。始入吾境，則户有園圃，屋有瓦甓，積有庾廥，畜有孳牲，婦女老稚，衣被鮮澤。既入吾郊，則貿易有集，溝窪有梁，巡院，邑治，學宫，棲神之祠，崇祀之所，有殿廡，有庭堂，有廂齋、舍館、壇臺，重有倉庫，微有庖湢，或崇而隆，或廠而明，或閎麗而華靚，雄規傑創，炳然一新。且復興於廢，易陋爲壯，何爲而然也？詢諸父老。曰：由吾大夫賈侯也。侯之始至，實恤吾民，均傜役，課樹藝，誅游手，禁浮費，攻苦食澹，以身先之。曾不二年，弱者以健，踣者以起，强梁者以納腑，而貪并者歛避。侯度吾民之知方而可使也，東西道窾，豬潦没焉，試狀而杠之，應者如赴，數日告成。於是旋圖繕營，若薪若甓，若木若石若甎，若灰堊釘鐵丹漆，若工之價，役之餼，皆以方畧致之。既具，上聞，詔曰：可。天順五年辛巳正月經始，明年五月公宇成，十月巡院成，又明年，城隍廟成，又明年七月，學宫成，凡爲屋大小千有餘柱。漷故州也，殘之兵燹，同知州事錢塘楊思賢氏初草具之。洪武庚戌，降而僃縣，建今百年，敝宜矣。茲以甚困之邑，欲成巨麗之觀，不資財於公，不藉力於私，而久罷方甦之民，如醉醒寐覺，坐視厥就，若吾大夫之嘉惠吾漷，爲吾漷人者宜何如其報可耶！共意大夫之政，已爲御史所舉，吾君知之，吾相知之，當有旌擢之褒。儻逸駕莫攀，深仁何徯？予能辭而記之，使嗣吾大夫者，如吾大夫之用心，豈惟是功也得以時葺而不壞，將漷之人亦因是而有所永賴哉！噫！父老之言是也。況吾亦漷人，其能忘情乎！大夫名貞，字子固，其先世居淮揚。先君子宦於莒幕，今爲莒人。當時成大夫之志，則有若主簿光州楊先、陽谷張傑、典史維揚顔鏡，邑大夫士董昱、馬驥，父老武傑等，并列碑陰云。

乾隆四十年，州判李炳因署内隙地二畝許，中有古槐，僅存其半，卽其地倚槐治亭，名曰半槐亭。是年州判蔣縹接任，詳修衙署。四十一年，州判龍文鑣接任承修，添造住房三間，内書房三間，簽押房三間，馬棚四間，并顔二堂額曰半刺堂。高志。

吏目署，在州治大門内西。高志。

驛丞兼巡檢署，在州張家灣城内。高志。

通濟庫大使署。志未載。按：志偁賃屋而居，無定所者，不允書，殆無公廨也。閘官同例。

倉場總督衙門，在州新城南門東，卽舊尚書府、總兵府改建。高志。

户部坐糧廳署，在州新城内西察院東，卽舊忠瑞館。高志。按：察稅分局一設於州南漷縣倉頭，一設於州南新河店橋。

大運西倉監督署，在坐糧廳署後，卽舊忠敬館。高志。

大運中倉監督署，在州舊城南門内，今圮，賃民房。高志。

土壩掣斛廳，在州土壩，爲州同督漕公廨，每年南糧抵通，移駐於此。高志。

石壩掣斛廳，在州石壩，有大官廳，舊名督儲館，爲州判督漕公廨，每年南糧抵通，移駐於此。高志。

通協副總府衙門，在州新城西門内帥府街。高志。

左營都司署，在州新城内小紅牌樓前，乾隆十四年，都司趙登高、知州朱奎揚以民人孟三入官房屋詳建。高志。

張灣營都司署，在州張家灣城内。高志。

左營守備署，在州治西南。高志。采訪册：千總以下，或賃民房，或居汛地，無定所，不冘書。

三河縣治，在城西北隅，明洪武初建。正統間重修，中爲牧愛堂，東爲典史廳，西爲財賦庫，後堂爲知縣住宅。東爲縣丞宅，縣丞裁，主簿居之，主簿裁，典史居之。典史廳南東面爲吏、户、禮承發司，架閣庫，儀仗房，財賦庫，南西面爲兵、刑、工、馬政科，鋪長，司房，儀門西爲禁獄，前爲大門，上有譙樓，大門外爲申明堂，西爲旌善亭。萬曆十二年，知縣王自謹重建土地祠、馬神廟、監獄房。嘉靖四十五年，知縣崔璵重建大門、譙樓、寅賓館，此舊制也。

國朝康熙二年，知縣李炳重修。三河陳志。李炳重修三河縣署記：余左遷通州判官之五年，歲在癸卯仲春，攝三河篆，甫莅任，初未詳三河之所名，而縣署湫溢傾圮，釐然在目矣。余謂署曰公署，門曰公門，堂曰公堂，蓋辦公之地也，傾圮不治，如辦公何？五月，奉文陞任茲土，恭逢天子展謁祖陵，幸盛京，邑當其衝，驛使絡繹，余未遑別有營作。越明年甲辰，倡捐謀所以修之，書役亦樂輸有差，計得白金若干兩。舊制，照牆距大門若干尺，移置道南去，新建大門若干尺。儀門舊制一間，今移舊大門三間易之，去大門若干尺，去大堂若干尺。東西兩角門如制。大堂兩廊各設科房六間，比舊宏堅如式。戒石碑久廢，補立如初。大門内東爲土地祠，舊祀雜妄，僅留專祠如祀。其西設班房一區，各班環列焉。門西遥接監獄，再西爲晾馬廠，築垣屏，留泃陽驛路，復舊制也。東、西設坊二，棹楔臨泃舊治左輔巖疆八字。經始於某年某月，落成於某年某月。按新唐書：武德二年，析潞縣置臨泃。開元四年，更置三河。郡邑釋名：三河以地近七渡、鮑邱、泃河三水名。城邑考：三河舊城在今縣東三里，泃河南，建於石趙，廢於後魏，今之三河城，即趙德鈞所置。水經注：洳河源出北山，東南經平谷縣故域，西而東，注於泃河。考三河志：洳水即錯河，一名七度河；泃水即錯河之支河，平時乾涸，霖雨成河；鮑邱河自順義入境，至時管營，始有河形，每遇霖雨，積水成河。夫源遠流長者，河也，七渡是也；忽盈忽涸者，行潦也，泃與鮑邱是也。行潦不可以爲河，泃與鮑邱豈得與七渡並偁三河耶？且置邑命名，往往本諸山川，義取切實，如五臺以臺名，三水以水名，確有其數，而因以得名之類是也。以河名矣，亦奚取於無源之行潦，而附會以名三河耶？及攷三河輿圖，七渡河自青陽屯入境南流，由舊城西北繞城而東、而南、而西、而東南，至料馬莊出境，形若半壁，而舊城適當其缺，故云。然則以三面環河，名三河可；謂地名，七渡、鮑邱、泃三水，則不可也。水經注謂泃水出右北平無極縣西山，鮑邱出禦夷北塞者，豈陵谷變遷，今昔不同歟？抑鄙未經其地，而以訛傳訛歟？余既重修三河署，而因辨其命名之義，俾後之君子知所考云。知縣事皋蘭李炳記。十八年，地震，俱圮。知縣任塾重修公廨。二十五年，知縣彭鵬建馬神廟於署西。三十年，知縣張鼐建土地祠於署東南。三十六年，知縣張朝琮建倉房六間，監房六間。三十九年，知縣鄭富民建科房六間。乾隆十一年，知縣熊繹祖重建東、西科房十間，班房四間，儀門一間，角門二間，牌坊一座，甬道、月臺、并署内土地祠。陳志。彭蕚采重新泃署舊額記：乾隆庚申春三月，夏邑彭蕚采來莅三河，署多茅椽，署西一小楹，傾欲圮，命工整之，於塵土中見舊額字多磨滅，灌以水，見其上有宋文康公訓屬格言，宋冢宰公重新懸額檄飭，家大中丞兼山先生所作格言記，蕚采拜而讀之。其宋文康公之訓屬曰：報朝廷某事，榮父母某事，寬百姓幾分，留子孫幾分。其冢宰公檄飭曰：此先相國文康公於國初開府畿東時，訓屬格言也。迄今四十餘年，懸額猶存，字多漫漶，肇奉簡書，復觀察茲土，言念先澤，冰淵益凛。爰行重新彰諸廳事，蓋自勉以期共勉云。家大中丞記曰：丙寅春三月，通永觀察宋先生以重修懸額勸飭寅箴檄畿東所屬州邑，頒以式，大書二十字，細書八十四字，檄至洵，如式懸邑署。洵宰彭鵬，升堂入座，日所覿面，退而思曰：報者如答，榮者無忝，寬者弗亟，留者有餘，而况所邀者朝廷之爵禄也，所遺者父母之體膚也，所供者百姓之筋血也，所培者子孫之元氣也，非報斯負，非榮斯辱，非寬斯竭，非留斯覆。語曰：一命之士，施及三黨，可不思報！孝經曰：立身行己，揚名顯親。可不思榮！孟子曰：用其一，緩其二。可不思寬！易曰：積善之家，必有餘慶。可不思留！吏不思愛百姓，因而欺朝廷，玷父母，累子孫，吏惟思長子孫，遂致剥百姓，負朝廷，辱父母。成我者君也，生我者親也，百姓者我所受於君也，子孫者我所傳於親也，思報，思榮，思寬，思留，作者文康之詞也，述者觀察之心也，遵而懸之者，畿東屬吏也，筆而記之者，洵宰彭鵬也。蕁采讀罷喜甚，急新之，懸諸廳，敬識於後曰：相國宋文康公書此格言，令子冢宰公復纘承之，家中丞公令三河時記於座上，其姪蕁采讀罷守之。相國爲鄉先賢，中丞乃伯氏行也，嚮慕往哲，景仰宗風，維日三省，儼如在上。丙寅迄今庚申，五十有五年矣，前正典型，昭垂宇宙，字裏行間，心跡雙清。後之官茲土者，尚其升堂入座，常目存此二十字。同治元年，知縣張鵬雲，光緒元年，知縣查光泰重修。采訪冊。

典史署，在縣治大門内，光緒三年，典史陳廉重修。采訪冊。

朝鮮賓館，康熙五十一年，價買民房修建，年久傾圮。乾隆二十四年，知縣陳昶捐置西街民房一所，鳩工修理，詳爲朝鮮貢使賓館。陳志。

武清縣治，在城内正北，舊元衛帥府鎮撫衙。明隆慶六年，知縣李賁修倉庫，戒石亭久圮，設徵收櫃房，增吏書公廨。康熙十八年，地震傾圮。二十口年，知縣祖應世重修大堂。三十六年，知縣章增印重建大門、儀門、大堂，並東、西科房。乾隆二年，知縣陳暢增建收糧所於大堂東，倉庫房於大堂西，今并圮。大堂前爲露臺，并建皂快班房於臺東。二堂五間，堂東爲瘦槐軒，知縣祖應世建，公暇讀書於此，前有古槐一株。武清蔡志。二堂後爲内衙。監獄在大堂西。道光二十三年，知縣李正培，光緒元年，知縣毛璋重修。蔡志。

楊村驛巡檢，住楊村，向未設署。蔡志。按：楊村驛丞兼管河巡檢。顧祖禹方輿紀要：楊村驛在縣南五十里，建文三年，平安敗燕兵於楊村驛，進攻通州不克。宣德初，駕征高煦，駐於楊村，即此。舊有巡司，今設管河通判駐焉。

河西驛巡檢，住河西務，向未設署。蔡志。按：河西務有同知一，主簿一。方輿紀要：河西務在縣東北三十里，自元以來，皆爲漕運要道。明初，大軍由直沽敗元人於河西務，今爲商民攢聚，舟航輻輳之地，設户部分司駐焉。隆慶六年，築城環之，所以守禦。有河西驛，并置巡司於此。

典史署，在大堂西，今圮。蔡志。

南八工下汛把總署，在本汛十五號。永定河續志。

寶坻縣治，在城西南隅，金大定時設縣除令，以主縣事，寶坻洪志。金劉晞顔新建寶坻縣記：幽州秦爲上谷郡，歷漢、魏至隋、唐，或爲燕國，或爲廣陽國，或爲涿郡，或爲范陽郡，廢置更易不常。唐末劉仁恭帥燕，其子守光僭偁燕王，置蘆臺軍於海口鎮，以備滄州。後唐莊宗命大將周德威破燕軍於平岡，復收蘆臺軍。同光中，以趙德鈞鎮其地，遂因蘆臺鹵地，置鹽場，又舟行運鹽，東去京國一百八十里，相其地，高阜平闊，因置榷鹽院，謂之新倉以貯鹽，復開渠運鹽，貿於瀛、莫間，上下資其利。清泰三年，晉祖以遼主有援立之勞，遂以山前後十六州遺遼，改爲燕京，因置新倉鎮。其後居民漸聚，成井肆，遂於武清北鄙孫村，度地之宜，分武清、漷縣、三河之民置香河縣，仍以新倉鎮隸焉。國朝天德間，詔建都于燕京，于時畿内重地，倉鎮頗爲偁首，以榷院自趙德鈞創始以來，歷遼室及國朝二百年，每歲所出，利源不竭，以補國用故也。主上中興，撥亂反正，思補正隆殘弊，命有司改榷鹽院署，置使司，陞爲五品，設副使之官，俾從俸秩，視諸刺郡，以重其事。于時居人市易，井肆連絡，加之河渠運漕，通于海嶠，篙師舟子，鼓楫揚帆，懋遷有無，雖千里之遠，旬日而至。稻粱、黍稷、魚蟹，不可勝食，而材木亦不可勝用也。大定十有一載，辛卯冬至郊天後，鑾輿東巡，幸於是邦，歷覽之餘，顧謂侍臣：此新倉鎮，人煙繁庶，可改爲縣。明年有司承命，析香河縣東偏鄉閭萬五千家爲縣，謂鹽乃國之寶，取如坻如京之義，命之曰寶坻，列爲上縣，著於版籍。是歲春，除令丞簿以典其事。粤有縣令振威將軍王[illegible]來尹是邑，縣丞忠武校尉李願，主簿儒林郎李拱昌，縣尉昭信校尉孫告中參豫連判，以備其職。時坊郭居民千有餘家，自餘村閭，著爲四鄉，東曰海濱，南曰廣川，西曰望都，北曰渠陽。縣治草創，未有公廨。縣僚乃相地之宜，於渠水之南，太覺招提之西，卜爲縣廨。招提之東，縣丞、主簿公署。次之，又於縣北郛郭之外，卜尉廳焉。方營建間，吏民鼓舞，莫不子來。不一二年，皆以卽叙，於是礱石以紀其實。丞簿佐之。縣令王禋於大覺寺之西，卜爲縣治。東爲丞簿署，縣北郭爲巡捕廳。元季以兵廢。明洪武元年，遷縣治於城之西南隅，合丞簿爲一所。本朝仍之。前爲大堂三間。大堂後爲後樂堂。左、右兩側，東爲幕舍，西爲庫房。堂前牌坊一座，堂左、右書吏房各七間。儀門三間，大門如之。監獄在儀門右，儀門東有土地祠，其東南爲寅賓館。天啟時，知縣周詩雅題曰冰堂，有冰堂記。大堂久圮，僅存基址。乃視事於後樂堂。其堂左右之側房，與幕舍庫房皆撤，餘如舊。康熙五十四年，後樂堂圮，知縣黃志元葺之。乾隆七年，知縣洪肇楙於三堂後詳建屋十餘間，爲內署。洪志。同治六年，知縣吴履福，光緒元年，知縣管近修重修。采訪册。

典史署，在縣治東。洪志。按：縣舊有主簿，其署在縣治西。

甯河縣治，在城內正北。其大門、儀門、大堂及三堂，舊屬梁城所千總署，雍正九年設縣，十年，知縣楊奇昌，十二年，知縣沈濬重修。三堂前爲宅門。大堂之後爲三堂。大堂之東爲二堂，各三間。三堂後爲知縣宅。前西書房在三堂之西爲幕廳。監獄在大門內之西，並知縣沈濬建。後西書房，乾隆五年，知縣洪肇楙增修。二十年，知縣吴龍光增建南住房二間，二堂後東書房五間。二十三年，知縣謝洪恩增修大堂前東、西科房十二間，大堂之東土地祠三間。二十六年，知縣徐堂增修大堂前東、西班房。四十年，知縣關廷牧重修。寗河關志。

典史署，在儀門西。關志。

把總署，在城南街，雍正十一年，里人候選州同馬自誠、候選訓導馬天相捐地建。關志。

蘆臺場鹽大使署，舊基在蘆台街中，雍正年間署圮，賃屋而居。別有公館一，在興寶神祠側，爲薊永分司巡歷掣鹽之所，名曰鹽亭子。明青州分司陳九功置，以後官商遞修。寗河丁志。

通判署，在蘆臺街東，道光二十三年新設，由天津河捕通判移駐。丁志。

通永總鎮署，亦在蘆臺街東，道光二十三年新設。丁志。

巡檢署，在蘆臺，道光十九年，巡檢汪桂捐建。丁志。

昌平州治，在州城内，霸昌道署東北。大門、儀門。大門内左土地祠，右監獄。儀門内左吏、户、禮科，右兵、刑、工科。大堂五間，名司牧堂。堂之後有堂，曰澹然堂。官廳在澹然堂左，州宅在澹然堂右。昌平宋志。按：官舍卷内載有賓館在州署後關帝廟内。

吏目署，舊爲州判署，在州治大門内西，監獄後。吏目舊署，在州治東南隅，今廢。宋志。

參將署，在州治後瑞光寺西，即明之大監廠。宋志。

守備署，在州治南，即明之左車營游擊府。宋志。

都司署，在居庸關。采訪册。

把總署，一在鎮邊城，一在黄花路。宋志。

額外署，一在白羊城，一在八達嶺。宋志。

順義縣治，在城内正北，明洪武初建。順義黄志。按：順義縣，金、元并爲順州，明洪武二年降爲縣。元梁宜順州公廨記畧：前代州治爲小城，方二里許，四隅角樓遺跡尚存。至元二年，節度使劉瑜建大廳并長廊。二十八年，知州大興王居政於廳左右搆捕盜所，吏目幕，次復搆架閣庫，祇候直舍。大德七年，知州鉅野段廷珪作後廨，并東西房。皇慶初，知州大興梁彦義起儀門，高三丈餘。翰林學士清河元明善爲之記。其驛館，至元十八年州倅李讓剏焉。餘詳金石。元明善順州儀門記畧：古者諸侯三門，臯門、應門、路門。今之州準古伯、子、男之國，作儀門，禮也。温榆水之陽，有古城焉，曰順州，隸大都路。地沃而民湻，國家罷兵百年，涵濡撫育，生殖日繁，蔚爲饒郡。郡城據亢爽地，郡廨特當其亢，亢有故儀門址。至大四年，知州事梁君彦義始來，明年百廢次第舉，民用大和，乃謀諸監郡，將建岑樓於址。僉曰：休哉！民皆子趨以獻功。肇事於皇慶元年秋七月，畢工於二年夏六月。舊治大堂，康熙十八年地震傾圮。五十五年，知縣黄成章以風水不善，改昔之住宅爲大堂三間，額曰行義堂。二堂三間，左厨房，右書房，右廊房。三堂三間，又内書房三間。大堂右爲寅賓館，館後廊房三間。大門、二門外并有照壁。監獄在舊署西墀南。黄志。

典史署，在縣治左側。黄志。

密雲縣治，在舊城鼓樓西，明萬曆間，知縣邢玠、張世則重建。密雲丁志。重修密雲縣碑記：密雲縣治，舊傳物土仍勝國之舊，入國朝屢增葺之。迄今二百餘年，傾倚枝柱，不足以肅臨民之體，且東、西二署廢不知何時。至今丞幕君僦代舍以居。萬曆元年，明府益都邢君玠來視邑事，慨然念之。顧以材詘民窶，私識諸心，未誦言也。會制府奉乘障之役，諸戲下營帥，俱有羡材，於是邢君請以濟凝度。又以舊額稍隘，西闢地四畝足之。工起萬曆元年十月，鼕鼓將徹，邢君以召去。代君爲諸城張君世則，雅與同志，甫下車卽不憚度視之勞，計其圖表，則重門以内爲正堂，爲牙宇，左右爲掾舍，又左爲丞牙，前爲土地祠，爲庾，爲廄，又右爲幕牙，前爲獄神祠，爲囹圄。門以外，左爲惠民局，爲旌善亭、申明亭，右爲供饋房以及隈除廡城，靡用不具，且復審於程量，緩其徒庸，閱三載而始告成焉。丞霍邑張君永晏、幕廣豐游君恢，問請予言以記。

本朝康熙五十九年，雍正元年，知縣薛天培重修大門三楹，儀門三楹，兩腋門，大堂，二堂，三堂，東衙，西衙，縣獄，土地祠，左右六房公廨，收糧廒，馬房，支應房，旌善亭，申明亭，施藥局。康熙時，知縣周鉞於大堂前建聖藻亭，恭刊聖祖御製幸密雲詩於上。今僅存大堂、後堂，其餘並圮。光緒二年，知縣趙文粹重建二堂，並東廳及監獄、班館。光緒六年，再建東院。丁志。

縣丞署，原在縣治東，今改駐石匣城。丁志。

典史署，在縣治西。丁志。

驛傳道署，在古北口城，康熙三十九年建。丁志。

驛站理事同知署，在古北口城，康熙三十二年建。丁志。

提督軍門署，在古北口城五里柳林營，雍正元年建。丁志。

古北口巡檢署。

中軍參將署。

中軍守備署。

左營游擊署。
左營中軍守備署。
右營游擊署。
右營中軍守備署。
密雲城守營都司署，在縣新城。丁志。按：新城北有校場一，元天順六年建。
古北口城守營都司署。丁志。按：古北口城外有校場一。
司馬臺把總署，原明提調署。
潮河川把總署，原明提調署。
石匣城營即提標前營。游擊署，在石匣城原石匣協副將署。丁志。按石匣營城外有校場一。
前營中軍守備署。
石塘路把總署，在石塘路城原參將署。
白馬關外委把總署，原明提調署。
大水峪外委把總署，原守備署。
曹家路都司署，在曹家路城原游擊署。丁志。按：曹家路城外有校場。
楊家堡千總署。

黑峪關把總署。

吉家營把總署，原明提調署。

扳谷巖把總署。

窄道子把總署。

牆子路都司署，原參將署。丁志。按：牆子路城外有校場一。

鎮羅關把總署，原明提調署。

將軍關把總署。

副都統署協領房四所，佐領房十六所，防禦房十六所，驍騎校房十六所，印房一所，左、右二司房各一所，官廳一座，兵丁住房四千間，城門堆撥房三所，馬檔房二間，操演處房二十五間，軍器庫三間，火藥庫六間，並在縣城東三里，其校場在旗營東門外二里。采訪册。

懷柔縣治，在大西門内縣治。大門，儀門，東、西角門，縣廳。舊大門外，有彰善、癉惡二亭，前爲申明亭，皆廢。大門内有寅賓館，儀門内有甬道上有戒亭，有聖旨坊，左、右六房吏舍，堂東貯庫，堂西寄庫，旁爲幕廳，皆坍損。宅門内爲考中堂，堂後有屋三層，其東、西舊爲園館。又東有射圃、射亭、菜園、大井，皆毁。康熙五十六年，知縣吴景果撤考中堂，卽其址搆堂五楹，爲聽斷之地，曰黍春堂。堂前古柏四株，三百年物也。懷柔吴志。吴景果黍春堂記：縣治自門垣以至堂寢，歲久積壞。余至斯，就縣廳後考中堂三間爲視事之所。歲丁酉二月大雪，考中堂亦傾，乃卽舊址搆堂五楹，視舊稍軒敞焉。會湘潭陳公滄洲來署道篆，爲書其額曰黍春堂。蓋以斯邑地小民貧，有待於吹暖律而布陽和也。康熙五十六年八月日記。復於堂東偏古樹之下，搆書室三楹，移植紅螺山叢篠數竿於軒下，名曰螺竹軒，公餘宴息於此。又監獄在大門内西，吴志。道光十八年，知縣白諳，同治九年，知縣孫蘭溪重修。采訪冊。

典史署，在縣治東，同治十一年，知縣孫蘭溪修葺。采訪冊。

涿州州治，在城内東南隅，建自元時。涿州吴志。元劉懿無訟堂記：大德辛丑，上命大都葛侯叔茂來爲州牧，扁其廳事曰無訟。客有未達，叩其説於余。余曰：侯之意蓋取魯論聽訟無訟之義。嘗聞國之安危，在民之休戚，而政之理亂，又在守令之賢否。今之郡守，乃古之侯、伯，剖竹分符，有五馬、雙旌之貴，三載考績，黜陟幽明，欲其承流宣化，勞來安集，膏雨吾土，而襦袴吾民也。故勸農桑以厚其生，均賦税以養其力，謹庠序以明其教，循法律以禁其奸，旌節義以勵其俗，道以德，齊以禮，風行草偃，有不期然而然者。以致田野開闢，生民富庶，含哺鼓腹，日進乎彝倫之理，王澤於是乎敷宣，風化以之而雍睦，夫何訟之有！涿爲天下之扃闥，覲獻京師者咸取路焉。歲時迎餞，民役繁劇爲最，牧守必才能者任之。侯下車首建斯名，以聖人之法爲心，蓋有志乎民者也。我侯暨僚果循此道，俾賫貨弗行，寃抑獲伸，則刑措之化，豈不由於此哉！客以余説復於侯。侯曰：顧記諸壁，朝夕以自儆。明洪武初重建。明永樂初再建。景泰間，知州黄衡繕治。本朝順治初，知州鄭玉建申明亭、旌善亭、陰陽學、醫學、迎賓館各三間於儀門外。康熙十四年，知州劉德宏重修三堂，並飾其左舍，顔曰仕學齋，自爲記。六十年，知州顧欽修大堂。乾隆四年，知州張德榮修川堂。咸豐七年，知州張和，同治十三年，知州錢敏，先後修葺。吴志。

州判署，舊在州治大門内西偏，今不存。光緒六年，州判范履福支廉，購買民房重建，在城内東大街。采訪冊。

吏目署，在州治大門内東偏，咸豐九年，吏目祝錫霖，同治九年，吏目羅嘉會先後重修。涿州續志。

永定河南岸三工管河州判署，在本汛七號，永定河續志。同治十年，州判陳楓重修。采訪冊。

南二工良鄉縣丞署，在本汛十五號。永定河續志。

管河吏目署，在河隄上，今不存。涿州續志。

參將署，在州治西北參府街，明都指揮康鋭建，守備周鑑、周元益修。本朝參將聶文壽、陳喜重修。署内西偏有演武廳，今仍舊。吴志。

守備署，在城西北隅營房街，康熙六十一年修，署内有軍器庫，火藥庫，外有營房隙地百餘畝，今仍舊。吴志。

房山縣治，在城内西大街，明洪武四年，主簿胡用賓修建，廳堂、門廡、吏舍悉備，其後知縣王故、曹俊、李琮、陳庭訓、馬永亨、張肇林相繼修葺。本朝康熙二年，佟有年重修大門，東、西角門，儀門，左、右六房，正廳内署一所有樓。監獄，土地祠，并在儀門外西。寅賓館在儀門外東。康熙三十年，知縣羅在公重修大堂東、西科房内厨房，又二堂東重建馬房。其寅賓館，康熙二十三年，知縣王又汧重建。（房山佟志。按：康熙至今已二百年，其規模未必盡符古制，因無采訪，从闕。）

典史署，在縣治儀門内東，舊制狹隘，典史楊毓秀增修正房、書房、馬房、廚房。（佟志。）

磁家務巡檢署，知縣馬永亨建。（佟志。）

霸州州治，在城之西隅，建自明洪武庚戌歲。本朝仍之。大門外照壁一座，其東有土地祠，倉神廟，馬神廟，二門内戒石坊一座，東、西角門各一楹。監獄在二門西，有獄神廟。大堂三間，堂外在右，科房、快班房、民壯房、皂班房。二堂内，知縣宅。同治十一年，知州周乃大重修。（霸州周志。）

吏目署，在州署東。（周志。）

守備署，在大街路北。（周志。）

文安縣治，漢縣令趙虁創建。元皇慶元年，知縣李佑重修。明洪武初年，縣丞鄧士龍重修。本朝仍之。大門三楹，譙樓三楹，大門東承流坊，西宣化坊。康熙二十八年，知縣張朝琮創建大堂及堂東、西六房，書吏房，寅賓館亦朝琮修，其堂左有公帑堂四楹，右有鑾庫一楹，堂前有戒石坊。土地祠在二門東。監獄在二門西，有獄神廟。大堂後爲忠恕堂，慎儉堂。慎儉堂後有廳三楹，同知楊朝麟珍藏康熙四十年御製巡幸子牙河詩墨蹟於此，後爲知縣宅。文安楊志。咸豐元年，知縣高衙重修，并重建大門外東、西坊。十一年，知縣潘履恆、鄒在人，同治十一年，知縣丁符九，俱重修。采訪冊。

主簿署，舊在縣治西，缺裁，署廢。康熙三十七年，復設主簿，隨便賃住。楊志。按：今有無衙署，未據采訪冊。

文大主簿署。

典史署，典史樊瑞驥重修。同治六年，典史夏恩榮重修。采訪冊。按：縣志及采訪冊未詳所在。

大城縣治，在城中，明洪武元年，主簿周自銘創建。成化三年，知縣唐鏞重修。正德九年，知縣石恩，嘉靖四十年，知縣佘尚貢，隆慶三年，知縣趙德光，萬曆十一年，知縣狄同烇重修。大門三楹，舊有譙樓，萬曆年，縣令梁綱改造大門，移鐘北城樓上。儀門三間，中爲門，東立修城碑，西立清丈田糧碑。東、西角門二座。東、西守門役房二間。大堂三間，額曰懸鏡堂。堂前東、西科房。監獄在西角門内西偏，有獄神廟。東偏有土地祠。大城張志。按：張志載，大堂後，左、右有公帑四間，露臺西有時辰樓，甬道中有戒石亭，土地祠西有迎賓館，因采訪未詳，姑撮大畧。退思堂在大堂後，左、右有翼室，知縣李知春建。張志。同治元年，知縣彭瑞麟重修。采訪冊。

管河縣丞署，在王家口，無廨。采訪冊。

典史署，在縣治西。采訪册。按：舊設督糧主簿，其署亦在縣治内，久廢。大城營守備廨，亦廢。

保定縣治，在城中街，明洪武十二年，知縣張仲謙建，舊有鼓樓，嘉靖三十八年毁。大門，儀門，東、西角門各一。大堂曰忠愛堂。堂前東、西科房，堂後爲子惠堂，其後爲内宅，有堂曰退思。監獄在儀門内西，土地祠在儀門内東。保定成志。按：舊有寅賓館，預備倉，在儀門外東。道光二十七年，知縣趙浚重修監獄。采訪册。

典史署，在縣治儀門外東。成志。

霸保管河主簿署。

薊州州治，在城東北，本遼、金舊址。元至正間，達嚕噶齊原作達魯花赤。拓而新之，明初重建。景泰三年，芝産堂後，知州姚恭題爲靈芝堂。成化間，知州汪溥重修，崇禎末焚燬。本朝順治四年，知州文焕重建大堂五間。順治七年，知州于際清重修。薊州沈志。按：康熙二十五年，知州楊天祐立匾於堂，曰報朝廷某事，榮父母某事，寬百姓幾分，留子孫幾分。其匾怡乃通永道宋犖所述也。後大堂圮壞。康熙三十五年，知州張朝琮重修。大堂下東、西皂隸房，左、右糧房，右兵、刑、工房，左承發房，堂右收糧房。甬路前爲御箴坊，今坍。坊前爲儀門，亦張朝琮修。儀門下左爲倉，倉南爲土地祠，西爲寅賓館，今廢。其右爲監獄。儀門南爲大門，康熙四十一年，知州陳廷柏重修。大門東爲旌善亭，西爲申明亭，今俱無存。西南譙樓一座，亦明崇禎時焚毁。順治年間，知州黄家棟重修。康熙十八年，地震，復圮，張朝琮復修之。乾隆十一年，焚毁，存其基。大堂後爲二堂三間，又東一間爲庫房，又西一間爲簽押房。二堂後爲內宅。道光十年，知州沈鋭自大門、二門、科房、大堂、三堂，重加修葺，并建得閒退舍。沈志。沈鋭得閒退舍跋詩曰：布政優優，蓋云閒也。易曰終日乾乾，閒未得也。夫必得所得，而後閒其閒。自公退食，豈虛致哉！春淙制府來刺是州，則顔其額曰得閒。一似深羡乎此者。風塵鞅掌，獲領名賢之嘉言懿旨幸矣。爰仍而新之，廣曰退舍。公餘憩息，静退爲宜，且以作退一步想云爾。若謂希蹤先達也，余何敢！

驛號，在州署西。沈志。魚陽驛署，舊在南門外，即今之管驛莊。明天啟二年，移於文化街，亦明季焚燬。康熙二十八年，丞鄔棠卽兵備道廢署修建，今無存。現移驛號於州署西云。驛丞久裁，附録備考。

吏目署，在州治大堂西，舊爲州判署，後移於州東文化街，後裁；雍正五年復設。嘉慶六年，改駐大城，所有河務、中營，巡檢代管，署遂廢。十六年，吏目劉翰彬奉文修葺，遂爲吏目署。其吏目舊署在州署東北隅，今存其基。采訪册。

中營巡檢署，在中營，嘉慶六年，奉文兼管河務，遂移駐城内，賃民房爲署。沈志。

管河巡檢署。

都司署，在上井南，都司係守備改設。守備署在州治東南文化街，明季燬後，都司賃屋而居，今閤營公置民房一所爲署。采訪册。

黄花山守備署，在州東北四十二里孫各莊。沈志。

左、右哨千總署，在守備署西。沈志。

黄崖營千總署，在州北五十五里黄崖關城内。沈志。

將軍石關把總署，在州北五十里岢山集北山營城内。沈志。

平谷縣治，在城東街，洪武初建。成化三年，知縣郭銘重修。本朝仍之。大門三間，儀門三間，儀門内有戒石坊，知縣劉愛建。大堂三間，東、西耳房各一間，又東爲庫房。堂前東、西科房各五間。監獄在儀門外西，獄神廟，倉神廟在儀門外東。後堂三間，知縣馮思忠建。平谷朱志。按：縣志載，邑人金濂重修縣後堂記大畧，謂：正堂之後爲後堂，後堂之東爲書房，以爲齋宿之所。正宅原在東偏，今始移入。後堂之後，爲知縣住宅，時在嘉靖乙卯，馮思忠莅任之期年云。道光十六年，知縣葉儁昌，同治十年，李壽民重修。平谷續志。

典史署，在縣署西，今廢。采訪册。

華陽吴祖椿校

地理志五

祠祀上

侯官陳𦲷纂　江陰繆荃孫覆輯

記有之：天子祭天地，諸侯祭社稷，大夫祭五祀。今州縣地與古侯國等，山川社稷，古諸侯之所有事者，州縣吏皆得行之。我聖清承天命，主百神祭罔不祗肅。畿疆之吏，親見聖天子明察之至意，及奉境内祀，咸自誠其爲民祈福之心，故得無水旱之災，厲疫之害。其有不列於命祀，而爲民俗所趨者，則山農野老，日犇走蛾伏於牲肥酒香之旁，栗栗然時若有臨質之者，莫不遷善而去惡。孔子曰：鬼神之德其至矣乎！嗚乎！信哉！不載大、宛者，以其詳於京師也。志州縣祠祀。

良鄉縣

社稷壇，在北門外西北。良鄉陳志。

先農壇，在西門内。陳志。

風雲雷雨山川壇，在南門外東南臺上。新志。

厲壇，在北門外正北。陳志。

關帝廟，一在城内東南隅，一在東門内，一在羅府街西，一在城外東南隅，一在長陽，一在籬笆房，一在黄新莊，一在五里店，一在丁村，一在錢管營，一在望諸村，一在南梨園，一在十三里，一在舊店，一在燕谷店，一在平各莊，一在興隆莊，一在南拜村，一在陽合莊，一在南召村，一在關莊，一在祖村。陳志。

城隍廟，舊在縣治西南隅，明景泰二年新築城垣，廟遂在城外。主簿鄭智請於知縣賈禠，改建城内西北隅，時景泰六年。陳志。景泰七年創修城隍廟碑記：順天府所隸縣曰良鄉，去京師西南七十里，爲萬方朝會，陸道輻輳之衝，煩且劇，視他縣倍蓰。縣西南隅，舊有城隍廟在焉。景泰二年，因始築城，而廟乃隔於城之外。縣大夫及民庶有事廟下者，咸謂不便；且地勢庳隘，棟宇傾頽，所以妥奉神靈者，亦弗稱焉。諸官僚酧應紛紜無虚日，雖欲修葺移徙，莫或遑也。潯陽鄭公智來爲主簿，焦神勞力，以佐庶務，方欲鋭然經理，深慮勞民費財，乃謀於知縣、賈禠，縣丞馬驥、李謙，典史陳永通，曰：竊聞政之體在治民事神而已。吾儕神所當事者，莫要於城隍也。凡祀社稷、山川、雷雨，皆以城隍爲配，水旱、疾疫、禱禳，皆以城隍爲先，而其廟置於城之外，無乃不可乎？賈公然之。馬、李諸公佐之，爰擇地於城内之乾隅，袤廣計之，總若干尋尺，先捐己俸爲之倡，好善樂施者翕然傾助，遂市材取礪，召匠僦傭，建正殿寢翼兩廡之外，爲重門以顯巍翼，凡二十有六。神之像設，雕塑藻繪，焕然聿新，他若周垣修術，器物之需，罔不畢備。興役於景泰六年二月二十五日，而以七年九月望日收工。始終劾勞，蓋主簿功居多。而厥配王氏，亦脱其簪珥，於廟左右建九天衞房聖母及蚜妨神堂各一。縣之耆老吏民，僉謂廟之凋敝已甚，而鼎新實肇於今，匪礱石登載，何以垂示來者！乃請余爲之記。余惟自昔建郡邑者，必依險以爲固。地之險，山川邱陵是也。故或因山與邱陵以爲城，若平地則壘土築城以擬乎山之險焉，或因川以爲隍，若燥地則掘土浚隍，以擬乎川之險焉。考之禮經，無祀城隍之文。然古者山林、川澤、邱陵、墳衍、防庸莫不載諸祀典，況乎高城深隍，以捍寇敵，以衞人民，其功甚大，而可弗祀之哉！今郡縣各有城隍廟，是卽所謂禮。雖先王未之有，而有以義起之者也。廟在良鄉者，適當仍歳水旱之餘，帑藏空虚之日，而能大其規制，役不勞民，則鄭公有爲之才過乎人也，槩可見矣。庸次第書之，俾刻石昭示焉。施錢與助者之名氏，具列於石陰，茲不贅。

龍王廟，在城隍廟內。陳志。

藥王廟，一在石村，疾病者祈禱有應，每年四月報賽社會極盛，遠近畢來進香。一在城隍廟內，一在東門外，一在塔灣村。陳志。

八蜡祠，在城隍廟內，並祀劉猛將軍。陳志。

真武廟，一在北門內東，一在十三里。

東嶽廟，一在舊店北，一在福興村。陳志。

火神廟，在東關北。陳志。

馬神廟，在固節驛內。陳志。

玉皇廟，一在東關，一在交道村，一在陽合莊，一在南章客，一在丁林。陳志。

土地祠，一在縣署大門外迤東，一在城內東北隅。陳志。

固安縣 按：縣采訪册，社稷壇、風雲雷雨壇、厲壇均廢。

關帝廟，一在縣治西街，金明昌間建，元延祐三年重修。固安鄭志。李仝關侯廟碑記：固安附城之西南隅舊有義勇武安王廟，創於金明昌間，歷歲滋久，棟宇損壞。邑人王君柔語從子秉忠曰：茲廟不葺且仆。時延祐三年十有二月也。明年春，即興工衆，以君與從子富而好義，翕然樂助，不日告成。越二年，予分教是州，王君過予，徵文爲識。予曰：惟王昔佐蜀昭烈，雄南北伐之威，誓將踣曹仆孫，復振炎劉之祚，而天時人事之不齊，用弗克究，故身雖没而有不亡者存。其英風烈氣，罔間邇遐，赫赫顯應，福利民生如響，豈非得孟氏浩然之氣者，生爲名臣，没爲名神者與！至君王勳業姓氏，備載史傳者，予獨畧焉。遂書其説，而係之辭曰：歌舞會兮鞉鼓淵淵，士女集兮車馬闐闐。殽馨香兮既豐腆，酒多旨兮如流泉。神之來兮捷影響，隨不見兮風泠然。横四海九州洋洋如在兮，神之德降福兮穰穰。輔正直兮安爾室，炎遠舉兮不可留。雲收雨止兮寂寂，返泰初兮逍遥，長與物兮無極。

明弘治五年重修。

鄭志。錢福關王廟碑記：義勇武安王關公雲長，廟祀偏天下，精靈塞宇宙，聲烈昭簡册，端人正士義其忠，武夫勁卒壯其勇，田畯村嫗懾其神，弔士感遇之徒，又悼惜其功之垂成而敗，思有以報其仇，以洩其不平，若是者，千二百年於兹矣。而其心術之微，學問之素，非偶遭暫免之可剽，卽以得其與漢終始勛業之大者也。當漢之季，四海潰散，有力者競起。以王之力，提一旅之衆，以自爲吕布之所爲，不然則遨遊袁、曹間，亦焉往不得其志？而乃遥擇昭烈，以從事於涿，可謂有見矣。昭烈雖帝室之胄，當其微時，君臣之分未定也。而王周旋難險，侍立終日。及敗於操，非降則死，而王宛轉曲從，斬一敵以塞望，而其身以歸故主，操不得而留焉。是豈强悍直從者所能辨哉！史稱其好讀左氏春秋傳，其得於學，亦自有不可誣者。且方荆益未定，隆中未起，昭烈間關羈旅中，人莫侮，而獲信大義於天下者，徒以王爲之虎臣耳。使王不死，及章武之際，擬高祖入關之功，豈在蕭、曹下哉！及王既死，而荆州搆釁，漢竟以亡。嗚呼！王之係於漢，非小小也。是時操之賊有白之者，而權之爲賊未白也，自王首辱罵其使，不與爲婚，使人知權之當擯，及權賊王附操而後其爲漢賊者，始不得逃乎天下萬世之公議。然操尚知留王以傾權，而權不能存王以支操，非爲智不若操，而得罪於漢室亦大矣。故權之爲賊，自王白之也。操能使蔣幹説周瑜，而不敢使張遼説王，及以情告，及去且弗敢追，要亦知王之剛明，非其所能擾也。其去荀文若輩遠甚矣。後世乃以聖人之徒目文若，而不滿於王，豈理也哉！剛明正大之氣，人人同得以爲人者，雖或屈抑於一時，而終當感發於萬世，感發悼痛，積之之久而不可自已，然後吾心之神若有見焉，而神亦若有所答焉，此廟之所以由説也。非謂王之氣不散，而别有所謂神者行於天也。固安之廟，創於金明昌，迄今凡三修。今之修者，則邑人醫學訓科張君拱，致仕官張君英、于君諒，省祭官龐君雄，耆老劉瑾、牛微。綱紀其事、請予碑者，則邑大夫給事中王君欽、監察御史李君鸞、吏部主事劉君永也。固安與涿並列爲赤縣，其爲廟固宜。而王之死節臨沮，爲楚地，故於碑之末復爲些辭，以遺邑人，俾歌以祀云。其辭曰：虬鬚龍翔鳳沼莫些，上帝既命我版圖些，王兮歸來，勿吞屠些。刮創含笑，力拔許些。上帝既命我疆圉些，王兮歸來，勿超距些。王兮歸來，勿之荆些。赤壁煙銷，江水平些，王兮歸來，勿之益些。陳石㶑㶑，駢以積些，豈不遐思，西出太行些，誓殉國仇，奚有故鄉些。豈不遐思，東入洛陽些，虺蛇窟室，蛟龍遁藏些。桑陰芘鄰，童童如車些，羽葆亭亭，芨駐乘輿些。王兮歸來，帝情所于些，湯沐有邑，霈我郊墟些。邅有核兮，盤有魚些，疇薦黍兮，園摘蔬些。魂囘夢醒兮，釋樊豬些，鞭風霆兮，卜太虛些。遨遊八表兮，返厥初些，福簡簡兮，民歡唹些。壽皇圖兮，護儲胥些，王其不來，其民慼曷紓些！

嘉靖四十二年重修。舊志云：正殿上懸義勇武安王廟六字。元延祐五年，翰林編修牛師厚書，勢之飛動如龍翔鳳翥，真可寶也。後萬曆年間知縣孫識錦重修。一在南關，一在北關，一在南房村，明崇禎三年李鳳崗重建，十一年固安陷，神見顯靈於軍前，南房村人未遭殺戮。一在大辛莊。鄭志。

文昌廟，一在學宮前，上有奎星樓。一在牛蝸鎮街東，故址爲村人楊軼倫地，不知何年建。乾隆二十九年重修。後圮，軼倫子居恆捐貲重修，金碧輝煌，視往時尤壯麗矣。固安陳志。

城隍廟，一在縣治後街，明成化間知縣朱善修。陳志。陳口重修城隍廟碑記：我太祖高皇帝肇造寰區，詔中外，凡淫祠悉毀。其嶽瀆、城隍、山川、社稷之屬，稽典禮所宜者，令有司飭其壇壝，而歲祀加嚴焉。固安縣隸順天府，爲京畿大邑，舊有城隍廟，在縣治北，歲久將傾，制目卑隘。成化丙申，邑宰滁陽朱侯善之來，下車謁神，愀不自甯，顧政未洽於民，未敢遽興以役。越明年丁酉，大旱，禱神而雨。又明年戊戌，雨決河，禱神而水患息。既沐神庥，益欲經營。顧歲未豐登，猶不欲事土木。會水泛大木，浮而至者數十章，民又掘地得瘞錢，以白於官。侯顧僚佐曰：治民事神，政之大要。今此之物，上不耗帑藏，而下不糜民力，答神貺以慰輿情，此其時矣。乃諏日度地，鳩工伐木，侯又率諸僚各捐俸以贊襄之。適蝨傷稼，侯心憫焉，禱神。一夕，莫知所之。尋禱雪，復應。民益欣忭趨事，兹役經始於己亥春三月一日，越三月二十一日落成。臺砌增崇，殿宇增廓，門廡森嚴，垣墉堅緻，黝堊丹漆，焕然維新。廟之舊有八蜡祠，亦重葺之。其左爲道院，俾羽流宅之，以事洒掃。侯既刑牲告成，父老咸曰：是功不可泯，宜有紀以昭示後人。乃走稟師，求予文於石。予爲述其事於右，而系以銘曰：噫嘻皇明，統有萬方。剖符分土，重閉固防。因邱爲城，塹地爲隍。皆有神靈，默護其彊。矧兹固安，輦轂之旁。神祠弗飭，曷稱瞻望。朱侯初宰，顧力未遑。化成政洽，絃誦琅琅。迺新輪奐，延翼宮牆。歲時享祀，於薦牛羊。神佑下民，時雨時暘。靈爽如在，遐邇播揚。勒碑昭遠，曷云有忘！成化庚子夏四月。嘉靖丁巳，邑紳楊維傑重修，永應奎撰碑記。未録。萬曆壬子，知縣孫延長重修。陳志。郭光復重修城隍廟記：明定鼎燕京，詔天下郡縣有司，各飭壇宇，崇祀城隍。蓋謂境内山川、社稷、風雲、雷雨、蜡厲之神，皆憑依之，凡年歲之豐歉，閭閻之災祥，地方之水旱、盜賊，於此式靈，故載在祀典，春秋報賽不缺，非可與淫祠同日語也。余邑城西北隅，舊建城隍廟，坐縣治公廨之後，楊太史宅第之傍。先自成化丙申，邑侯朱公重修，嗣嘉靖丁巳，楊太史重修，暨今萬曆壬子，又若干年，歷風雨摧折，瀕水浸嚙，以致殿廡圮壞，其兩司神像多傾倒泥濘中，一應廊房牆垣盡荒墟矣。適邑侯禹城孫公諱延長者，下車瞻謁，愀然曰：事神治民，吾有司職也。今廟宇若此，神將焉依？神之無依，民將焉治？謀諸父老，遂先捐俸銀、倉穀若干爲士民倡，邑士大夫及長安二三中貴，皆樂捐助，得數百餘金。侯于是鳩工庀材，命五街鄉保楊師儒等分董其役，凡瓦壍傾漏者，補葺之；基傾棟撓者，徹新之；神像殘缺未備者，一一搏塑繪畫之。由大門寢殿以至東西配殿，司房、土地、火神、八蜡祠及鐘鼓樓、馬殿、井、兩廊道房，共若干間，以次裝修，未曾動民間一夫一力，不數月而煥然鼎新，神獲甯宇，道士得托廬而焚修焉。是役興於癸丑之四月，竣於本年之八月也。會是年六月間，馮夷作祟，外會諸山水，建瓴直射城堤，洪濤萬頃，水與堤平，俯視城中，高不啻丈餘，一線之堤將潰者數處。侯督率邑父老，濡首胼足，躬爲負薪。左右曰：勢亟矣，盍避諸！侯曰：民方昏墊，莫必其命，余何以身爲！乃具牲醴，仗劍祝曰：余與神共保此方，若不立捍此患，令水一入城，數萬生靈將爲井中蛙、釜底魚矣。當如此劍！是夜河伯有靈，於霆雨颶風驚濤哮吼之中，水竟減數尺。用是線堤得以泥丸保固，而城無覆隍之虞，一邑生靈，始免魚鱉。噫！此皆侯拯捄之力，而實城隍呵護之也。說者皆謂侯修廟之應，雖然侯之所以昭格者，又豈在崇祀遺交已耶！夫一邑之事，侯理陽，神理陰，其精神無一息不相感。民有善惡，神禍福之，而侯勸懲之；民有沴厲，神調燮之，而侯醫藥之；民有水旱，神節宣之，而侯捍禦之。對越冥冥之中，蓋有素矣。故今日四境晏然，無水旱盜賊之虞，夭札瘟疫之災，神實代侯而効其靈，又豈徒以修廟爲因應也！余適計竣居家，觀是役之成，與水患之弭，次第以記其事，而謬爲之頌曰：赫赫城隍，保障一方。庇國佑民，繫於苞桑。乃摧風雨，壇壝其圮。榱折棟撓，神靡依矣。侯鳩匠石，丹堊飭甍。畚鍤競勸，數月告成。會遭馮夷，城堤將潰。侯率負薪，洪濤倏退。金湯增固，壁壘增崇。民免魚鱉，惟侯之功。侯謝不有，歸之城隍。肆陳牲醴，昭假洋洋。神無常享，惟德是親。曰視曰聽，曰惟自民。窈兮冥兮，何心昭報。福兮禍兮，惟人自造。起念作善，景星慶雲。轉念作惡，厲鬼妖氛。顧此下民，蠢蠢無知。天網恢恢，尚其鑒之。暗室勿虧，惺惺夢覺。念茲在茲，永瞻廟貌。

康熙間，知縣鄭善述增建鐘鼓樓。陳志。鄭善述重建城隍廟鐘鼓樓記：邑何以有城隍？曰：倣古社稷遺意云爾。予弇陋少考核，其剏建命名未詳自始，獨于唐文粹書內見李陽冰撰縉雲城隍祠記，文頗典重，可知相沿崇祀，已多年所。迨明，遂大釐祀典，自都城暨郡邑，各立廟，著爲令。羣厲有司，旱乾水溢有禱，歲時有祀，朔望有瞻拜，悉所在長吏司之。而城隍何以有鐘鼓樓？曰：此規制盛自北方，每於大門內，左右翼然高聳，凡寺廟菴觀皆然，況城隍爲封內崇置，尤無可闕。以其教原自釋道，響嗒齊聲，萬感俱觸，可以通幽冥，驅邪障，雖儒者所不道，然當清晨昏夜，鏗然者能發人深省，鞳然者能壯人銳思，義不綦重哉！予宰固安，已歷六載，一切神宮梵宇，不肯黷祀。下車伊始，最目擊而神傷者，文廟門前乘車馳馬，竟成孔道，幸即改闢，魂夢稍甯。次則城隍之鐘鼓樓，傾圮未建，且舊鐘猶存，銅制古雅，棄擲土壤，久必蝕壞，時爲惄然。計土木工需費務二百貫始可襄事，自恨澁囊難舉，又慮邑貧鮮助，延捱日月，值今將離，不圖厥成，亦抱憾事。因勉捐三十金倡首；并讞理中遇小犯有力者，令量任工料，貸其笞杖；再募及紳士，寥寥實難，猶賴寄籍貿遷輩，多所資焉。合興工至竣事，費金僅百六十餘，逾月告成，不可謂非神力嘿相矣。相傳此神，愾僾時形，禱祝隨應，茲即其明徵歟！環封百里，從此共在聽聞，將憧擾妄念應之去俱消，懈怠昏氣聞之立奮，其亦何殊城隍之宣教號令也夫！

一在牛堝。陳志。

東惠濟廟在東關外。陳志。魯成龍東惠濟廟碑：永定河本無定河，乃我朝嘉錫之名，卽古稱桑乾河。溯其河源由山西太原之天池，伏見經流，袤長幾及千里，穿西山地界而達石景山，過盧溝橋，水勢奔突，遷徙靡常。國初以來，任其散渙，不事修防。迨乎于成龍建議，創築堤堰，疏濬並施，繼經怡賢親王同大學士朱軾，興修水利，渾流容衍屬之於淀，蕩漾澄澈歸津入海，自石景山以至三角淀，綿亘二百餘里，金隄屹立，安流循軌，保衛田廬。比來物阜民殷，興歌樂利，且歲需帑金數萬，工料所資，咸取給焉。每逢凌、麥、伏、秋諸汛，固資之修防，尤賴神明之顯佑，是以附郭治隄，敬建河神各廟，召募僧道，司其香火，甚盛典也。顧每年補葺祠宇，洎住持衣食，需費纍纍。查石景山南北岸各廟，雖舊有香火地一頃不等，租息入不敷出。夫以神靈赫奕，有感斯通，凡職任河防者，悉心經理，仰酬神貺。余巡視河道，數載以來，浪淨波恬，普慶安瀾之福。每於朔望展謁，以及輪蹄閱歷之處，思欲卽其已成之局，更肇不朽之業。歲在丙子，查出河灘地一百六十餘頃，具牘詳請，每廟添設地一頃至三、四頃。嗣今以往，歲入充拓，僧道得其補葺有項，俾廟貌祀典攸賴，答神庥而垂久遠，意在斯乎！誠恐閱視既久，復被豪强兼併，僧道侵漁，用是勒諸貞珉，庶後之覽者得以考焉。

西惠濟廟，在西關外，俱雍正十一年增修。陳志。定柱西惠濟廟碑：永定河發源山西太原之天池，伏流至朔州馬邑，會雁門、雲中諸水經宣化府之懷來，夾山西下，曲折盤旋而至京西宛平縣境，土疏衝激，數徙善潰，頗壞田廬，爲居民患。康熙三十七年，聖祖仁皇帝軫念濱河百姓，圖維捍禦之策，特命直隸巡撫于成龍，築堤濬河，以奠民業。由宛平之盧溝橋朱家莊，滙安瀾城注西沽以達於海。顧以新河放水之後，溜急洶湧，兩岸隄防多致坍卸，安瀾城河口淤墊，是以康熙三十八年，聖祖仁皇帝親幸永定河，相度地勢高下情形，特受方畧，於三十九年自永清縣郭家務以下地方，另開新河一道，改河口於霸州之柳岔口，而河患平矣。迺後河身漸致淤高，出水又復壅滯，我皇上御極，念切蒼黎，興修水利。雍正三年，怡賢親王、大學士朱軾，欽遵諭旨，歷勘河形，悉心區畫，自柳岔口引河流稍北，遶至王慶坨之東北入淀，使河水有所歸宿。雍正九年，定柱恭膺簡命，職任監司，下車三載，水流順軌，歲慶安瀾，濱河禾稼，悉獲豐登。此由聖主德盛，故河伯默佑，俾成厥功也。固邑城外，向建有東、西河神廟兩座，柱因而敬葺之，神像莊嚴，殿宇崇焕矣。但明神供奉，不可不爲遠計。查東廟有地五十畝，西廟有地連廟基共五十畝，祇敷僧道饔飧之費，而歲需香火缺焉。欽惟我皇上於永定河上游石景山，新建北惠濟廟，御賜碑文匾額，現在交部議撥香火地，聖心誠敬，至密至詳也。柱暨各屬均沭皇恩，神靈護佑，於固安東、西兩廟，悉願捐資置段德名下入官地，並贖回舊地，共三十頃，坐落永清縣第六里柳坨、大惠家莊等村，與固安縣之小西湖、張家場、李家營等村，存取租息，繳息存庫，爲每歲香燈祭祀之需，稍展報享微忱，垂之永久。所有捐資各員弁姓名，揭諸碑陰。康熙三十七年，霸州、固安各處，屢被水災，河伯效靈，鴻功告竣，賜名曰永定。雍正七年，特命建廟河干，廟名惠濟。乾隆十六年，復加封爲安流惠濟之神，在蘆溝橋者爲南惠濟廟，在石景山者爲北惠濟廟，於是固城東、西，皆建廟宇，朔、望展謁如儀，凡以仰承聖朝懷柔之盛典云。陳志。

火神廟，在城隍廟東。陳志。

八蜡神廟，在城隍廟西。陳志。

馬神廟，一在城隍廟側，一在東關新街。陳志。

獄神祠，在獄内。陳志。

土地祠，在儀門左。陳志。

三官廟，一在北新街小營龐家務二十五里，一在牛堝，一在曲溝。陳志。

藥王廟，一在北關，一在東紅寺，一在知子營，陳志。傅好禮重建知子營藥王廟碑記：上古自羲皇出世，繼天憂民，生疾病夭札，無能終其天年，因味草木，辨寒温，立醫家，作方書，以救盪於天行攻於情竇而殤於非命者。當時其臣岐伯，衍内經以窮息脉，其臣俞跗察五藏以療非常，此醫家之皇祖，而醫之稱聖、稱神、稱王者，舉皆宗之。傳及後世，代有名家，秦、漢之扁鵲、倉公，魏、晉之華陀、許旌，隋、唐之孫思邈、韋慈藏，之數公者，洞悉陰陽氣運之源，精徹脉腠浮沈之理，或察形望色，而知殀壽之由，或起死回生，而得靈樞之旨，醫道俱精絶矣。其在慈藏施藥，靡不奇應，玄宗重其行，拜之官不受，世仰爲藥王云。嗚呼！此藥王之廟所由始與！人亦有言，達則良相，不達則良醫，醫術與相道之相去，何啻霄壤，合而言之，蓋以司生人之命脉，贊天地之好生，醫之與相，其仁術均，然則醫術果小道耶？禮有功德及民者，載之祀典，無論羲皇、岐、俞，爲開物成務之聖神，萬古生民，舉蒙其賜。自倉、扁諸公而下，醫業精於當時，方書傳於後世，謂非有及人之功德與？宜乎祠遍城中，而祀者非濫觴也。知子營故建有藥王廟，未幾爲濁流淤墊，蕩然無遺。越三十餘年，鄉人王楝等，即故址聚衆累土結社，鳩材搆殿三楹，上有諸公之像，傍刻侍從數人，其位次面貌，不能悉辨，要皆有生人之功於當時者。工始於萬曆十六年，訖於二十年。視前之廟制恢闊，簷宇華美，儼然一方崇事之心。嗟夫！今之崇事乎神，非以其默相於冥冥，而能使病者愈，愈者長天年耶？大約人之病有兩端：風、寒、暑、濕，時行疫作，天之所以病人也；耽糊蘗，逞忿狠，迷聲色，好貨財，諸如此類，以致耗精敗血，損氣墮神，人之所以自病也。世之自病當什九，而爲天所病僅什一，什一者不可必，什九者所當慎，此之謂善事神者也。不然，萬事戚其心，百務勞其形，本真既喪，病入膏肓，羲皇再世，倉扁復生，將望氣而驚走矣，神其奈之何！因識歲月，並考神之姓氏、世代，更示醫業之當重，而尤於慎疾者三屬意。是爲記。陳志。

東嶽廟，一在縣東一里許，一在禮讓店，一在化家營，一在曹家營。陳志。陳塤重修東嶽行宫碑記：距邑治東一里許，有東嶽行宫在焉。厥基宏敞，厥宫深閟，神像尊嚴，侍衛壯古，儼如生者。丹雘金碧之飾，久經歲月，燦然猶新。凡在瞻仰，罔不恂慄。第始造之由，邑志弗載，舊勒蔑存，所可考者，惟以附城之西南隅有義勇武安王廟碑，紀雖未詳，亦因以知所自創，時爲延祐之初載，人爲市耆之王柔也。然多歷年所，不無損壞。正統三年春三月，大尹河南劉公敬來牧是邑，下車謁廟，見宫之簷傾脊圮，柱礎摧危，苔蘚荒穢，蛇鼯所舍，咨嗟不已，且惜其古像殊絶他祠，瞻顧移時，謂諸僚寀曰：廟貌非常，實爲固邑一方之勝覽，不葺必仆，心安忍哉！遂捐己俸，僦人工，市材木，刻期繕修，罅漏者補之，傾危者固之，腐敗者更之，剥落者飾之。由是灾者、疾者、訟者、耕者、商者，悉禱于兹，各以類應。故民每於春暮神誕之辰，共潔牲醴，無小大，無遠近，率爲常祀。嗣天順七年春，縣丞河東賈公貴復增以三十二司，内設神主，外護闌楯，建大門三間，伉然高爽，祀事益盛。迨成化丁未夏四月，坊市耆宿曹福、麗紀暨醫官張均拱、老人劉瑾等六十餘人集宫下，議曰：大殿堅緻，仍舊貫可矣；西廊凌剥欹倒，風雨不堪，我等盍一新之。言已，各出己貲以倡。即令工役破舊宇而拓新基，一時感動四方，老稚子女不憚道路，争先以負土焉。是時人積如蟻，土積如山，羣推通關廂牛微以董治之，微固辭。越數日，微寤寐間，偶見神責不任事，以掌撻其面，昏如沉醉，終日方甦。微惶恐汲汲，謝絶家務，對神立盟，自是夙夜匪懈，躬親勞苦。遐邇好善之儔，各隨豐約，出貨泉來助。微乃與同事者之蘆溝，求大材，覓工師，凡瓴甓丹碧之類，必擇其良者用之。先飾神宫，以動人之敬仰；次於宫之左、右建廊廡各二十八楹，以列諸司。宫之南建十王、龍虎、江東太尉殿各三楹；宫之東建天妃宫三楹，翼以繪廊，像神之出入。前建大門，門内建鐘鼓樓二座，飛仙異獸，聳出雲端。門外建獻享亭一所，玲瓏華麗，極于纖巧。四圍砌垣，垣内西南構瓦舍數間，爲灑掃者居。餘地盡植桃、李、棗、杏，用充時薦。規模制度，焕然一新，可謂輪乎奂乎。弘治壬子冬，聽選官厖雄、邑人王璐過予舍，以落成事告，曰：建宫浩費，雖出衆人之資，實由微數年不倦之力也，敢請文以刻石，俾後之人一舉目而知斯役之所由成。予謝以姓名卑末，不足垂遠。柰請益堅。辭不獲已，竊謂人之所爲也，有善焉，有惡焉，神之所鑒也，有福焉，有禍焉，善者降之百祥，惡者降之百殃，古今自然之理也。或反是焉，則非人之所能知矣。微發一念之誠，受衆人之託，即此善念，亦難泯矣。於禍福之來，是在神之降鑒而已，豈能徼媚於其間歟！謹記。國朝光緒五年重修，奏請御賜扁額，采訪册。一在牛堝。陳志。

北嶽廟，一在北關，一在馬莊，一在知子營。陳志。傅好禮重修知子營真武廟碑記：縣之直東約十五里許，鎮名知子營。北百武，舊有土阜在焉，高可二丈，方廣倍之。嘉靖中年，余曾叔祖名惠者，屬鄉耆善友，結社鳩材，建元帝廟於其上。廟制三楹，中坐帝像，侍帥端列兩傍，儼然拱立，若奉號令而從事者。凡入而瞻仰，罔不懍懍生懼心，真若鑒吾人之素履善惡而彰癉之也。且雨暘愆期，隨禱輒應。以故一方之人，崇事彌謹。比今歷三紀有奇，廟基被濁流呑占過半，殿宇榱桷，金碧彩繪又多風雨剥蝕，以是劉公昌稍加補葺，規制未拓。延數年後，鎮之善人如盧鈿、劉儀、傅如義者，復謀修之。工資之費，合一方之人家輸户效，期年告成。毁者完，隘者廣，丹雘翬飛，巍然焕然。衆謂余當記其歲月，非徒俾後人識姓名，將以示永存之義也。余唯唯不辭。謹按道書，神乃先天之氣，太陰之精，行乎天地，統乎陰陽，驂日馭月，鼓風駕霆，禦災捍患，驅沴致祥，橐籥萬彙，陶鑄羣品，轉旋立機，以成化工者。我太祖高皇帝，平定寰宇，惟神默相，靈爽赫奕。太宗文皇帝，肅靖内難，惟神顯佑，厥績昭彰，又大有功德於國家生民者。自武當建祠之後，而廟宇遍天下。鎮之有此，豈淫祀哉！夫鎮北有廟，從其方也。廟基惟崇，居則高也。俯瞰一方，聽其卑也。善善惡惡，報必速也。呵禁不祥，除妖孽也。雨暘以時，錫豐年也。奠我民生，護國祚也。嗚呼！神之功亦大矣。心存則神存，神存則應妙。然吾人之所以崇事者，尤有本焉。其本不在新廟貌遺文，而在率真心，敦實行，孝親敬長，睦族善隣，恤孤信友，勤作節用，神之所必佑也。忤逆傲慢，貪嗔邪淫，憑陵武斷，殘人便己，神之所必誅也。凡我同方之人，尚知懋勉哉。是役也，於十一年三月始事，於十四年二月工訖。肇基創建，莫爲之先，何以開其傳？振頽修廢，莫爲之後，何以續其盛？盛而傳，傳而遠，嗚呼，此後人責也。是爲記。

龍王廟，一在縣東半里許，一在孫家莊三十里。陳志。

永清縣

風雲雷雨壇，在縣南門外。永清周志。

社稷壇，在縣西門外。周志。

先農壇，在縣東門外。周志。

鄉厲壇，在縣北門外。周志。

關帝廟在縣署南大街，乾隆五十六年，知縣顧三秀重修；道光二十一年，知縣翟宮槐重修；咸豐十年，余汝修補修。永清李志。

城隍廟，在縣署西北，乾隆五十八年，知縣周良臻重修；道光六年，知縣毛占樞重修；十六年，知縣靈志召重修；同治十三年，知縣李秉鈞重修。李志。

八蜡廟，在西門外，咸豐七年，知縣蔣元瑞重修。李志。

火神廟，在縣署南，道光二十九年，知縣陳崑王者詔重修。李志。

金鵲廟，在縣治南三里，廟祀關聖，修葺時掘地得金鵲二翼，故名。有遼大安年所立石幢。李志。

東安縣

社稷壇，在縣治西門外。東安李志。

風雲雷雨山川壇，在縣治南門外。李志。

先農壇，在縣治東門外。李志。

厲壇，在縣治北門外。李志。

漏澤壇，在厲壇東。李志。

關帝廟，在縣治北街，順治十三年，涇陽張玉置香火地三十畝，勒石於廟。李志。李光昭城北關帝廟小記：

廟在縣城之東北隅。舊傳明正統初，有長髯老人，肩椅籐製帝像，尚未揑塑者，偶憩井旁，再負，竟不能起。邑人異之，立廟於此，塑土範金，閱日而像成，鬚眉軒朗，目光流動如注，凡禮拜者，人人不敢仰視，益駭異焉。後浚廟旁古井，得鉅刀，重八十餘觔，形製甚古，邑人以爲是卽帝所執之偃月刀也。其説無稽，不足信，而特其立廟之初，長髯老人負像而來者，果何爲也？此一奇也。既而負不能起者，神之有愛於是地，不能去也。又一奇也。久之，浚井得古刀，沈埋泥土，鋒鍔如淬，豈物之有靈而不可久藏耶？抑神顯其奇而默或使之歟？是又一奇也。故爲之記其説。

城隍廟，在縣治西南隅。李志。

土地祠，在儀門東。李志。

龍王廟，舊在縣治東門内，今改建南關外。李志。

馬神廟，在土地祠後。李志。

八蜡廟，舊在縣治西，今改建東門外。李志。

劉猛將軍廟，雍正二年奉敕建，今合祀於八蜡廟。李志。

旗纛廟，在縣東門外演武場，每歲文武官於霜降日致祭。李志。

忠義祠，在明倫堂。李志。

節孝祠，在學宮之西。李志。

香河縣

社稷壇，在縣西門外。香河劉志。

風雲雷雨山川壇，在縣南門外。劉志。

八蜡壇，在南壇東。劉志。

厲壇，在縣北門外。劉志。

城隍廟，在縣治東街。劉志。沈惟炳撰重修城隍廟記：余以戊午仲春，承乏茲邑，瘠壘尺幅，頹塹潴池，弛政滋多，不無次第待釐者。視事甫旬日，而邑之父老以廟工請。蓋此方敦神而虔事，可與爲善云。余縱觀舍宇，簷牙摧折，棟角傾欹，牖基圮促，果不若萬民望。緬思我國家，尺土莫不有神靈呵護，況城隍王者，邑咸託命，不葺焉非也。爲低回久之。爰定議，先百廢舉之，捐資鏹，募諸善類，鳩工庀材，度基定址而新之。當畚役伊始，掘地得窖，執事者馳告，發瘞得古錢若干，衆共神之，以爲默相其成也。經始於是年之三月，以十月終落成焉。往廣六十尺，今擴至八十有七尺；往縱百五尺，今擴至二百尺；往大殿三，後小殿三，蛙樓雉伏，不可名狀，今有前殿隆搆外，復架露殿三；往司房十，山門一，襟露時見隘甚，今增以十之二，爲大門者三，爲二門者一，前堂後寢，繚以左右曲房，翼以廊廡曹署，門廳側舍，總計間得三十五。神居巍炳，職載自今。殖殖者庭，惟神之憑。社稷民人，惟神之蔭。億萬斯年，保彼東城。以藩翼翼，拱我神京。是役也，創議於前令於躍雲氏，旋予甯未遑啟宇，而卒鼎新於余。土木工程，計費四百有奇。領會稽者，袁經歷文宗也。分委督工，則秦和、閻登瀛、陳萬言、崔更化等。協理募化，則顏廷輔、吳仲學、王永敬、胡致道等，布施則鄉紳趙拱極等，內相李用忠等，生員趙煒等，邑民秦和等，例得入記，與廟並傳。至於宦茲土者，或課工，或捐俸，職守固然，無容紀録。時萬曆四十七年四月。

通州

社稷壇，在州北門外。通州高志。

風雲雷雨山川壇，舊在州南門外南臺，光緒元年，知州高建勳捐廉，移建南關藥王廟西。高志。

先農壇，在八蜡廟西南。高志。

厲壇，在州北門外敕孤臺。高志。

關帝廟，在州治南，元天曆二年建，有碑。未見。崇禎十四年，編修吴國華撰碑記。未見。國朝康熙十一年，守道錢世清，知州閻興邦偕州人杜秉忠、柳國棟，住持道士焦思慧等重修。一在州城南運河西，向爲僧人施茶處，稱茶棚關帝廟。一在州新城南門外王恕園，明萬曆間建。崇禎二年，坐糧廳丁流芳修撰記。未見。國朝順治十六年，管河道太僕寺少卿張文明修。康熙四十二年，倉場總督辛保、石文柱，坐糧廳和碩色、江藻修。一在州東關廂，始建莫考，明隆慶二年，知州劉耀武偕百户竇鳳，大使吴儒，州人焦貴、朱江等因舊基廣其制，神像冶銅鍍金，故人稱銅關帝廟，州人吏部尚書楊行中撰記。未見。國朝嘉慶八年，住持界吉募化重修。一在新街，乾隆三十一年，知州萬廷蘭建。道光二十二年大殿災，重建。一在州東關糧食市，一在州舊城堂子衚衕，稱白馬關帝廟，州人將老君堂之老君像移奉於此。一在州新城，稱回馬關帝廟，一在州西關五里店，一在州東門外新村菜園子。一在州南門外，明萬曆間塑武像；國朝康熙二十五年重建，更塑文像，稱雙關帝廟。一在州南門外窰廠，一在州北門外竹木廠，一在孫各莊，明萬曆十六年州人孫民等修，國朝康熙三十六年，孫成明等修。雍正五年，孫文華等修，乾隆三年，李信等重修。一在漷縣十字街，一在石槽，一在港北村，同治元年重修。一在州東北平家疃，道光十九年重修。一在侉子店，一在州東隄子莊，光緒元年重修。一在煙郊鎮，光緒三年州人等重修。高志。

玉皇廟，在州城外八里橋，明崇禎九年建。一在張家灣長店頭，明萬曆二十年建。高志。

天妃宫，一在州北門内，始建無考，明崇禎十三年修。一在州北門外。高志。

碧霞行宫，在州城内堂子衚衕，每歲四月八日廟會。高志。

碧霞元君廟，在州馬駒橋南，始建莫考。國朝乾隆三十八年，發帑重修。高志。

御製重修碧霞元君廟碑記：馬駒橋南不數武，故有廟，以奉碧霞元君。橋既頽圮，廟亦陊蕟弗治。歲癸巳，飭工建橋，並命繕葺其廟，踰年落成。崇殿傑閣，自門達廡，采雘塗塈，翼然改觀。是固神所憑依，禮不可以不稱也。粤稽岱宗秩祀，著在經訓，而碧霞元君之名號惟出於道書，他無所考。推闡其義，蓋以岱居木位，其色惟碧，而東方主生，一本乎坤元之資生萬物，故有元君之稱，亦若古所稱后土爲富媪者。其宰化育物，肸蠁斯著，則世之奔走崇禮也固宜。而是廟傅橋而建，閲歲兹多，若與橋相爲興廢者。橋既復舊，則廟之鼎而新之，亦其宜也。或者疑神祠所在多有，詎必是廟焉憑之，而亟亟嚴奉爲者。夫神固無乎不在，惟所宅之地重，則其憑之也專。兹橋以涼水河所經，治而理之，俾益農旅，今者梁成利涉，水宅田腴，而是廟之揭虔迓庥者也。焕然一革其故貌，則當人之便於橋，即可知神之妥於廟也，而烏得謂所憑者之不在是耶？或又有謂：是廟即舊南頂者。其説無當，不具論。而余之所以因橋以及廟者，意實在此而不在彼。司工請記其事，爰書此以諗之，俾揭諸石。

三官廟，一在州新城内西水關，明萬曆三十四年建。一在閘橋，康熙十二年修。一在西關，俗名玲瓏脊。一在張家灣南門内，今殘圮。一在張家灣土橋，即福德廟，明萬曆間，内監張琪奏請李太后捐帑建。國朝乾隆四十二年，天津王起鳳重修。一在北門外高井。高志。

三皇廟，在州北門甕城，順治五年建。

真武廟，一在州北關。一在州治南，即浙省鄉祠。一在西海子，即今無量寺，同治十一年僧人定意重修。一在哈叭橋，一在張家灣，一在上馬頭，一在北劉各莊，一在高安屯。高志。

藥王廟，一在州城東，明崇禎初，州諸生陳所志請於知縣張兆曾建。高志。劉廷諫藥王廟碑記：郡城東郭有藥王廟，供二神，曰藥王，曰藥聖，傳是唐人韋公慈藏、孫公思邈。其王之聖之也，何昉乎？國家宗伯之典祀，三皇氏爲先醫，而句芒、祝融、風后、力牧爲之配，僦貸季、岐伯而下二十八人爲之廡，二公與焉。然稱王、稱真人，不聞其聖也。唐外史載：韋公疏勒國人，得道於上古，而顯迹於開元。孫公動有異徵，隱居太白山，累召而出。而吾郡志亦不聞有經行之蹟，其廟之貌之也，抑又何昉乎？里父老之言曰：嘉靖中，吾里瘟疫大沴，實用二公之靈，全活甚衆，迄於今將百有年所，而遠邇絡繹，駿奔走如一日。至相傳神之格思，有禱輒應，應以人，應以事，應以夢寐，種種殊妙，皆有實蹟可據。此其説近誕，君子所不道。然匹夫匹婦之愚，歷年之久，不介而孚，無脛而走，自非冥冥之上有以潛驅而默致之，其何以成？戴禮祭法之篇云：聖王之制，祭祀也，皆有功烈於民者也，非此族也，不在祀典。無論其大者，卽極之於坊庸道路，馬蠶貓虎，兵師疾厲之屬，而猶是黍稷惟馨，自古及今，莫之或易，何也？蓋皆有功於民者之族故也。況疾苦困阨之中，精神昭格之表，有異焉者，庶幾哉祭法所謂禦災而捍患者矣。於是諸生陳所志等，及里父老白於郡大夫曰：記有之，家祀不及鄉，鄉祀不及國，以鄉人之指舉於鄉，言之亦可行也。且國家則既已祀之矣，又非僭而創，其自今以始。國朝康熙十一年，州人重修。一在州西門外太平寺南，州人田大禄建。一在州南關，一在通州衛，一在州新城後街，一在煙郊，一在雙埠頭，一在漷縣南門外，今瀕圮。高志。

龍王廟，一在州東關。一在州土壩，同治六年通永道英良捐修。一在州煙郊，卽崇興菴，前配殿有龍王像廟，前有井水甚甘，今殿亦瀕圮。一在州新城西門内，一在州新城草場，一在州大街，一在州河東馬家莊，一在漷縣北門外，乾隆三十八年州判劉學洢偕生員楊敦五等捐修。高志。

東嶽廟，一在州東門外羅家口，一在煙郊，一在張灣東門外。

火神廟，一在州舊城南門内，一在州舊城南門外，一在土壩，一在張家灣南門内，一在張家灣南門外，一在漷縣南門外東南。高志。

馬神廟，一在州城守備署西，一在壩上正北，屬東城轄，明王鏊、石珤撰記。高志。王鏊重建馬神廟記畧：國家之大事在戎，戎政之大在馬，馬之生養蕃息在人，而亦有人力所不及，則馬神之祀固宜。詩曰：既伯既禱。周禮：春祭馬祖，夏先牧，秋馬社，冬馬步。我朝建都古冀，馬之所生 而通州爲地高寒平遠，泉甘草豐，彌望千里。世傳太宗興師與敵戰於此，若有相焉者，因詔祀馬神於其地。在通州之北，地曰壩上，鄉曰安德，旁爲御馬苑，凡二十所。春秋二仲，則太僕少卿往主祀之。其辭曰：皇帝遣某官某致祭，往必陛辭，返必廷復，其嚴如此。歷歲滋久，梁棟折摧，藩級甓圮，沮洳穢翳，人畜不禁，行禮至結茅以蔭，已乃撤去，風露橫侵，星月仰見，心虔迹褻，共相惋歎，而皆重於改作。弘治八年，太僕卿臣禮始具以聞。詔可。乃屬役於通州等二十五縣，財因歲登，力因農隙，始九年之二月，十年二月告成。廣殿穹堂，長廊邃廡，齋廬庖湢，完舊增新。周垣外，繚重門，中闢啟閉以時，過者祗肅。是役也，始前太僕卿臣禮，成於今太僕寺臣琮，於是學士臣鏊再拜稽首，書其事於碑。古者王畿千里，出車萬乘。國初，賦地於民而牧之，國與民蓋兩利焉。及今百有餘年，其地固在，然取之於民則爲擾，牧之於民則又擾，是何哉？方今聖人在位，百度具舉，而尤垂意馬政。琮等既協力以崇神祀，則在人者，其將次第而修復乎？銘曰：駪駪國馬，在甸之野。散焉如雲，駢焉如雨。有廟言言，在路之陽。始誰作之？自我文皇。敢有不虔，天駟煌煌。瞻彼雲漢，造父王良。有崇其圮，其自今始。神斯降祥，人惟致喜。昔在衛文，亦有魯僖。心維塞淵，思亦無期。功以才興，亦以惰毀，琢石鑱辭，爰告無止。石珤重修馬神廟記：國家自己卯用兵，歲閱馬幾千萬匹，登簡駿良，以服王事，四方底平。於時太僕卿臣舉等，奉命重修壩上馬神廟成，殿若干楹，門廡厨庫若干所，缺者完，墮者起，蒙翳者豁，漫漶者飭，閈閎者嚴整，望之儼然。經始於正德庚辰秋八月，是年冬十月落成。於是臣珤拜手稽首，言曰：惟昔先王之有天下也，制治於未亂，保邦於未危，天下雖安，蓋未嘗一日忘武備也。武備未嘗一日而忘，則馬政未嘗一日不講，是故有苑囿焉，若吾民之有田廬也，有芻牧焉，若吾民之有廩囷也，有羈鞠韉箠焉，若吾民之有衣被履舄也。至於人力所不能及，則又立祠以主之，亦猶吾民之有先農、先嗇也，其備如是，當是時，歌於皇華，則云騏駒駰駱；田於秦，則云駟鐵辰牡；牧於魯，則云驪黃騂騮；至於漢，猶曰閭巷有馬，而阡陌之間成羣，何則？養之之日多，而用之之日少也。養之多，則力不匱，先王之待物如此，而況於人乎？故神歆其祀，民受其福，而邦亦有終賴焉。馬之有益於人國也，亦大矣。顧古人其用武備也，以濟文事也，而弗敢黷也；其用征伐也，以佐禮樂也，而弗敢恃也。記曰：武王克商，歸馬於華山之陽，示天下弗復用，衅干戈而藏之府庫，示天下不復有爭也。兵且弗用，何有於馬？我國家聖聖相承，教養大備，臣下奉法，罔敢弗恪。苟以先王之所以使民者使民，所以待物者待物，舉而措之，今之天下將無推而不準，而豈獨馬政也哉！銘曰：維房有宿，爲文爲章。維天子馬，來翺來翔。伊誰主之？國典有祀。廟貌既作，修我祀事。坎坎擊鼓，以柷以敔。以豆以俎，以祀馬祖。神之樂之，報以景福。其蕃其牧，以駸以服。牧既蕃矣，士桓桓矣。俾我王事，無艱難矣。曰惟神功，亦民之衷。如必有修，昭之無窮。高志。

八蜡廟，一在州舊城南二里許，康熙十五年知州閻興邦建，一在漷縣城隍廟東。高志。

靈官廟，一在州東關，始建無考，乾隆四十四年修，高志。

許真君廟，即江西漕運會館，在州城内羅家橋，乾隆三十年，知州萬廷蘭率江西各幫運丁公建，道光元年重修，改名萬壽宮。高志。

大王廟，在州東關，順治七年建，康熙年間，住持如寬修；同治初年，住持普慶、心桂、源溶及晉人任愷、州人馮鑑、白樽等相繼募化重修。

鬼王廟，在州西水門，康熙二十四年知州李會生建。高志。

張相公廟，一在州治南，明萬曆間，浙商建。考神本浙之蕭山人，入水爲神。萬曆時有浙人經商於此，獲神佑，遂立廟山陰，王思任譔記。未見。國朝康熙五年薛理修。高志。

晏公廟，在州東關，明萬曆六年建。高志。

真君廟，一在北關金甎廠後，一在翟里村。高志。

張真人廟，一在州新城南門外，咸豐十一年州紳徐振彪重修。高志。

祖斛廟，一在州北門外，一在張家灣城外。高志。

護國崇甯至德真君廟，在州南漷縣永樂店景命殿西，明萬曆三十六年敕建，爲太后祈福地。高志。

城隍廟，在州舊城西南隅，明洪武間建；永樂四年，富昌伯房勝立感應碑；未見。天順、成化間，道士范全敬、劉敏元先後修葺；弘治間燬；正德初，指揮王宣、知州鄧淳倡募，州人王鷹等十三人重建。國朝康熙八年，州人陸萬鎰、道士鄧元鋭等修；十二年，户部員外郎張朝珍修十王殿；六十一年，州人張應龍、武子亮重修；乾隆四十年，州人黄鉞、王嘉猷修葺；四十七年，道士孫宗均募修；五十六年，州人邢璋等重修；六十年，陳國泰等重修；嘉慶九年，道士吴嗣、鎬州人李遇春、王嘉彦、蘇震遠等重修；道光二十二年，大殿寢宫災，道士樊嗣鎮重建，並添修諸殿配房；同治八年，道士鄭教瀛重修。明洪武時，凡州城隍以侯爵受祀，通州城隍敕封靈佑侯，國朝祀典因之。咸豐庚申有警，通郡勢如危卵，靈佑侯默衛城池，備昭顯應，經州紳呈奏，晉加顯應靈佑侯封號，咸豐十一年奉旨。光緒三年，頒領敕封顯應靈佑侯通州城隍之印。一在漷縣城東南隅，年久傾圮，乾隆十三年，州判葛光祖、漷人捐修，葛光祖譔碑記。未見。四十五年，被水冲塌照牆及周圍羣牆頭、門面牆，州判龍文鑣勸修。高志。

火神廟，在中倉南門東，同治六年州紳公建。高志。

龍王廟，在新城北後街，同治十年重建。高志。

竈君廟，在新城南街，同治十年重建。高志。

文昌祠，在學宫西，始建莫考。康熙十八年地圮。二十八年，知州程俊重建。乾隆七年，州人李鑑、李竣、王璧、丁虔文、丁培募修。乾隆四十二年重修。一在小街。高志。

工部福德神祠，在司空分署街迄西，州治馬號前隙地，明爲剥蝕，廟久傾圮。通永道葉紹本稽考舊志，以所管木税係由工部分設，祠祀其中，於嘉慶二十二年重建。高志。

正陽祠，在新城南街竈君廟東，同治九年州紳萬光暉、薛凌漢、謝嘉德、李玉如、吴維藩、沈釗，大興人劉鋆創建。高志。

吕祖祠，一在州北門外岳家莊，同治元年，州人楊福蔭、何桂菴、張逢化創建，嗣經州人藺福昌、方德矩、張紹基、郭維垣、潘鼇、劉玉麟，大興人安惠等捐資興修。十年前，江蘇常鎮道高長紳再修。一在法蓋莊，同治八年，州人藺福昌等建。高志。

閻忠烈公祠，在州北門外大關帝廟西，道光十七年，知州李宣範創建。高志。

李壯烈公專祠，在州城隍廟後殿，咸豐七年敕建。高志。

諭祭文：鞠躬盡瘁，臣子之芳蹤；恤死報勤，國家之盛典。爾李載文賦性忠直，國爾忘身，禦敵衝鋒，奮勇殉難，朕用悼焉。特頒祭葬，以慰忠魂。嗚呼：聿昭不朽之榮，庶享匪躬之報，爾如有知，尚克歆享。

土地祠，一在通永道衙門内，一在東路廳衙門内，一在州治儀門内東，始建無考。國朝乾隆十年，知州杜甲修建。三十九年，知州龍舜琴重修。一在漷縣州判署大門内東，州判龍文鑣重修，附祀龍神、馬神於内。一在州舊城東門外，爲知州王光謨建。高志。

于襄勤公祠，在州署土地祠内，爲康熙間知州于襄勤公建，知州曹元瑞、龍舜琴先後修補。乾隆四十五年，知州高天鳳重建。高志。高天鳳重修于襄勤公祠碑記：古人之制爲祀典也，不外法施於民，禦災捍患諸大端，而親民之官，爲民愛戴而有專祠者，義實仿此。故雖由邑郡歷封疆，豐功偉烈，百世惟馨，匪獨一州之祀是賴，而有其舉之，莫或修之，非俎豆前人意也。宫保尚書于襄勤公，曾知通州事，州人銘公恩，建祠於州署土地祠内之東，迄今垂百十年。州牧龍公舜琴，志在修葺，且得公裔孫農曹公命，將肇工，以擢守滇南未果。天鳳奉命受事後，謁公祠，見棟宇傾圮，堂復西向，祀禮罔稱，爰擴基址，鳩工材，諏吉從事，閱五月餘，堂成，升公之像南面，規模稍備，復以碑記闕如，奉書農曹公，乞公傳畧，并採志載，敬誌一二。俾州之父老子弟，咸知公享祀所由來，而後之守土者，又宜何如法守也。公諱成龍，字振甲，遼左蓋平望族。考得水公，軍功授輕車都尉世職。聖祖仁皇帝御極之七年，公以蔭令樂亭縣，著賢聲。十七年，直隸撫軍金公重公才，奏擢是州。十八年，公抵任，通當地震後，官廨未治，席棚以居，編氓苦不給，公爲之經畫區處，均賴以安。捐俸倡募，重建至聖廟，復置義學。其他祠守表坊，靡不次第修整。尤善治獄，忠信明決，頑梗皆畏服。時直隸撫軍于清端公與公同名，多惠政，故民有前于後于，百姓安居之謡。二十一年，清端公總制兩江，疏請以公除江甯守，制曰可。去通之日，士民遮道攀轅，感激不忍忘。建祠實始於此。公尋秉臬安徽，兼督下河，撫直隸，晉太子少保，遷左都御史，兼鑲紅旗漢軍都統，總統軍營運糧事，軍功授騎都尉世職，准承襲，復以兵部尚書總督仍撫直隸，濬永定河，招撫紙糊套寇，旋任河南總督，卒於官。時康熙三十九年二月二十七日，距公生於皇清崇德三年七月初五日，得春秋六十有三。賜祭葬碑文於西山楊家莊神道，謚襄勤，凡公生平政績，俱詳史館，不備書。天鳳承乏兹土，景仰先型，慮無以盡修舉責，爲守土者羞，幸祠落成，竊誌梗概而知通之俎豆。夫公者名宦，而外復有專祠，豈不宜哉！

烈婦葉氏祠，在州新城，明嘉靖十五年，爲神武衛舍人許紳妻烈婦葉氏建。每年春秋上丁致祭。侍郎李廷相、州人御史馬經綸撰碑記。國朝雍正二年，知州黄成章修，並以節婦林氏神主附祭於葉祠，額曰千萬年雙節之祠。乾隆三十年，知州萬廷蘭拆改關帝廟，於殿後置小三間，爲烈婦祠。四十六年，知州高天鳳以舊基甚寬，捐廉改建。道光十七年，知州李宣範重修，同治年間復修。高志。李廷相烈婦葉氏祠碑記：嘉靖甲午三月乙亥，通州舊城西觀音堂之東，有爨人許紳道卒，厥妻葉氏死之，其事甚烈，震動遠邇。大中丞張公嵩中，暨州守張公旄而下，咸以文祭之。侍御錢公學孔，上其狀於朝，大宗侍少傅桂洲夏公言，謂宜建坊，以勵風化。州民嗜義者施棺及地，與紳合葬。葬之日，男女聚觀，無慮萬餘人。又爲祠，歲時祀焉。而張守謂廷相曾備員史氏，後宜文其麗牲之碑，以昭示四方，以不朽葉氏。君子謂斯舉也，其於國家化民成俗之意，不爲無補，法得備書。廷相嘗謂，天地有大經，人道有大閑。何謂大經？綱常是也，是故君爲臣綱，父爲子綱，夫爲妻綱，猶室廬以居止，菽帛以服食，斷斷乎不可無者。何謂大閑？節義是也，是故臣之必死於君，子之必死於父，妻之必死於夫，猶冰之必寒，火之必熱，斷斷乎其不可易者。然是三者，夫婦尤爲重焉。蓋有夫婦，而後有父子，有父子而後有君臣，人倫之本，風化之原，可不重乎哉！顧世降俗移，人心易汩，雖號爲丈夫者，或竟不知節義爲何物，一遇利害，僅如毛髮比，輒反面若不相識然，是故臣悖其君，子悖其父者，往往有之，況閨門孱弱之質，素不知書，而能視死如飴，畧無所爲而爲之者，豈不尤爲難得也哉！今觀葉氏一死，烈足以昭耀今古，回視丈夫，反有所不如矣，豈非綱常之巨擘，國家之大端也哉！初，葉嫁神武衛舍人許紳，紳任俠不羈，舊業蕩然，出投所親，葉泣而隨之，然竟困抑不遂而死。葉守尸晝夜哭，或饋以飲食衣帛，俱不受，有勸改適以葬故夫者，葉愈悲痛，用是水漿不入口者十有四日，竟死尸傍。嗚呼！葉氏一念之正，雖當衆鬨羣咻之時，絶不爲動，心肝摧裂，血淚淋漓，要必至於死而後已。是故貞珉文石不足爲其堅也，蒼松翠竹不足爲其節也，皓星朗月不足爲其光也，六珈象服不足爲其榮也。是宜朝廷嘉之，諸大夫士重之，閭閻細民哀慕之，形諸圖畫，蓋天理之不容泯，而人心之所以不死，固若此哉！葉爲浙之蘭溪人，父名欽，死之日，年甫二十餘。銘曰：粵自灝穹，維人生焉。肇於夫婦，萬化攸先。世降俗澆，罔知節義。有克蹈茲，舉世爲異。烈烈葉氏，維德之柔。含貞抱粹，誰能與儔！故夫不祿，暴尸道左。俯仰世間，一死斯可。有衣弗衣，有食弗餐。吾夫弗覿，吾躬曷完！日夕待期，庶幾同穴。用表此心，青天皎月。惟柳之詠，簡而實華。惟黔之被，正而靡斜。桓鶯刑耳，共姜守義。凡若而人，亦各其志。懿茲烈婦，家世匪儒。氣靈而秀，惟順是圖。豈自要名，恥事二姓。其誰不死，得其正命。鄉人好義，爰葬斯邱，生無所歸，死復何求？有坊嵬嵬，有祠世世。日千萬年，貞烈之祀。

岳文肅公祠，舊在州南漷縣學宮東，明嘉靖十年敕建，萬曆間修，張琦撰記。高志。張琦重修岳公祠堂記：蒙泉岳先生，歷官館閣，觸權倖落職。成化初，起官興化，至郡丕釐百度卽康功，凡其所發慮，多宏達恆遠，去纖而圖大，今其蹟實咸可考見。嗣吏茲土者因之，則敍革用弗順。先生致政反於漷。郡之人思之，如鄭之人之思子產，立祠涵江澤，塑厥像，高鳩而長鬚，白面美目，陽然肖似於其生，冀若見之春秋，稱秩而享答焉。堂凡三楹，軒其前，中爲神位，左右夾室，以藏祭器。階東西有廡，可以聚立百執事之人。門三重，中門有屋，庭中可十丈橫稱焉。嘗詢之老長者，岳及今五十餘年，海平風休，眚災鮮少，爲生民流福利，到於今未已。蓋民知報公，公以是德於民然耳。或曰：公之材，宰輔也。不得彌綸贊畫於天之下，而涼涼僅一郡之畀。故公所不盡發者，有遺靈也。夫不以彌綸贊畫於天下者，天下利其利也，其所不盡發有遺靈者，一方之收其利也。河漢之水，萬夫航之，何水德之有？里有井，百家取足而日新，曰：我無是罔以資澤吾生也。公不利於天下，而利一方，則其爲利一方專之。專則厚，厚則悠遠，所謂百家之井焉。如之何弗思□□□□□□□腐茨瓦飄落，垣牆裂缺無完堵，□□□可畏，琦拜公憂祠之趨於壞也，迺播告諸民曰：願新公祠者聽！旬日，民樂助，得錢三十緡，募工治之。彌月，耀然麗、廓然明、居然壯，若故無而今有者。噫，志氣所動，遂遽有兹乎！先是，歲更守門一人，今令人專守。當役者，貺其金祠之，左有地十町，蒿且礫，發徒鋤治，平其土爲垣，令守者歲種麥亦足助其食。祠去府二十里，舊遺卑屬主祀事。琦敬告於僚友曰：公何如人，神之陟降，歆非其類哉，後此我輩當躬之。皆應曰：然。於是春秋以爲常，祝辭則刻之碑陰云：惟神性任天，能身負國器。論諍落職，起守莆陽。百度惟乙，黎民永懷。海支爲江，明澈行地，上有公祠，昭其清德，祀典有嚴，報功匪虧，於赫厥爽，庶幾永思。尚享。今祠在漷縣文廟内。高志。

欒山神祠，見魏書，祠臺莫考。

常國公廟，舊在舊城南門内東南隅，明洪武間敕建，祀開平忠武王常遇春，以欒山侯孫興祖配。每年春秋上丁致祭，正統十二年敕修。高志。王直重修開平忠武王廟碑記：正統十二年秋八月，通州守臣李經言，州城東南隅，舊有廟以祀開平忠武王常遇春，蓋洪武三年奉敕建。每歲春秋，守臣以少牢行禮庭下，載在祀典，今八十年矣。修治不繼，日入於敝，懼無以稱朝廷崇德報功之意，請繕完如法。詔可。命工部聚材鳩工，撤而新之，通州諸衛及州所屬縣各以丁夫給役，且命總理通州諸務都指揮僉事陳信督之。命既下，文武吏士，奉承惟謹，材不徵而集，工不召而至，智者效謀，壯者效力。中作正殿，翼以兩廂，前啟三門，旁列廚庫，凡諸像設，靡不畢備，宏麗廣深，有加於昔。經始於九月己酉，而以明年四月成。於是信來請曰：是役也，宜有紀，願書而刻之麗牲之碑。惟天生大有爲之君，必輔以不二心之臣。肆我太祖，受命而興，王以忠信智勇佐之，飛渡大江，震擊電埽，東南郡縣，以次削平。既復下兗豫，遂議北征。車駕至汴，申命大將軍徐達，而王爲之副，諭以仁義行師，毋殺戮以逞。天聲所臨，無思不服。王先至通州，禁侵暴，務安輯，人不知兵，市不易肆，皆愛戴如父母，遂收燕都。明年平河東，入秦。殘元復侵通州，至還兵拒之，通州之人，免於荼毒，其德王尤深。遂率師破開平，大俘獲而還。至柳河川，以疾薨。柩歸過州，州人皆罷市迎哭。既去，而念之不衰，飲食必祭。上思王之功，而知民之感慕如此，此廟之所以作也。昔漢桓侯張飛，號萬人敵，嘗拒魏將張郃於巴西，大破郃軍以安巴土，巴人德之，歷千餘年，廟食不廢。今王雄才大略，佐太祖定天下，兵威所及，王之績爲多，其功烈在朝廷，利澤在生民蓋甚大，較之飛，實過之。國家褒答勛臣，恩禮之厚，亦非蜀漢可比。王生爲上公，没有顯號，而廟祀永久，蓋宜也。王之廟在京師尤盛，此特其别祠焉耳。今天子又新而大之，所以承先德而報王功，其超越百代，可知矣。乃爲述其事，而系以詩。詩曰：太祖龍興四海從，惟王仗劍先來同，所向無敵摧軍鋒，通州亦在破竹中。安集還定揚仁風，閭閻歌舞靡怨恫。旌旗他指甲馬雄，絶迹埽影煙塵空。大星宵墜感帝衷，錫以顯號昭殊功。廟食於此罔不恭，聖皇繼述棟愈隆。神之在位儼儀容，調和陰陽斡化工。疵癘不作歲屢豐，春秋祀享無終窮。國朝康熙十年，改爲斗母宮。雍正二年，知州黃成章復奉公之位，祀於斗母宮之東隅，并修立王直舊碑，乾隆三十年折廢，碑亦無存。高志。

通惠祠，祠建於明嘉靖四十五年，以祠巡倉御史吳仲，督學御史顏鯨撰碑記，今祠基無考。

顏鯨通惠祠記：國家建都幽燕，歲漕自東南，經江淮河濟之險，與洪濤爭命於數千里間，比抵灣，率十鍾而致一。已復僦車牛，資丁壯，陸輓以達京師，費腳價巨萬。貂璫勳戚與諸强有力之家，競爲齒牙，攬結以牟利，不可究詰，邦民大厲。先是，元郭守敬謂：京西北白浮神山諸泉，流入宮城，勢東瀉，可瀹以舟，省搬運之苦。成化、弘治間，言者交章，每爲異論所乘，事輒中罷。嘉靖丁亥，毘陵吳公仲以御史按京儲，周視水道，盡得其狀，乃排羣議，抗疏以聞，力贊天子獨斷。上詔公卿決策行之。遂命仲專董其役，籌工程能，衆庶丕作，於是斥山通澤，決去陀泐漫漶，而泉流始清。塞諸水口之罅漏旁溢者，而小川始入。相遠邇，仞高卑，則壤置閘，而游波始匯。又隨其盈縮之宜，立疏導之法。剞舟具徒，鱗次轉運，皆有程度，以垂永久。下逮署舍橋梁，栽柳種麻，纖悉畢慮。工始於嘉靖戊子二月，告成於是年五月。費銀纔七千，皆取諸官帑之扣餘，而民不知。夫役徵諸車腳，而人不擾。水利大通，千艘銜尾自河灣直達都門，若峻坂走丸，率一日而立致四五萬石，歲省腳價十二萬兩。迄今御隄雲繞，水流其中，飛帆鼓枻，雖江淮之津不讓利焉。予惟士之擔荷世道者，不難於興天下之利，惟利興而不計其害之爲難，不在於成天下之功，惟功成而不居其有之爲大。方公之發議也，犯諸權貴所畏惡，而不以爲疑；及事興，羣不逞之徒，比黨危之，且爲飛語相煽，而不以爲懼；持衡中堅，事集論定，成百代之偉績，而不以爲德；勞苦功高，身竟外補，再官太僕，早已掛冠，而不以爲悔。然則慕公之高，與録公之功者，於此可見其概矣。公去後數十年，民益思之，相與立祠歲祀焉。因爲作詩使歌以祀公。詩曰：御河之水，其流湯湯。舟之楫之，乃萬斯倉。豈弟君子，爲謀允臧。御河之坊，其浸溶溶。沛我膏澤，河洛攸崇。豈弟君子，并力是營。御河之柳，鬱鬱其陰。願言永憩，實獲我心。勿翦勿伐，君子之林。御河之滸，爰搆我堂。惓此舊德，邦家之光。萬國至止，懷允不忘。御河之祠，歲歲烝嘗。勤我父子，采蘭縮漿。公其永止，其氣洋洋。時嘉靖四十五年，歲在丙寅。

三河縣

風雲雷雨壇，在縣南門外。三河陳志。

山川社稷壇，在縣北門外。陳志。

先農壇，在城東郊雍正四年建。陳志。

八蜡廟，舊在社稷壇，康熙五十三年知縣長華、典史曹文炳奉旨建於南店張相公廟内，前殿中供劉猛將軍及八蜡廟像。乾隆五年，知縣彭蕚采重修。乾隆十一年，知縣熊繹祖又修，制度始備。陳志。

邑厲壇，在縣北門外。陳志。

關帝廟，在城内東街。陳志。

城隍廟，在縣治西南。陳志。

馬神廟，在驛内。陳志。

土地祠，在縣署頭門旁。陳志。

獄神廟，在監内。陳志。

倉神廟，在倉内。陳志。

火神廟，在南門甕城內。陳志。

張大明王廟，在南店八蜡廟後。陳志。

忠義祠，在學宮東。陳志。

節孝祠，在倉前，二祠俱雍正二年建。陳志。

彭公祠，在縣治，祀康熙年知縣彭鵬。陳志。胡繼芳彭公生祠記：公宰泃六年，以特簡天下有司第一，奉命入京。將啟行，吾儕焚香挹水，遮道卧轍。我公單騎夜出南門，平明至潞，吾儕思且慕，建祠邑署東。祠成，額曰：泃邑真父母莆田彭公生祠。僉曰：公是行也，吾儕嘗詣闕乞留，有清慈仁義，公明勤樸，八真之狀，已樹之石，復書之額，誠不可以無記。邑人胡子繼芳，秉筆伸紙，聽輿人之言，曰：我公敬士崇儒，以斯文爲己任。文廟漂揺僅三楹，公次第新之，無缺典，未嘗募一銖，罰一錢。又設義學，置延師膳田二頃餘，正供代辦，以興多士。春秋糧未嘗設一卯，比一役，而火耗雜費，悉革之，並刊入納票內以爲例。又曰：我公甯人息訟，據理剖決，從無罰一粟一銖，歲終催報贖鍰，則云三邑自無地丁，歲終計費七十金，舊例也。我公云：使民苦，甯使官苦。悉自捐一切派累，下車即除驛馬芻料，平如民價，從無加稱淋斛。人命坐真凶，株連不問。盜案非贓明證確者不坐。昔東省與直隸讞賊，藉公會訊得白。馬蘭兵民爭地，藉公質成得明。通、潞，武清水旱，口北飢荒，藉公勘且賑。其他附會銷案，被誣得釋，獄成平反，雖他邑事，歲有數十人，何況泃邑之賴吾父母也。又曰：保甲行而尊親長，弭盜詰奸出於此，然少不善而流弊亦甚。吾公分邑爲八路十五鄉，命名親、睦、禮、讓、仁、義、忠、信。嘗云：顧爾曹顧名思義。設守望樓八百處，各樹旗，書『守望相助，傳鑼接應』八字頒之。數年內，概無縣役下鄉，雞犬不驚，盜賊潛踪，夜扉不闔。又曰：我公强項如鐵，絶不逢迎。值禱雨，有上官經過索魚肉，叱而去。京北差役咆哮，立命褫其衣，將置諸法。骨鯁多此類故事。墊道飲食若流，我公謂此民脂也，不以供億。由是內外雅重清名，概無所取。一日，道上饋大司空蘇公豚肩卮酒，蘇公歎曰：食爾饋，吾心何忍！然爾三河縣官清且苦，與諸司嘗一口足矣，命傾一卮，衆嘗不及遍。至今邑中傳爲佳話。又曰：我公寒不坐乘，暑不張蓋，布衣疏食，有寒素所不堪者。日用悉現錢平買。嘗云：儉以養廉。而誼敦古處，樂與人善。同城白守戎歿，治材爲殯，送其靈輀及夫人穉子至舟。吾邑有故儒曹持裕妻張氏，十七孀，湮沒不彰。公詳請建坊。其治己治人，悉以直道正氣，格天及物。蓋嘗題內署自勗云：酌水心如雪，焚香誓告天。蓋紀實也。是以上邀聖眷，屢荷異數，各憲交章特薦，且曰：善政善教，難以枚舉，吾儕欲以數尺貞珉括之，不亦難乎！繼芳敬聆輿論，筆而榜其略。公諱鵬，字兼山，福建莆田縣人，累世清白名宦。庚子鄉薦。甲寅閩變，拒僞三年，絶粒毀形，忠節最著。宰三河，清正循卓，蒙召見，賜金三百，以各案降十三級議調議削，俱特恩從寬留任。康熙二十九年五月，奉旨行取爲御史臺，今候補內府給事中。

武清縣

社稷壇，在西門外。風雲雷雨山川壇附。武清蔡志。

先農壇，在城外東南隅。蔡志。

厲壇，在城外東北隅。蔡志。

關帝廟，一在東門大街，一在朱馬頭，一在大頓村，一在楊村，一在南雙廟，一在石各村，一在西南莊，一在河西務，建自元代，明弘治、萬曆間兩次重葺，蔡志。米萬鍾重建河西務漢前將軍關侯廟記：距雍奴東北一舍而遥，有關市焉。以其在白河之西，曰河西務，居然重鎮也。故榷部駐是。市口舊有漢關侯廟，建自勝國，一新於弘治丙寅，再新於萬曆丁丑。至辛亥夏，淫霖爲虐，隄潰，侯之廟正當其衝，樓廡雖壞，殿宇屹立如故。殿右居民賴以存，衆荷侯庇，復謀所以新廡而鳩工未集。明年，萬鍾來董關政，益以俸錢，殿廡門垣，丹堊相錯，層楗外障，可永無虞。雍奴故隸涿郡，侯與昭烈帝、張桓侯奮迹之區，神貺宜先及之，其爲白河禦災捍患，必然矣。一在沙河村。蔡志。

天齊廟，一在縣治東十治，舊稱東嶽行宮，元至元五年重建，葵志。敬鉉重建東嶽行宮碑：甚哉，三才之爲本也。在天則日月之外，有曰歲星，曰鎮星，共爲五星，不惟經緯照臨下土，其所在之次於世，則有爲福爲禍之□。在地則有泰山、衡山、太華、恒山、嵩山爲五嶽，亦不惟分列方隅，限別遠邇，而其在於人，則有福仁禍淫之報。惟人居天地之間，雖幽顯殊塗，爲有□心通，其謂□也，不亦宜乎！夫天之五星，其應在乎分野之國，請姑勿論。而地之五嶽，岱山爲大，其在□考之傳記，各有所司，惟茲岱嶽，乃□神之長，五嶽之宗。世傳默主世人生死壽夭禍福之事，歷堯、舜、禹、湯、周、秦、漢、魏以來，惟有□□□之□□□傳者有云：諸侯祭境內山川之神。岱居魯地，故魯有旅祭之禮。迨唐通天元年，尊加天齊君，開元間，更封天齊王，及宋之祥符四年，復加天齊仁聖帝之號。自有天齊之名以來，故得爲天下通祀，即今聖帝行宫□□有之以爲□□瞻依修省祈福之所，且爲郡邑瞻視壯觀勝□之地。□□武清舊廟尤爲雄麗，此無他，一則此縣潞江居其東，□□在其西，□□處乎南，燕山列於北，其形勢壯觀如此。且自東漢封寇恂侯於此，昔號之曰雍陽，爲中都畿縣，至唐更名曰武清，久爲□守令□□所及，故風俗渲雅，他邑莫比，其□□修行者衆，所以然也。惜乎兵餘，盡爲灰燼，識者痛心。聖朝□壽天命經□□有銀青光禄大夫宣撫使□□慨然首啟虔心，夫人張氏資内助之誠，小宣撫興嗣，成繼志之善。及縣□□仁□□□□□柏松工役及本縣耆老資助，□□故能比之校尉馮珣，坊市李彦松等初修之廟，自光於昔，有大於□□□□聖帝大殿於其中，□佑聖真君殿於其東，至聖□靈王殿於其西，聖母位及寢殿於其西北，環以諸廊，□□□□□□□□□二大門□東西左右二□□□不何具其中□□華異卉，輕莎弱柳，扶疎照映，麗乎其新宫矣。使昔之□□□□□□□不惟□□□□□心，皆曰：此天下之□□也。廟既完，爲太常□□爲之記，以友人邱長世相託，故不得以淺陋辭。謹按：□□□□□之□□山□□中岱爲□雄。地神之長，五嶽之宗。福仁禍淫，默司冥理。唐、宋而下，世爲通祀。即今行廟，處處有之。獨唯武清□廟尤□。惜乎兵餘灰燼，無有觀者，莫不痛心疾首，廢與有教，無不在人。命從鳩□，相繼相因。宣撫王公，首啟其事，夫人内助，賢嗣□忠，里中耆老，本邑縣宰，共啟誠心。□□有□提控李召□役□□□□皆盡，廟宇一新。人奉神誠，神報人速，鈨看一方，誠應福禄。一在楊村，三月十八日廟會。（蔡志。）

城隍廟，在縣治西，建自明嘉靖丁巳，有王維垣碑記；（未見。）萬曆五年，知縣宋□重修，規制大備；四十二年，重修，王溥記。（未見。）國朝乾隆間，知縣吴翀重修；（蔡志。）吴翀重修城隍廟記：城隍之祀，考經典不載，豈後人設以保障一方，而名緣義起歟？自唐乾元中，李陽冰縉雲始有城隍廟祀。元草廬先生記江州城隍廟，後殿以穎陰侯配食。及有明洪武初年，詔封天下城隍神，在帝都者以帝，藩邸者以王，府州縣者以侯，以伯，正名定分，秩爲成憲，庸以垂祀典，昭祭法也。至於我朝，奉祀尤謹，月朔、望，官吏必親謁，春、秋賽，祀特牲。來宰其邑者，必先謁廟，若期與陰陽表裡，幽明一體，以共安小民者。蓋神道設教，所以警飭愚氓者至矣。方予始莅武邑謁廟，廟在縣治西北隅，距市數十步，槐陰夾道，廟貌頗巨。然考是廟，始建於明嘉靖丁巳，其後或修或廢，迄今年既久遠，正殿上漏下濕，兩廂壁盡圮，泥像露處於蒼煙野霧中，予心怦然動，令是邑之謂何？顧任其日就傾頽，不可收拾，何以揭虔妥靈，俾神明無怨恫乎哉？且比年歲頗豐熟，將欲聚材鳩工，民效子來，去朽腐，謀更新，易易也。於是首捐廉俸，並告諸僚屬紳士及邑民之温裕者，則皆欣然協助。遂經始於乾隆庚申九月，至辛酉三月落成。正殿以棲城隍之神，其東、西兩廡，則所謂十二司者列焉。後構寢宫三楹，其東偏地爲奉祀香火者建十餘椽，視此有差。於是榱桷翼然，冠佩森然，金碧丹青，塗塈悉備，遂爲一邑巨觀矣。予惟明有禮樂，幽有鬼神，其真有因果報應之説耶？與夫地獄變相，煅煉人魂魄，種種之羅網耶？此自有能辨之者。特是廟宇鼎建，視昔改觀，將神獲庇庥，而物無疵癘，邑人之利豈淺淺哉！工既成，爰礱石以志。道光十六年重修，張鴻楠記；不録。同治元年重修，董策記；不録。光緒五年重修，許楨記。不録。蔡志。

龍神廟，在河西務，地爲漕渠咽喉，春、夏之交病涸，夏、秋之間病溢，居民濱河建祠，以時祭禱。一在縣治西門外，一在楊村，同治四年，通判陸錫曾捐修。蔡志。

火神廟，在楊村。蔡志。

玉皇廟，一在河西務，一在楊村。蔡志。

碧霞元君廟，在蔡村。蔡志。

真武廟，一在縣治西南，一在楊村。蔡志。

文昌帝君廟，在楊村。蔡志。

天妃宮，在海津鎮，元泰定三年建。蔡志。

藥王廟，一在東門外，四月二十八日廟會，一在柳行，一在楊村，一在南掘河，一在王慶坨。蔡志。

楊公祠，在楊村，祀前明兵部員外郎楊忠愍公繼盛。蔡志。

李侯祠，在楊村，侯名本固，前明萬曆間任縣事，有惠政，行取爲刑部主事，吏民懷之，建祠勒石。蔡志。陳懿典李公生祠記：上俞銓部之請，諸郡邑治行高第需次久者徵入諸曹，以侯臺省之選，於是余年友震門李侯，自武清入佐廷尉。邑之三老子弟與縉紳文學，攀留不得，則謀所以識不忘者。構祠肖像，勒石紀德，而乞言於余。余固謝不敏，且語之曰：侯治不近名，而以名頌侯，此非侯意也。世固有上操見德之心，以邀其知於民，亦有民借去思之説，以結知於上者，何少徐之。而三老輩固請不已，曰：愚民不識名之難近，第識實之不可忘，兹役固不敢聞於侯，亦非侯之所能止也。予感其言懇而意堅，不得辭，乃令其熟數侯之政而論次焉。武清爲京兆之巖邑，當南北舟車孔道，賦重而差繁，龐雜無等，民不勝累，累久則困，困極則求避無所不至。弱者流亡轉徙，而輕去其鄉；强者舞文避重，以加於人，甚至憑藉權貴，以脱其所苦。兩者日多，則見户之疲於奔命日益甚。侯下車，遍爲諏咨，討其利弊之源，慨然曰：合邑之苦，苦在差不□□於上無以甦全力，差本苦而又生强弱兩避之端。若不均調，若不招徠，若不恢復，愚民何以濟全力？乃首議節省，自縣署始，凡什器，凡輿臺，凡卒史輿夫傳柝舉燎之類，無不汰焉。然後及於上官之供應，郵傳之冒濫，以次去其太甚，遂可省里甲數百金，積歲可省數千金。民已寬然如釋重負矣。次乃議均平，凡役之重而不可減者，皆令挨年遞充，而不獨累於單身。次乃議復業，流亡者風厲來歸，不遽責之以役，俾少得息肩。蓋兹土之民，得侯而始安其生，樂其土矣。侯又以其餘力，捐俸入，繕修學宫，創建魁樓，用以作人養士。值歲之不時，淫潦爲災，所在圮城郭，壞廬舍，而侯預鑿溝洫，通水道，邑地獨得完。當是時，道殣相望，朝廷憂勞，畿内發帑分賑，而侯躬爲循行，賫糜散粟，全活獨多。他如拘提卽委原告，而無追呼之擾，兩造聽民願息，而免株連之弊。歲賦令民自封自投，永絶羨餘之竇。法皆可久，諸不具論，論其大者，則侯之精神所注，惟在節浮以佐虚，節用之效既見，乃因而整頓焉。如久病之人，先務省事而漸復其元氣，元氣既完，而吐納之法可施，櫛沐之功可用，自無虚耗之憂也。前史循吏所去，見思所傳，不過便民一二事，以古人表善，惟舉其大，其諸周詳纖悉，可以類推，故余於侯獨詳其大，旨在節愛宜民而已。侯先令澤陽，復徙商邱，皆有善政，兹特紀其武清之績耳。漢朱邑爲三公，而其功德於桐鄉獨著，邑以爲後世子孫祠，我不及桐鄉民。侯仁心爲質，明習法令，用以稱聖主明允好生之德意。上嘉意民瘼，覽侯平反之奏，必且曰：是向在京邑能狥百姓之急者。九列八座，行且不遠，則武清固侯之桐鄉乎！侯姓李，名本固，字維甯，别號震門，壬辰進士，山東臨清州人。

八蜡廟，在縣署前，歲久失修，乾隆年間，知縣吴翀重建，並祀劉猛將軍於前殿。蔡志。

寶坻縣

社稷壇，在縣西門外北里許。寶坻洪志。

風雲雷雨山川壇，在縣南門外。洪志。

先農壇，在縣東門外韓家橋東一里許，雍正七年，知縣廖翼奉文建。洪志。

邑厲壇，在縣北門外半里許。洪志。

鄉厲壇，每里一所。洪志。

關帝廟，在縣石幢前，有禮部尚書王鐸濯靈二字額。洪志。

城隍廟，在邑中，殿額觀火二字，亦王鐸書也。洪志。

八蜡廟，在縣東門外。洪志。

馬神廟，在縣署東。洪志。

土地廟，在縣署内。洪志。

忠義祠，在學宫東。洪志。

節孝祠，在學宫西。洪志。

甯河縣

社稷壇，在縣治北一里許，乾隆六年，知縣李之蓉始建，三十二年，知縣薛端重修。甯河丁志。

風雲雷雨山川壇，在縣治南五里，乾隆六年知縣李之蓉始建；二十七年，大水冲坍；四十三年，知縣關廷枚重建。丁志。

先農壇，在縣治西一里許。丁志。

關帝廟，在縣治中十字街口，建自前明，年月無考；乾隆二十四年，知縣謝洪恩重修；四十二年，復修。丁志。

城隍廟，在縣治北街，建置不知何代，前明萬曆年間，都督僉事陳公夔者，倡衆捐修，有碑記；乾隆二十五年，知縣謝洪恩重修；四十一年，知縣關廷枚倡捐修葺。丁志。

劉猛將軍廟，在縣治西門外，昔爲西佛菴，乾隆七年，知縣李之蓉詳請動項改建；乾隆三十八年，知縣黄紹魁復行修葺。丁志。

文昌祠，在縣治東門外，始建年月無考，乾隆三十九年，闔邑重建，魁星樓在祠前。丁志。

土地廟，在縣署大門之東，規模頗隘，乾隆四十三年，知縣關廷枚重修。丁志。

火神、馬神廟，合祀於縣署之西，建設不知何時，乾隆二十五年重修。丁志。

龍王廟，在縣治南門外，建置年月無考，乾隆二十七年重修。丁志。

真武廟，在縣治北門外，建置年月無考，乾隆二十八年重修。丁志。

名宦祠，在學宫戟門之左。丁志。

鄉賢祠，在學宫戟門之右。丁志。

忠義祠，在學宫櫺星門外之左。丁志。

節孝祠，在學宮櫺星門外之右。丁志。

大學士杜公祠，在邑東門外文昌閣西，祀保和殿大學士謚文端杜立德，康熙三十九年建，文端公弟立本江南廬州府知府。監修，內有御賜永言惟舊額。丁志。

王剛節祠，在邑南門外西口，祠提督銜安徽壽春鎮總兵謚剛節王錫朋，道光二十一年，奉旨建。丁志。

諭祭文：朕惟睢陽抗賊，崇祠載表雙忠；常郡殉軍，懿謚聿彰孤蓋。緬靈旗之慘澹，酬勇爵以欷歔。爾原任江南壽春鎮總兵、提督銜王錫朋，質秉雄驍，性生沈鷙。始鷹揚於北冀，捧檄馳驅；繼虎奮於西陲，從戎慷慨。天山傳箭，一軍騰陷陣之威；月窟迴戈，六翮賁飛纓之賜。遂立營於臨武，旋討逆於江華。貔虎協心，猺獞授首。鋭勇錫之寵號，戎閫晉其崇階。駐閩海而建牙，分皖江而作鎮。旌旗壯色，草木知名。屬以定海邊陬，妖氛屢熾，統大軍而俘馘，練勁旅以成城。氣掃欃槍，猋馳列缺，風雲叱咤，鵞鸛山摧，霹靂轟隧，鯨鯢水泣。乃連宵鼓角，軍中之戰士聲酣；而盡日煙霾，海外之援兵路絶。勇方投夫桀石，傷竟等於伏弢。同難三人，死綏尤烈；裹創百戰，著績最多。銜恩矢以捐軀，省奏爲之霣涕。是用渥頒賻布，追慰忠靈，延賞來礽，易名剛節。褒忠有典，詔海濱爰建軒楹；槀葬無期，就閭里更營榱棟。於戲！淒涼馬革，呼臯何處招魂？騰逴鳶肩，結草尚堪殲賊。妥茲芬苾，庶克歆承。

碑文：朕惟巖疆效命，深資禦侮之才；崇鼎酬庸，懋著旌忠之典。聽鼓鼙而增感；宣綸綍以加褒。載賁彝章，用先豐碣。爾原任江南壽春鎮總兵、提督銜王錫朋，英貞天挺，果毅性成。冀北翹材，曾與鷹揚之選；河西作將，聿彰虎奮之威。掃遺孽於回疆，俘馘奏紅旗之捷；策膚功於邊徼，冠纓影翠羽之華。追躋臨武之參戎，會值苗蠻之滋事。殄楚氛於方熇，前驅立致其渠魁；連粵界以窮搜，突入又擒其羣醜。賜銳勇而無慚寵號，擢協閫而旋總軍行。方建節於閩中，遂移幢於皖土。屬以潢池告警，定海徵兵，命提貔虎之師，殲彼犬羊之族。雷霆迅擊，授逆首以駢羅；晝夜兼鏖，激士心而轉戰。誓固金湯之守，競角驍雄；遽沈珠斗之芒，慘罹蠆毒。覽封章而墮淚，憫勞勩以加恩。厚帑特頒，崇階晉卹，爰訪遺孤而襲廕，兼祠故里以昭忠。鑒乃棐忱，謚之剛節。於戲！表大將祈連之家，馬革空懷；銘藎臣册府之勳，螭趺式煥。寅承勿替，申眷無疆。

興寶聖母廟，在蘆臺，元代兩次修葺，日下舊聞考。平州路廉訪趙鑄重修蘆臺興寶聖母廟記：漁陽東南三百里，有蘆臺焉，面海背山，左踞曠野，右跨大河，地僻而卑，民勤而野。男薪女汲，聚土而煮之，成鹺而後已，舟車水陸運之于民，令貴富賤貧，旄倪大小均食之，日獲萬緡，以輸公府。向者大安末，河朔不逞之徒，嘯聚山谷。後天下革，人獲小康。歲次庚寅，國朝設十路徵收所，選通古今、練錢穀、明儒術、嫻吏事者以補之。前學士陳公秀玉爲舉首充燕路長，前太學正趙德輝副之。明年辟鑄行提領關防鹽使司事，于是集場中遺民五七人，俾誅茅翦棘，拾瓦礫，平陷穽，屋而居之。一日，沿水而西，見有廟巍然，榜曰聖母。詢諸由來，僉曰：不知。獨一老能道之：昔五代時，南北各據，限以疆界。幽燕之地，鹽絶者歲餘，百姓病之。忽有姥語人曰：此地可煮土成鹽。遂教以煮之之法。數日，俄失所在，居人神之，聖母之號，實自此始。由是公私饒足，祈祠下者，皆如所請。鑄因禱之，黎明有告者曰：臺南十里，皎白如春雪者十數頃，其厚寸餘，迫而視之，則鹽也。盡驅土人，挾箕筥收之，力未竟，復嬰而爲水，乃作瑞鹽歌以頌之。學士陳公，亦留詩廟壁。後二載，聶赫公來長鹽政，謁聖母祠，仆者起之，闕者補之，頹者扶之，壞者成之，天龍置之于左，雷師、風伯安之于右，廟貌一新焉。屬鑄書之刻于石，丁未年二月望日也。翰林直學士高鳴興聖母寶廟記：至元二年，大中大夫禮部侍郎倪德政爲中都轉運使，提領税使司丹珠爾丹同知使事，實坻縣鹽使曹嚴臣副之。三人共政，動無遺慮，而又諮議石慶祥、經歷王榮諸掾，使交修參贊，盡袪宿弊，人誦其德不輟。聞之曰：方今朝廷清明，法度修舉，吾屬第行之惟謹，何德之有！若考其所自，神之錫汝，不既大矣乎！今聖母遺廟雖存，風日隤圮，苟能完覆，其庶幾矣。闔場耆舊聞其言，庀徒蕆事，不踰歲，殿堂門廡，焕然一新。歲在戊辰，副使崔鸓，鹽判張仲智、李士珍、李昭，管勾李伯俊、劉甫等，謀刻石以識本末，介詳議張君孝純來請。予惟世之人有片能銖效，輒自負，惟恐人之不我與，今侯裕俗之能，理財之效，著人耳目，顧乃温恭恪遜，與人言則歸美朝廷，歸德于神之所自，可謂賢也矣。相傳五代時，南北分據，畫疆而守，幽燕之地，絶鹽歲餘，百姓病之。忽有姥語人曰：此地可煮土成鹽。遂教以煑之之法，俄失所在。衆以爲神，聖母之號，實自此始。丁志。

趙德鈞祠，在蘆臺巡檢司衙門内。按：蘆臺並無趙德鈞祠，亦無巡檢司舊署，乾隆三十年因增修一統志，奉方略館行查，查覆有案，想昔有之，日久其蹟湮耳。

昌平州

社稷壇，在州城西門外。昌平宋志。

風雲雷雨山川城隍壇，在州南門外。宋志。

先農壇，在州北門外。宋志。

厲壇，在州東門外少北。宋志。

龍王廟，一在龍嶺口，明洪武八年重修，同治十年，祈雨有靈，奏請御賜匾額，又重修殿宇。一在鳳皇山，光緒四年，御賜匾額。一在大峪山，光緒九年，御賜匾額。宋志。

關侯廟，一在州治西南，一在州城東門外。宋志。

馬神廟，在州城東門外。宋志。

土地祠，在州署内。宋志。

火神廟，在城内東北隅。宋志。

城隍廟，在州署内。宋志。劉一麟城隍廟祀田記：城隍之祀，古不經見，追宋姚鉉編唐文粹，始載李陽冰縉雲城隍祠記。是祠肇於唐，而盛於宋、元者。我明定禮樂之極，大釐祀典，城隍之神始著令甲。自都城以及郡邑，各有廟祀。有事於山川社厲，則載其主以行，押羣祀焉。職郡邑者，必先涖而後從事，厥典良重矣。我昌平畿輔爲郡，於制有廟，有司歲祀惟謹。耆民侯蕙等私謂：常祀之外，瞻依輒輟，塵積甃毁，殊非祇奉神明之道。乃結社鳩資，買田若干畝以奉時祀，歲時伏臘必祭，致祭必齋，不謹則罰，仍命黄冠者一人主田會事。戒之曰：私漫之會勿假，賓客之宴勿需，香火之奉勿褻。觀者謂其義起之禮可記也，遂礱石具狀，乞余言以示永遠。余謂城隍之祀非古也，城隍之祭有田，愈非古也。雖然，緣民情而可以裨化聖哲，不必廢也。夫古道漓散，至教靡定，祠禱之事，千種百種，禍福縈懷，死生惑衷，殘形破産，以奉佛老者何限，嚴防亟禁，迄弗可止，人心之溺既深且久矣。祀田之舉，雖非憲典，可不謂充祠禱之類，而不失其正者乎！較之捐天倫以事胡鬼，投浪資以儌必不可得之福者，不啻徑庭矣。鴻士遠猷，達人隱憂，牖明以祛蔽，引其漸以挽其不可止者，將不在兹邪！將不在兹邪！余嘉其意，故爲書之。其田畝區至之詳及司社諸姓氏，皆附之碑陰。

東嶽廟，在東門外。宋志。

英濟侯廟，在大街東巷内。宋志。

八蜡廟，在南門外，明萬曆年建。宋志。劉文琦新建八蜡廟開水田記：古昔重農，孟春元日祈穀，上帝啓蟄必祭，祭後耕。至建亥月，復祭。蜡神有八，曰先嗇，曰司嗇，曰百種，曰農，曰郵表畷，曰禽獸，曰坊，曰水庸，皆宰農事，爲萬民司命，歲終祀之，所以報本反始，息老送終也。時郡邑祀典，維春秋一展社稷壇，置蜡神不問，北地一望蒼莽，故沙漠場，白壤而耕，維黍稷來牟之類，是藝是植，不知稻田何狀。間有源泉汙澤，障水種稻其中，不什之一。故太倉之粟，輸自東南，陸輓水運，如汲西江治鮒魚然。昌平枕關拱極，地當孔道，南十里兩溪滙流，周行爲沼，行者錯趾田間，蹄齧禾稼，農夫莫誰何，實階之厲。吾年伯李侯，家世刺史，先守貴竹，孳孳課農，迄今庚桑祝焉。補禄燕平，下車詢民疾苦。偶税駕郊以南圉隸著足處，踏青以行，愀然思曰：古道也，魚鱉遊之；禾地也，輿馬馳之。豈愛吾民不若魚鱉哉！彼汪汪大澤，非北地也，謂兹地不可以田，古鍊石補天，鑿龍門，導河下砥柱，豈異人任，而謂造化不在吾手也？延父老商之，曰：是地有大利，乃歲歲大害耶？吾爲爾遠害圖利。語云：太上因之，最上與之争。不因水因地，而令侵道侵禾，則互爲争也，曷若因之便，地阜者可塗，卑者可田，水東流可因勢導之下，吾當檄請於上，相地宜高下，因之築大道以通行旅，開阡陌以成田疇，又引水順流，以資灌溉。兹舉也，商不困行，且得大道；農不損稼，且歛嘉禾；水不横流，且使蓄洩；無一害，獲三利，何憚之不圖！父老手加額。侯卽日濬鑿，庶民子來，不數月，闢田二百餘畝，田野皆青。公餘試一巡省，耕夫餉婦，擊壤而歌帝力，稻熟，民取其三，公籍其一以佐上供之乏。因民而利，不費民一毛，貺之粒食，爲德甚著。田成，復念先王春祈秋報，謂司農之神不可忘也，捐俸搆八蜡廟於原隰之野，刻木爲主，令耕者，令穫者，時俎豆拜禱其下，以答明貺，介景福，固不朽盛事哉！昔叔敖起芍坡，楚受其惠；李冰鑿灌口，蜀以富饒；西門豹引漳於魏，興鄴旁稻粱之詠；鄭國道涇於秦，來谷口禾黍之謡。國朝如馬從隆知霸州，勸農桑；汪溥知薊州，濬龍池河，都聲施後世，史册可考，較李侯功德孰大？儻諸郡邑所在溝洫裨國儲漸充，少減東南漕運，詎不偉與！廟前搆亭，亭前爲池，種荷數百本，葉茂花開，灼然河陽滿縣。歲時伏臘，父老子弟臨流欣賞，一遊一豫，殊足以仙。按：古蜡祭之日，天子具黄冠野服，偕更老周旋，龡豳頌詩，告農工之成，擊土鼓，恤老幼，以示休息，故曰：百日之蜡，一日之澤。仲尼嘗與蜡賓，事畢出遊於觀之上。侯此舉，政與古合，抑亦後天下之樂而樂耶！事始辛亥九月，竣壬子三月。倡義自李侯，主之者爲署道事張公，今本道曹公。張諱檏，别號芋田，閬中人。曹諱俞參，别號坤齋，涪州人。李侯諱逢春，别號懷萱，潼川人。皆吾蜀産也。合謀興此大利，信蜀有人哉。侯起乙酉賢科，屬先省元雁行，爲余父執。史遷有言：廢世家賢大夫之業不述，罪莫大焉。余辱侯世講，予不忍湮没長者之善，舐筆述其大凡。侯彊毅而介，多惠政，未縷指，姑標此一節，磨礲紀之，俾采風者附河渠書、循良傳後。

雅克特穆爾生祠，在州西南十二里紅橋。宋志。

狄梁公祠，在州西八里，爲昌平舊縣，元大德年間重修。宋志。宋渤重修狄梁公祠記：秉輿歲幸二京，昌平故邑也。縣治在燕山南麓，當勾陳豹尾之衝，公卿貴人頓宿伍庶人舍。邑北門外舊有唐狄梁公廢祠，不知始建何代。大德三年，縣尹遼陽王君敬率同事葺新之。今中書左丞吕公天麟見之曰：古唐賢輔也，是祠自出雖無從考，然景行先哲，修廢興善，良民吏事也，葺而祭，宜哉。需作記，吾佐汝輩一碑材。工人有未具者，吾亦佐之。未幾就緒，凡再閱月，祠之内外皆完好。具其事來謁予於圖史府，曰：祠成當識。竊謂傳有之，能捍大患，能禦大菑者，咸載祀典。按狄公於唐社稷，史具名節，蓋房、魏、姚、宋等。如忠格悍后，力争廢主，究之四公之遭世遇合，以孤身當横流中，毅然不易一言，極難事耳。史稱甯州爲勒石頌德，彭澤爲立生祠，魏州復有生祠，皆其所嘗臨治，恩信及人，既去而猶思之者也。今昌平於傳未嘗作邑，而祀之何耶？按萬歲通天中，罷魏州，嘗轉幽州都督。中宗反正，自右肅政御史大夫改河北道行軍元帥，其罷修城守，具論發兵戍疏勒非是，請曲赦河北脇從民人，蓋獲免者數千萬計，皆當時施行。其有大恩德於燕趙間甚昭昭，夫豈直昌平哉！吾嘗往來上谷、漁陽，古鎮戍中，往往有公祠宇，蓋敦實之精，惠義之著，其被覆冒之境，感而不忘，相率祠之，無疑也。以公平生議之，祭典雖乏，而天下通祀之無不可者。昔人謂聖人設祭事，非必神之也，亦附之教焉。其於天地，示有尊也。其於宗廟，示廣孝也。其於功烈，示報德也。凡是者猶按之於典，以故事率而從之爾。至於百代而下，使人念其明德，象而祭之，非以忠貫天地，義在人心故，能然耶！且梁公奚俟辨，記興築事偶及之云。明正統、弘治間，先後重修，有曹鼐、劉嗣榮碑記。未見。國朝乾隆三十八年重修，歲以四月朔賽會，遐邇畢集。宋志。

白公祠，在南門外三義廟西。宋志。史繼偕白公生祠記：蓋偕在史局間，摭采風謡，則聞今少參白公之賢也。白公所部州曰昌平。昌平，彈丸地，拱衛陵寢，而最衝，其西綰宣大之口，東走薊遼，道柄事者思有以鎮撫之，爲遴良監司，而吉軒白公以沂州僉憲調焉。白公之爲昌平，聲籍甚，當遷，昌平民伏闕上疏，願得借冠者以數千。天子俞其請。晉公少參秩仍其地，而改授敕焉。於是州諸生父老，相與伐木搆祠俎豆公。已，復相率詣偕請曰：吾輩幸藉白公之衽席我，以毋塗炭，業已尸而祝，相用無忘公施。惟先生方綰史筆，凡循良治行，諒無不備録，敢祈一言，以垂永久者，願先生之圖之也。余雅習知公，因諸生父老言，諗公行事蓋悉。蓋昌平土田，原額四千三百餘頃，而民丁一萬三千九百有奇。頻年以來，影射轉徙，地虧十之四，而丁虧其九。民土減昔，徵輸倍昔，民困不聊生。公至，策民所以奔命者，一切罷去，而率以在官者供億之，賓無滯行，而閭閻不擾，民稍稍蘇矣。公又策民所以賠累者：州當諸使客往來，總其費，給之里甲，幃障尊罍之屬，取辦於民，所給或不程所費，公復罷遣之，而掌以州掾，爲量遠近，酌多寡，毫釐不以溢用，而使道悉辦，歲省里金數十鎰。故事，郵騎率配之民間，當役者凡四十家，公率報罷，而官帑募槽者，共羈靮而已。民是以樂於應募，歲羸帑金，且不下數百緡。公又策民所以有歲而無歲者，故事，里有長，長職二税，往往横索無厭，而復善乾没，公私兩耗。則爲立程約，户給以信牒，俾知所入賦，身任之，至期就輸公，及格而止，豪長胥吏不得因緣爲姦云。又策民所以有巨室而無巨資者，故事，巨室歲上賦公廩，諸所耗費，及槖載餱糧，盡出其中，甚至賦未及額，而給以空牘，故每當上賦家立蕩，公爲罷其役，而責信愿，丞尉領之，而以析封之羨，分給衆力，出入寬然而有餘。白公在州越二年，胥不識吡，吡亦不識胥，苞苴盡清，而桁楊稀息。州民如張一林等三千餘家，則昔慮饘粥而今稍還槖者也；李崇仁等三百餘家，則昔悲哀鴻而今復業者也。夫吾儕何可一日忘公也！余聞，起爲諸生父老謝曰：白公之賢，固當其治績，信恢然可記矣。然公勳業方隆起，宜益顯貴用事，余又生未及識公，毋得以余言爲未同乎哉！諸生父老固請。余因思之，太史公序次晏子，忻然願爲執鞭。不佞雖未及識公，然幸同其時，且邇公治，辱聞其事甚悉，標異揚休，史臣責也，是又焉得讓！乃爲次其語而記之。余又聞白公起家河令，河民争尸公，烏革雲翬，相望四境。夫誠心施於人，而效徵於官，治徵於俗，豈偶然哉！語曰：君子蘭芳，無之而非好也。則白公之謂也。公名東，字子隆，第辛未進士，由邑治高等，擢侍御史，以直道謫，旋起，累今官，秦之榆林人。

曹公祠，在西城甕城內。宋志。趙廷瑛曹公生祠碑記：昌平距都城七十里，密邇王室，城曰永安，保障賴之。天壽山據其上游，陵寢在焉。蓋股肱重地也。所供億轉致道路，使者相絡繹不絕，而膏腴之地盡入陵園，富厚之丁半充寢户，遺有瘠薄單丁，豐年僅足糊口，歲一不登，悲露根、歌瑣尾者，比屋也。曹公以文武才，荷軍民寄，數載於茲矣。慈和温靄，而出之精明，敏達諳練，而本之寬裕，慨然以奠安畿輔爲己任。郡舊持戟之士，載在戍籍，老稺參半，何能投石超距，備國家緩急用？公選徒訓將，謹斥堠，申郊圻，健卒驍騎甲於諸郡，無緑林潢池之驚，疆埸之事，鞏於磐石，實以固吾圉也。百姓嘻嘻，課桑麻秔稻，室家婦子相哺安堵矣。聖天子免北顧之憂，勞而嘉之，加山西右布政銜，仍留撫安此一方。舊有常税，若三門，若梁公廟，邊鎮橋，歲征若干，以充糜費。公冰蘗之性皎皎也，辦我國課，惟正之供，餘一切報罷。至農民散官，諸凡鋪肆，例有應給，報罷之，悉如三門也。行旅商賈出塗藏市，利有攸往，我民輻輳化居焉，得以樂常業，保恆産，蓋已近悦遠來矣。歲時謁陵，所費不貲，舊皆取之郡税也，諸税盡革，公捐俸經畫，若增謁陵薪芻，增謁陵蠟炬，增公署什器，不捐民間一赤仄，大典秩秩也，公私便之，永以爲利。公以戰馬騰驤，所向無空闊，市若干匹，皆雲錦上駟，可壯干城神威者也，移車營防禦，增戍卒行糧，軍無缺餉，行伍夙飽，赳赳爪士，有勇知方，公之方畧，不與韓范埒乎！公於文學尤加惠，化行膠序，有菁莪之風，鄉賢名宦，舊著功德，命創祠宇，以志不朽，且以風後之君子也。會甲寅歲，聖母梓宫有事於陵，又值福府分藩謁陵，轃焉一時，冠蓋雲集，貂璫相望，而士卒騎馬，隧列如堵，其供應不啻萬計。公鎮以定之，分布區畫，不爽一籌。昌民賴以不擾。而事竣時，南滇正亂，當事者以公能固陵京，何難撫遠地？即疏名上請。制曰可。遂陞雲南大中丞。啟行之日，軍民擁道攀轅，頂香獻酒。曰：安得奠綏彊圉，克壯其猷如我公乎！安得纖塵不染，懷保諴和如我公乎！安得優恤軍士，絕少分甘如我公乎！安得提誨後學，表章前賢如我公乎！謳歌之餘，繼之泣涕。語云：善政善教，得民得心。公之謂矣。郡百姓謀報公德，建立生祠，俎豆公於梁公之間。夫梁公中興唐室，取日虞淵，其先撫柔茲土也，厥有遺愛，是以百世之下，里之父老，伏臘修虔。公之勳業，爛然中外，滲漉茲土，與梁公伯仲。郡人德公如德梁公也，報公與梁公同，兩賢其揆一哉。廷英於公爲屬下吏，辱公之澤甚渥，佩公之儀型甚久，慕公之德之政甚析，據實録而記之如此。公名愈參，字幼清，四川涪州人，丙戌進士。

尤公祠，在南門内街東。宋志。韓四維尤公生祠碑記：昌平蕞爾地，山枕諸陵，龜雉縈紆，爲京師扼要，一不戒嚴，則匪茹堪虞。當世廟庚戌之變，實首釁於此。賴皇靈丕振，醜類盡薅，松楸覆宫瓦，閴如也。爾時廷議重其地，爰立大將，以總兵都督官鎮守之，割黄花、居庸、鎮邊三要害，以三參戎嚴斥堠，定左右中軍四營，以四遊擊選健兒，於是士農工賈，悉於窟宅，迄今稱雄鎮哉。先是，昌平之奉簡書至者，不乏北邊良將，予耳食未親炙也。獨尤公諱世威，陝西榆林衛人。榆林將藪，而尤爲最。代以兜鍪，忠捍我國家。其父兄俱血戰遼瀋，以身許國。砰訇海內，久爲敵所懾服。值宇內多故，皇帝拊髀思賢，中樞推轂及公，授公以斧鉞，加都督同知，服緋玉，來鎮吾昌，昌之士民，無不歡暢，而得障樾也。未幾，敵兵謀突發，毀垣破道而西，天子震驚。方是時也，大司馬徵兵不及，上夙聞公名勇，及命移寓薊州。公於是日鳴鉦鐲者三，遴鐵騎者三，螳螂武士數十八，執戣前驅，朝發而夕至焉。以兵少，不立栅砦，唯編馬句刺以需，挈壺未報夜，而敵兵至矣。鐙光閃爍，若繁星綴天，公聚將士戒諭之曰：彼衆我寡，濟，君之福也，不濟，有死以相從，無免驚鳥散爲。聞者無不矧志剛氣以殺敵。敵至，詢知其名，曰：有尤都督在，率□□而不敢前，怯公勇也。相持十日，轉輸不集，復撤守昌。昌之父老長跪哭馬前曰：微公至，吾屬無噍類矣。公止之曰：奇男子遇盤根錯節，出奇策，建奇功，不宜作兒女態。到之日，即簡士卒，備火器，登陴四望。於南，召將士某某而命之曰：鞏華爲京陵咽喉，汝率百人伏地雷於安濟橋下，敵過，當烘而裂之。於東，召將士某某而命之曰：松園爲天壽左輔，汝率百人伏弓矢於東山口内，敵撞，當弩而射之。於西，召將士某某而命之曰：土堂爲小紅門左掖，汝率百人，伏雉兵銀鐵山麓，敵闖，當鐃而斃之。於北，召將士某某而命之曰：紅門爲諸陵總道，汝率百人伏西洋大炮於石碑坊下，敵至，當擊而碎之。復讓將軍盧公曰：君守城北，將士倦勤睡囈者，正以法。又讓餉司宋君曰：君守城西，將士有呼飢待犒者，給以粟。讓刺史丁公曰：君守城東，將士有鐙火不燎者，分以膏。城之南，吾自守之。有報敵至攻城者，不言方面，或灰近炮遠，射攻下，刺攻上，發縱指示，余一人責也。井井條列，真金甃鐵鑄矣。無何，敵兵薄都城，欲調公解城之中。若兵，若民，若文吏，若武將，争率鞢韐涕泗，挽留曰：向公去，尚冀其來，今公來，甯捨其去！况事急矣，公去將奈何！死於公，不死於敵。語訖，持鎖鑰綢繆其户，阻公之騎，無不至也。復寢其議，公亦不果於行。值援兵沓至，争欲息甲，城中拒之弗納。復正辭勖之曰：朝廷望汝等如星火，濡此地何爲？俱裹足而去。臘月中，敵騎北掠至沙河南橋間，立幟相戒曰：是去北爲尤都督界，無輕相犯。隔二十里，不聞一嚆矢也。公南望塵起，呼健兒數十，亟指示之曰：此有敵騰踏於其下，當出輕騎馘虜以報，空返者無赦！帳下士聞多蹈舞曰：某願往！某願往！公悉授以秘計，賜以巨觥，上馬，公與諸將吏登樓飲酒談兵，觴未冷，殲七級來獻，弓馬器具俱。當敵騎四馳若犯虚庭，即有一二錚錚，言及出門驅勦，則巽愞不前，又以踵禍謝矣。斬七級，何足鳴勝？視遵之全城屠，良之井澮實，永之一郡墟者，徼福多矣。公之生全，詠歌之不忘，相與廟貌之無永，報告輦構櫨至者如螘，旬日而巍如焕如矣。猶恐抱蜀者不待百年也，囑予爲文以記之，俾後之有感而興者，覩斯而永其伏臘。

陳公維新祠，在南門内。宋志。楊春茂陳公生祠碑記：太上立德，其次立功，古言之志不朽也。若乃德被生民，功燦策府，天子必釐圭瓚，報以俎豆，俾大業懸日月之旗，名號配泰壇之右，而含淳浴澤之倫，相與尸祝焉，以歡呼頌禱，亦情所必至也。余里昌平，其地去神京七十里，扼薊遼，枕居庸，連絡河朔，號股肱重鎮。然輪蹄相望，應者浩繁，在昔全盛，日不遑給，矧流氛扇虐之餘，彫殘已極，匡飭維艱，誠欲起赤子於瘡痍，使若輩誦湛恩弗替，豈易遘諸？而公祖陳公，秉鉞以莅兹土也，哀此孑遺，宏宣愷惠，覃敷徽猷，以翰王室，以衛藜黎，曰：心勞哉！吾郡素多膏壤，今盡入軍屯，凡厥百姓，罔有立錐，老穉幾溝中瘠矣。公目擊顛連，愴然憫此，於是代民請命，不遺餘力。而失業者，漸次獲補，命其稍蘇。雖朝廷惠愛至意，與要亦公調劑其間也。郡多奸宄，蠶食小民，土苴國憲。公洞燭其弊，置諸重典，羣凶斂迹，凜明威者稱快。郡邇王都，從龍之衆，或歷此邦，未暇遽悉民隱，公不避權貴，殫力維持，凡可以羽翼吾民者甚周，即招尤弗恤也。公念郡屢遭兵火，文教傾隤，士風衰落，乃爲之宏奬英流，扶迪道素，膠宗雅化，有古莪樸風，其有德於士民如此。所尤大者，曩者渤海之役，兵弄潢池，黃花失守，耽耽虎視我州矣，人心風鶴，率相蜩沸。公以鎮靜遏之，嚴刁斗，候烽燧，射擐甲冑，整勵行間，吾郡卒獲安堵。及王師所次，殲魁獲醜，或不免波及無辜。公惻然昭雪，出寃民於刀俎，幾數千，一時加額生全，誠盈郊坰已。至若恤士卒，瘳纊比德焉；蠲煩苛，絃詠和神焉；賑孤惸，清岸獄，白骨生肉而鮮三木囊頭焉。美哉公之政乎！珥筆未及書，父老子弟已口碑嘖嘖，豈非所謂德被功燦者乎！州民感公允保，依公卵翼，欲有以報公，而又無以報公，爰聚族而謀鳩工立祠，庶拜手稽首祀公功德於不朽。將落成，天子忽優擢，晉秩兩浙方伯，我民率牽裾留之不得，益思所以壽公，並請壽之石，而予亦沐公化，不能無言。因念貞珉之鐫，來葉所觀，大人君子，初未嘗期得乎此。而實之既立，名必隨焉，公殆有不能辭者，洵百姓之功也。公行之後，思公者等愛慕於芾棠，則登斯堂也，如履公之庭，如接公之言貌，則公之功德，亦赫赫猶昨也，昌其永賴哉！後之繼公於斯者，芳規聿茂，嘉績丕隆，又公之馨聞矣。公諱維新，號燦宇，蓋三韓偉族云。

二賢祠，在學宮内，祀狄梁公、劉諫議，明昌平道栗永禄建，今廢。宋志。

許公祠，在南門内，今廢。宋志。

劉諫議祠，在舊縣東，建於元泰定二年，祀唐諫議大夫劉蕡，三年，祠隨縣徙，建於學宮大成門西，歲以春秋上丁致祭，宋志。劉侗劉司户祠紀畧：劉蕡，唐文宗時，憤宦官恃功專權，應制對策，極言禍福，第策官畏忌不敢取。昭宗時，贈諫議大夫，謚文節，封昌平侯。元泰定間建祠州西南五里，曰諫議書院。至正間，又建祠舊州東，參政許有壬撰碑。我明弘治間，譚本彝移建學宮内，今圮焉。世多謂蕡策不利於時哉，身前爲宰相師，以有畏不取者，身後感動人主，以有嫉之誣之貶之者，矢激則遠，水洄則深也。一下第舉子，贈謚封侯，祠祀百世，令當年收策登上第，亦復一李郃耳。且郃固因蕡傳久遠，至今爲自効一書，不爲一第矣。卽馮宿、令狐楚、牛僧孺，當年禍福升沈，亦何至響景！蓋莅直殊意，而蕡名以彰。志稱蕡宅、蕡墓在昌平，今其址俱不可尋。崇禎五年，劉京兆榮嗣謀於董宗伯其昌，爲撰碑，手書以風策士。宗伯曰：蕡已追贈諫議矣，猶司户稱，存憤也。今廢。宋志。

白馬山神廟，在州治西北，金承安年建，今久廢。宋志。

順義縣

社稷壇，在城西門外北坡上，俗名西壇。順義黃志。
風雲雷雨山川壇，在城東門外南岡。黃志。
厲壇，舊在北門外西岡上里許。黃志。
城隍廟，在西門内文廟側。黃志。
八蜡廟，在北門内。黃志。
關帝廟，在城南門内，一在東門月城内，一在白各莊，一在牛欄山，明正德間建，崇禎間重修，一在楊各莊。黃志。
馬王廟，在署東馬號内。黃志。
土神廟，在署大門外。黃志。
獄神廟，在禁房内。黃志。
元帝廟，在縣署東。黃志。
東嶽廟，在東門外。黃志。
藥王廟，一在東門外，一在魏家店。黃志。
火神廟，在南門外。黃志。
龍王廟，在北門外。黃志。

真武廟，在楊各莊。黄志。

地理志六

祠祀下

侯官陳翥纂　江陰繆荃孫覆輯

密雲縣

社稷壇，在縣西三里，明洪武時建，後圮於水。國朝雍正間改建舊城東北。密雲丁志。

風雲雷雨壇，在縣南一里，明洪武時建，後圮於水。國朝雍正間改建舊城東南。丁志。

先農壇，在舊城東門内。丁志。

厲壇，在城東門外。丁志。

武廟，在縣北，本名旗纛廟，元人建。明洪武時，開平王常遇春重建於縣東北。嘉靖四十四年，奉勅建武學，奉武成王於内。萬曆四十六年，總督薛三才、汪可受，知縣尹同皋，守備施洪謨，武學科正孫桂重修。丁志。

文昌祠，一在舊城東南，一在舊城鼓樓，並圮。一在新城東南白檀書院，一在新城西北，順治十八年貢生杜琳建。古北口有文昌閣。丁志。

魁星樓，原附建學宮，後圮。道光時，邑武庠甯鴻烈倡衆醵貲移建舊城東南隅。光緒元年，鴻烈之孫員外郎彤恩、廩生邵長春、侯勳倡衆重修。丁志。

名宦祠，在學宮内，明嘉靖四十四年，大司馬劉□□、兵備道張守中建。丁志。

鄉賢祠，在學宮内，亦明嘉靖時建，雍正二年，知縣薛天培、教諭侯世憲、訓導陳芝秀重修。丁志。

節孝祠，在學宮西，光緒二年、廩生傅繡、齊文在、侯勳同修。丁志。

關王廟，一在縣署南，唐貞觀時建，明洪武十三年重修，嘉靖時，總督劉濤重修，萬曆三十七年重修，有萬曆十三年劉元震、錢象坤碑。未見。一在石塘嶺，一在石匣城北，一在石匣城西門内，一在古北口，明藺尉建，薛志。祝增關王廟：古北口在畿輔東北二百里許，即唐之虎北口也，邊於諸夷，最爲要害，國朝設衛置將，以爲重鎮，言天下之險者咸歸焉。其北門側，舊建關王廟，禦災捍患，丕著靈應。凡我師之出入，必致禱以祈祥，恆凱旋而奏捷，歲時伏臘，奉祀者有年矣。丁巳歲，欽差分守古北參戎楊公謁其廟，見其狹隘不足以爲神依，乃遷於北門之堙，鳩工飭材，百堵俱興之際，公遽轉密雲副帥，往來防禦，時督其事，而規模宏擴矣。尋擢遼東。鎮守石橋瞿公踵其事，而制度森嚴矣。西泉魯公收其功，而廟貌聿新矣。邑人魏氏名森者，又募衆以協贊之。中建大殿，設神像，其兩廡所圖，即神之履歷也。外爲大門，侍衛居焉。赫赫宏敞，輪奐輝煌，觀者奪目，視者罄心。楊公維始於前，魯公落成於後，二公之功，匹休於神貺，誠爲生靈福也。嗚乎！神之理亦大矣，感應之機亦昭矣，感而弗應，則爲神羞，應而弗感，則爲人恥，固理也，亦機也。神之義勇，充塞宇宙，貫徹古今，其所以致人之感者，亦既素矣。楊公今在遼鎮禦殘疲極衝而大捷迭奏，處讒讐交搆而壯志愈伸，殫力竭忠，不避時艱，以翊贊皇明之運，德望猶泰山北斗，心事如青天白日，亦神之義氣默佑而潛孚者也。其擇地以妥神，甯非勢之所必致乎！然則神之應，公之感，以福惠元元，廕庇王國者，抑豈有既也。是故應公者固神之靈，而感神者則公之誠也。神之靈垂萬世而不朽，則公之誠亦歷萬世而不磨。斯廟之前，豈非祀典之所當録哉！庠生李子英請予紀其事，而因繫之辭。辭曰：於赫惟神，生漢之末。整厥綱常，正扶亂撥。正氣洋溢，威靈活潑。翊我皇明，寰宇鏡清。旌功褒勛，宇宙廟盈。古北新殿，畫棟雕楹。白檀叠嶂，潮河拖縈。維神棲止，地益以榮。王師於邁，神佐其征。邊陲永靖，庇國衛民。瞻廟翼翼，瞻像特特。振作忠良，悚懼反側。神功浩蕩，斯民順則。享祀無疆，貞珉是勒。

國朝康熙二十八年，守禦章京拉薩利重修。薛志。

八蜡廟，在縣新城東門外，舊爲功德祠，明萬曆七年，都護戚繼光建，祀總督楊兆等，有燕山勒功碑，後圮，改建今廟，一在石匣城外。丁志。

城隍廟，在舊城西門内，一在石匣城，一在古北口。丁志。

龍王廟，在南關東，明嘉靖三十二年建。丁志。

藥王廟，一在新城南門外，一在石匣城，一在石匣南門外。丁志。

火神廟，一在城南門内，光緒七年，邑紳甯鴻翥倡衆重修，一在石匣城，一在石匣南門外較場。丁志。

馬神廟，在新城西北，明景泰三年，縣丞梁永建，嘉靖四十三年重修，邑人孫汝翼有記。未見。一在石匣南門外較場。丁志。

釣魚臺廟，元至正時建。丁志。

晏公廟，在城南關，明洪武二十年建。丁志。

東嶽廟，在縣東門外，明天順二年，鎮守都指揮陳亮移建；舊廟在縣西北，明洪武五年建，光緒六年，邑紳甯鴻翥倡衆重修；一在古北口東關外。丁志。

元君廟，在縣東北，明嘉靖二十二年建，俗名娘娘廟，有連枝松，一在城西北谷，名泰山聖母行宫，明萬曆四年建，左通政倪光薦記，一在石匣西門，一在古北口城南五里，明指揮李建立建。丁志。

五龍祠，在縣治南，明萬曆四年，知縣張世則重修，每禱雨，極著靈應，一在石盆谷，乾隆四十三年奉敕修，一在石匣城。丁志。

忠義祠，一在縣東門外一里，舊祀前代死難諸臣，康熙四十年提督太監顧問行重修。一在古北口，明嘉靖十五年，御史金□□請建，祀參軍魏祥，附祀死綏諸將士，侍郎趙永撰記。丁志。忠義廟碑：侍御史豐邨金君，奉命巡視東北諸關，仰體皇上圖治盛心，凡關塞險阻，將領忠邪，軍士疾苦，咸究於心，賞罰興革，以次振舉，人之畏威懷恩者，悉以忠貞相期，用是北敵效順，邊境晏然。往歲參將魏祥死節於石塘，豐邨至其地，曰：魏侯死矣，今列名祠，猶夫生也。邊之效死者，豈獨一魏侯哉！使恩施異於是，則報功之典隳矣。乃具疏上請，擬以各路創建一廟，將領肖像於中，軍士列名兩廡，歲秋參將往祀之。上嘉其請。豐邨相地於古北口大石山之陽，分命將校，鳩工積材，不勞帑費，廟貌悉新。舉死於王事者泐名碑陰，用垂不朽。余謂忠良爲國禦災捍患者，祀於國，國家崇尚勳德，遠遵成憲，在宗廟有配享之制，在郡國有鄉祀之稱，禮文攸備，無庸議矣，惟其恩之所及，不能無異施焉。蓋禮之爲道，體嚴而用廣，不能强而使之一，故輕重緩急，率寓於尊卑顯晦之間。豐邨闡發幽隱，不以微賤棄之，是備乎禮之用，而人無遺憾矣。雖然，此特酬功之既往耳。至於誠意感孚，足以作士氣而重國威，實於此乎垂端焉。夫死者生準也，死而弗録，生何望焉？今崇以時享，延以世禄，人之覩廟貌而沾遺澤者，必以忠義自期，求無負於國恩，無慚於先列，蓋一舉而兩盡矣。予聞國之大事，在祀與戎，今即戎以崇祀，是以誠結其心，而人之效死者，出於法制之外，豐邨體國圖治之意大矣。因效燕歌，作迎送神辭，亦豐邨相屬之意也。祠曰：秋氣肅兮悲風，寒草黄兮蔽空。修祀兮薊之東，覃國恩兮酬有功。遺胄弁兮紛拜，懷忠烈兮增慨。神之陟降兮有形，焄蒿悽愴兮如生。笙鏞合奏兮兩楹，誠感格兮神相通。食國報兮無斁，儼冠佩兮從容，望停驂兮少憩，鑒予心之忡忡。神之來格兮洋洋，神之去兮懷故鄉。統戈矛兮振鳴璫，驅雷電兮飛冰霜。生捍患兮殉國，垂忠烈兮邊疆。感廟貌兮構止，慨遺烈兮增光。聊隨化以歸盡，不與物兮低昂。擁山河兮訶護，翊靈祚兮延長。願隨感而應其所求兮，闡金湯之屏翰，魂兮杳其無迹兮，但雲霧之蒼蒼。

英濟王廟，在縣西北，越人孟大賢捨宅建。明萬曆時，知縣王之都重修，翰林檢討孫如游記。未見。丁志。

張公廟，在縣西二里，浙紹鄉祠也，户部來復記。未録。丁志。

真武廟，一在舊城，一在新城，俱背倚城北，即城上建北極臺，其在舊城者圮於水，康熙五十四年，修城重建；在新城者，臺久圮。丁志。

邢公祠堂，在舊城東門内，祀總督邢玠。丁志。

尹公祠，在學宫西，祀知縣尹同皋。丁志。

三皇廟，在縣署北。丁志。

玉皇廟，在新城都司署内。丁志。

鄒大夫祠，在城夾道路北，祀燕鄒衍，每歲春秋二祭，縣人以知縣張世則、田勸、王明、楊士鴻附祀。丁志。

白河神祠，在城西，乾隆三十七年敕建。丁志。

御製白河神祠瞻禮詩：有序白河源出宣化府獨石口外之瑪尼圖達巴罕，東流入密雲縣北之石塘嶺，經縣城西折而南，與潮河合，東南流入於潞。其水發源既遠，且自經白馬關外，崖谷夾束，又挾諸山之水而來，故其至密雲，流益壯，性益駛，遇夏秋盛漲，往往湍急不可禦。郡城西之渡，爲京師至古北口所必經，每歲秋巡，纜舟爲浮橋以濟。辛卯七月，霖雨積日，河驟漲，齧坡岸，舟當波衝不得繫，橋柱亦攲，因稽蹕程。迺遣官禱于河。越日，漲陡落丈餘，遂復成梁利涉，僉以爲神之效靈至奇且速也。矧兹河潤所經，引漑通檝，民實利賴，稽之禮宜祀，嚮顧闕而未舉，蒙其佑弗歆其報可乎？爰敕疆吏，度地河壖，搆祠像設，以壬辰五月蕆工。兹幸避暑山莊，經祠下，躬致瓣香以落之。因成八韻，并疏序梗概，付所司鋟石以代碑記。自今其毋替祀事，庶幾延庥于有永乎！遥源出宣化，靈澤護厗奚。資運功無盡，安瀾事有稽。去秋經異漲，歸蹕賴明禔。是用崇祠建，于焉慶落徯。橋梁利普濟，階級肅初躋。棟宇依神煥，香花達悃攜。永恬佑保赤，錫福被羣黎。牲麗碑應峙，五言當記題。

楊令公祠，在古北口，祀宋楊業，遼時已有之。明洪武八年，徐達重建；成化十七年，鎮守監丞許常、都指揮王榮重修，勅賜名威靈廟。薛志。周洪範楊令公廟碑：威靈廟在密雲縣古北口城北一里，祀宋贈太尉、大同軍節度使楊公者也，蘇轍詩云：行祠寂寞寄關門者是已。洪武八年，太傅徐公達重建，至今百年，日就傾圮。成化辛丑，鎮守左監丞許公常、都指揮王公榮圖與重修葺，請於朝，勅賜今額，每歲從宜設祭。既而遣人來，求筆其事於石。按：宋史本傳，公諱業，并州太原人。幼倜儻任俠，喜騎射，所向克捷，國人號爲無敵。太宗征太原，公勸其主繼元降，帝遣中使召見，大喜，寵以連帥，授之兵柄。會契丹入雁門，公領師數千騎，自西京出，至雁門北口，南向背擊之，契丹大敗，以功遷雲州觀察使，自是契丹望見公旌旗，即引去。雍熙三年，大兵北征，以忠武軍節度使潘美爲雲應路行營都部署，命公副之，連拔雲、應、寰、朔四州，詔遷其民於内地。時契丹復陷寰州，公謂美曰：朝廷令取諸州之民，但領兵出大石路，先遣人密告雲、朔守將，俟大軍離代州日，領雲州之衆先出，我師次應州，契丹必來拒，即令朔州民出城入石碣谷，遣强弩千人列於谷口，以騎士援於中路，則三州之衆保萬全矣。護軍王侁阻其議，欲趨雁門北山中，鼓行而往。公曰：不可，此必敗之勢。侁曰：君侯素稱無敵，今逗撓不戰，得非有他志乎？公曰：業非避死，蓋有不利，徒令殺傷士卒，而功不立，今君責業以不死，當爲諸公先。將行，泣謂美曰：此行必不利。因指陳家谷口曰：諸君於此張步兵强弩，爲左右翼以援，俟業轉戰至此，即以步兵夾擊救之，不然無遺類矣。美與侁陣於谷口，後違約失援，公與遼兵力戰，自午至暮，果至谷口，望見無人，即撫膺大慟，再率帳下士力戰，身被數十創，猶手刃數百人，及身受重傷，不能進，遂爲契丹所擒。其子延玉亦歿。公太息曰：上遇我厚，期討賊以報，而反爲奸臣所迫以敗績。乃不食，三日死。帝聞之，深爲痛悼，下詔贈官，賜其家布帛千匹，粟千石，録其子延祚、延朗爲崇儀副使，延訓爲供奉官，延環、延官、延彬爲殿直。潘美削職三等，王侁除名，隸金州。嗚呼！公忠烈武勇，有智謀，，練習攻戰，與士卒同甘苦，故士卒樂爲之用。谷口之敗，先已灼見其機，而爲羣小所壞，良可悲矣！然而忠義之氣，懍然猶常存者，此今日廟貌之所由新也。余故詳摭史氏之説，以告欲知公遺蹟者。嘉靖四十三年，古北口副將郭琥、兵備僉事張守中同修；國朝霸昌道耿繼先，總兵蔡元重修。丁志。

蔡總兵祠，在古北口北關，康熙五十九年，廣東提督姚堂建。丁志。

懷柔縣

社稷壇，在西門外。懷柔吴志。

山川壇，在南門外。吴志。

風雲雷雨壇，在南門外。吴志。

邑厲壇，在西門外。吴志。

關帝廟，一在大東門内城隅，向有朝陽菴，今廢，遺址歸入廟中。一在房家莊，明御馬監劉寬重建，有翰林學士劉龍碑。未録。吴志。

文昌祠，在文廟東，萬曆中知縣史國典建。吴志。

魁星閣，在南城上。吴志。

城隍廟，在南門内，大殿前有古松一株，蟠拏夭矯，濃陰如蓋，每歲五月二十五日城隍神誕辰，廟會五日，遠近畢赴，平時香火寂然。吳志。戴聖聰重修城隍廟記：古之爲國者，專於治人，而後世之爲國者，則不能無藉乎神道之教。神道者，所以扶賞罰之窮，而佐平明之理也。古之制，國社里社而已，未有城隍也。然宰我之對哀公，有使民戰栗之言，而新莽之誓，其臣下亦曰社鬼祀之，此卽鬼神之説所自昉矣。追齊慕容儼、梁武陵王祀城隍，皆見於史，而唐張説、杜牧，並有祭城隍之文，李陽冰有縉雲城隍之祀，自是以後，始入祀典。國家稽古定制，守令至官，必先謁城隍神，而祭厲之日，以城隍主之。是則人鬼幽明之所宗，其義重於前代矣。懷柔邑小而近邊，圈佔之後，生齒稀少，而在諸邑之中稍爲涫樸，然以密邇浩穰，不無奸宄之慮。令陸君曰：是可以神道教也。邑故有城隍廟，傾圮不飾，令捐俸以爲之倡，不兩月而助役者若干人。作東西廡各五楹，列宾司之神，如所謂泰山考鬼，西方地獄者，而悉取其事繪圖於壁，堂階門垣，丹青黝堊，煥然一新。庭中有古槐二株，其葉下垂，爲朱欄承之，或時憩而聽訟，吾見邑之人將爲善焉，必曰：神所贊也，是令君之所勸也。將爲不善焉，必曰：神所怒也，是令君之所沮也。使民日遷善遠惡，而不自知，事近而機深，功微而化鉅，其所謂因俗而教者歟！若乃彫敝單孑之餘，而能積衆力於旬月之頃，令之能亦固可知矣。是以樂爲之記。令姓陸名騰駿，淮安清河人。縣署有厲鬼爲祟，知縣嚴暄、楊因培兩任，出擾害人，斃者屢屢，府尹周家楣爲文禱於神祠，患遂息。采訪册。順天府府尹周家楣謹昭告於懷柔縣城隍之神曰：維神威靈德佑，統被陰陽，閤境官民，胥蒙顯護。竊以家楣奉天子簡命，兩尹京圻，孜孜供職，所賴僚屬共脩有位，用治斯土。乃聞懷柔縣署，杌隉不安，邑令嚴暄眷屬，有被所謂壓虎壓害致斃之事；署令楊因培接任，時虞及禍，上年忽報病殁，是否由此，原未可知，雖脩短各有命定，而屢傳景狀，官其地者咸各視爲畏途，其何以共與爲治？相傳懷邑官廨後有土堆，爲前代死事忠骸所瘞，精誠魂魄，於兹憑依，凡我官民，實深敬悼。然人神道殊，古今理一，苟推當日報國之忠，俯念此日官守之責，自必兩無擾害，得效靖共。用敢虔陳此義，伏求神靈，俯賜調護，歲時致祭，當飭在事，恪恭無怠。至於俗稱壓虎，事涉怪異，理應驅除。天子守土之吏，治公之所，豈容若輩憑陵，恣爲妖厲？神威赫耀，亟予蕩除，使之官盡其職，宅得其安，仰荷神庥，同深感敬。家楣不才，鮮所樹立，然耿耿此衷，靡時不以爲國爲民爲念，其或潔誠未孚，難邀神佑，則家楣不職綦甚，何敢赧顔素餐？於是倘以家楣在官尚知盡心，今此瀝誠切訴，可加鑒納，則禦災捍患，固亦神之職也。爲此謹告。遣現署懷柔縣知縣孫德祜代祭，神鑒之。

八蜡廟，在城内東北高阜上，祀八蜡神，俗呼蟲王廟。吳志。

真武廟，在縣正北城上最高處。吳志。

馬神廟，在縣治後西北。吳志。

東嶽廟，一在東門外，一在卸甲山，明里民張公秀建，有中書叢恕碑。未録。吳志。

火神廟，在東門外土邱上。吳志。

龍王廟，在東嶽廟土邱下稍南。吳志。

玉皇廟，在東門外土邱上。吳志。

護國天仙宮，在丫髻山，山舊有碧霞元君廟三間，明嘉靖中，有王姓老媪，發願修建，以山高風烈，瓦易飄失，募化鐵瓦，獨身運至山上，往來迅速，人異之，施者漸衆，殿以告成。每歲四月十八日，四方聚會五日。入國朝，香火日盛。康熙三十七年，道士李居祥撤鐵瓦之殿，改建大殿。殿後爲寢宮，爲聖母閣，皆極洪麗。殿旁樓房鱗次，其東有閣聳然，臨眺尤勝，皆居祥所創。循級而下，爲鐘樓，有明時勅賜護國天仙宮門額。下爲三皇殿，由三皇殿東拾級而上爲鼓樓。再上，爲玉皇頂，建圓殿，八面皆窗，圍以朱欄。三皇殿之南，爲廟總門。門之外有萬壽碑亭。和碩誠親王萬壽亭碑：蓋自兩儀甫判，坤德上配乾元；五嶽肇封，岱宗首隆祀典。盛世懷柔之有道，明神顯赫以呈祥。欽惟我皇帝陛下，仁周六合，道格三靈，耕織日廑於宸衷，雨暘時關於聖慮。遂使豐穰屢奏，甘露應時。屢施賑粟之仁，頻下捐租之詔。黄童白叟，同擊壤於康衢；屬國遐陬，共獻琛於輦轂。既帡幪乎覆載，思報答乎涓涘。每當萬壽嘉辰，遂合輿情頌禱。惟兹丫髻勝地，實爲泰岱行宫；值三月之艷陽，祝萬年之純嘏。條風披拂，淑氣回旋；花馥郁以凝香，草青葱而散碧。翔鸞窈窕，繡蓋繽紛；舞鳳嬋娟，朱旗繚繞。爇沉檀於寶鼎，簇簫鼓於鵷行。爰至山隈，乃經信宿。維時良宵未艾，夜景乍明，焕發祥光，宣昭上瑞，巖開麗照，樹燦琪花，初的皪以疑星，繼熒煌而似月。彩映北辰之座，輝聯南極之精。較之烈山紀瑞，王屋兆符，邁炎德以加隆，卜姬年而逾永。信神明之昭格，知盛世之休徵。迨及曙色將分，晨熹倏啟，玲瓏貝闕，旭日升自林端，黤黮珠宮，彤雲翔於天際。共伸封祝，咸效嵩呼。靈豫神禧，降祥賜慶。晴嵐縹緲，甘露宵滋；佳氣鬱葱，醴泉地湧。羣靈洽而共祐，百福萃而來同。合億兆之懽心，願一人之有慶。每十年而申祝，歷萬禩以加虔。愧摛藻之未工，敬勒石以紀瑞。頌曰：天亶聖人，乘乾御宇。道配清甯，化隆三五。八表同仁，九疇時敘。川嶽貢珍，靈祇錫祜。惟此雙峯，聳秀畿東。泰岱是副，祀典兼崇。輿情祝聖，帝座聿通。神貺昭明，煜爚曈曨。紺殿瓊樓，輝煌景燦。掩映列星，昭回雲漢。璧合珠連，晶熒絢爛。瑞擬榮光，慶逾復旦。休祥衆覩，純嘏方昌。聖壽悠久，天地無疆。仁風翔洽，化日舒長。願登輿頌，永播宮商。康熙歲次甲午孟夏日。康熙四十三年，駕幸丫髻山。是年六月，遣養心殿監造官王道化齎御書敷錫廣生四大字額，懸天仙殿前。康熙五十二年，恭遇皇上六旬萬壽，命皇十子敦郡王、皇十二子固山貝子及御前太監魏珠，齎敕降香。諸王大臣及旗民人等，延在京道官四十八員至山，啟建萬壽道場，於三月初一日始建，是夜聖燈湧見，散若金星，滿山照耀，見者踴躍稱瑞。至十八日萬壽節，至山進香者二三萬人。時李居祥創建玉皇閣，魏珠轉奏，特賜内帑，並皇會佈施銀五千兩，建玉皇閣於山頂。崇文門監督尚之傑董其事，明年閣成，賜御製碑文。吳志。

御製丫髻山玉皇閣碑：距京師百里有山曰丫髻，隸懷柔縣，兩峯高矗，望之如髻，故得是名。自元明以來，號爲近畿福地，因上有碧霞元君之祠，是以每歲孟夏，四方之民會此祈禱者，駢肩疊跡，不可勝計。古稱積高之區，神明所合，況兹山北倚紫塞，南拱神京，岡巒迴合，蜿蜒磅礴，而鍾秀于是，則其神氣之感，數有靈應，理固然也。康熙五十三年，值朕六旬誕期，諸臣民就兹山瞻禮，爲朕祝禧，因共建玉皇閣以祈延壽。經始於癸巳三月十八日，落成於甲午三月十八日，而請記其事。朕御極五十餘年，夙夜孜孜，唯體上帝仁愛斯民之心以撫綏天下，幸四海清晏，年穀順成，朕與天下臣民得同享太平之福者，皆上帝之眷祐也。朕之祇承於上帝者，唯在天下臣民之永安，而天下臣民之祝願於上帝者，唯在朕躬之永年。然則茲閣之建，卽上帝之陟降監觀，於是乎在矣。爰立貞珉，載其始末，以傳永久云。

康熙五十五年，駕幸髻山，賜帑金三百兩，修造廟宇，賜道士張士傑爲道録司覺義，王士昭等二十二人皆給度牒。康熙五十六年，直隸總督臣趙宏燮建御座書室於殿門之東，建涼亭於西小峯之上，并增建玉皇閣下臺基壩牆階級等處。康熙五十九年，又捐建鼓樓於三皇殿前之東，以配鐘樓。修築磴道，自山下至廟門，凡三里，悉甃條石，高陟處皆設階級，於是規制大備矣。山半舊有魏忠賢生祠，明天啟時，巡按御史倪文焕請建，賜名崇功祠，未成而忠賢敗。其基址甚宏壯，道士李居祥卽其地建迴香亭，每歲四月，京師及四方進香者於此回向山下。有元君行宫，爲道士下院。一在駙馬莊，廟臨官道，久傾圮。康熙五十二年夏，和碩誠親王出口，途遇大雨雹，入廟暫憩，默禱於神，倏晴霽，因發願捐資修建，莊嚴像設，廟貌聿新焉。吴志。

鄒衍廟，在黍谷山。吴志。

張公祠，在東門外，祀邑令張善略。吴志。

白公祠，在南門外，祀明兵備道白棟，有惠政，民爲立生祠，今廢。吴志。

蔣公祠，在髻髻山劉家店，祀明邑令蔣守浩，今廢。（吴志。）

涿州

社稷壇，在州北郭外。（涿州吴志。）

風雲雷雨山川壇，在州南郭外。（吴志。按：續州志云，風雲雷雨廟在官驛街，庸俗妄作也。）

邑厲壇，先農壇，均在州東郭外。（吴志。）

城隍廟，在城内西南隅。（吴志。于韜重修城隍廟碑：高皇一區宇，設藩府州縣，以理庶務，封境内神祇，以佑黎元，蓋準酌古今之定制，而垂永遠之鴻範也。涿州城隍神祠，歷今百年，久而弊陋。正統間，山右王君拜馬政之命，來倅是郡，展謁祠下，顧瞻嗟咨。退而謀諸守曰：神祠不修，何以妥神靈，享禋祀，尊瞻視，福民生？守然其言，於是相與營度，計費甚鉅，捐俸金以爲州人倡。州之民聞之，躍然曰：侯之此舉；所以福吾民也，吾其坐視乎！願助貲工市材。明年作正廟共若干楹，東西十二司若干楹，廟後爲寢若干楹，以至庖庫、門垣咸備以固，高廠宏麗，踰於舊規，僉謂功既告畢，不可無傳於後，丐文以壽諸石。夫神者聰明正直，聖不可知，受命於天，而司察於人，廟食一方，靈感響應。今其神像祠宇，炳焕一新，歲時展禮，對越有嚴，春祈秋報，駿奔惟謹，所以起畏敬奉承之心，致發見昭著之實，君之惠民，豈細故哉！君以馬政守官，苟畜養蕃息，而不曠厥職，則亦已矣，又能廣此意以布福于民，其志其才，皆可書也。韜承乏涿庠，九載滿秩，文□□足關世教，幸獲厠姓名於其間，故不敢辭以□□□昭示無窮，肇斯舉始終劾勤者，馬政判官王君璿，相斯舉助貲者，前知州事黄君衡，耆民顧真昇輩也。經始於景泰二年辛未二月辛卯，成於三年壬申三月甲辰，記作於五年甲戌七月壬申也。）

土地廟，在州南門月城内。（吴志。）

關帝廟，一在州東郭，一在智度寺西，一在東門月城内，一在州治東，一在北門月城内，一在南門月城内，一在城内觀音堂。（吴志。）

文昌祠，在學宮東南隅，萬曆四年，知州岳汴等重建；天啟六年，學正盧資生等同州人吳志。閻泰和重修王澤民重修，有記。今乾隆二十五年移建在文廟宮牆外東北，嘉慶十六年重修。

涿州文昌祠碑記：涿州爲京師西南孔道，舊有文昌祠，在邑南黌序東偏，距郭門數武。前明神宗時重建，殿三楹，無廊廡。修於天啟六年。我國朝文治昌明，郡邑之間祀典咸秩，於乾隆四十九年重修，至去年庚午秋七月，霖潦積旬，漂圮殆遍。今年春三月，卜吉再修，迄六月告成，增廊廡三楹，餘仍以舊葺者新之，重塑像設，昭崇奉焉。主議者趙學正瞵、李訓導玉琇、歲貢生王志勤，而首捐廉爲邑人倡者則爲州牧王君德棻，董其成者，前山西蒲邑令徐君國礽也。鳩工之始，值皇帝幸五臺還，余迎蹕至涿，主張茂才家，悉其詳。比工蕆，司事以余嘗官京兆，屬茂才乞記於余。竊惟周禮天府祀司禄，爲文昌六星，以神司士命，默造天下之才器德望，爲國家襄理太平，潤色鴻業也。方今聖人在上，化被譽髦，士成翹秀，俎豆之馨，六合嚮風，而附近首善百餘里間，教澤薰陶，祀事修舉，且於荆榛瓦礫之地，煥焉改觀，自非守土之吏，食德之士，有以崇本知要，曷克臻兹！將見四方之士，往來於京師者，道出斯邑，咸得下車瞻禮，則知此舉之所關者甚鉅也。因重其請，并述其始末，俾誌歲月，以泐之石。時嘉慶十有六年辛未，秋七月既望。

名宦祠，鄉賢祠，忠義孝弟祠，節孝祠，俱在學宮內。吳志。

東嶽廟，在北關玉女祠右，明成化戊戌年敕建。吳志。萬安敕建顯應東嶽廟碑：成化紀元，以迄於今，凡郅治保邦之務，無不究心，鉅細畢舉，於奉先禮天禮儀，尤惓惓不置，以至名山大川之神，有利澤及民者，亦命有司建祠祀之。仰惟東嶽之神，威靈烜赫，非他神可比。涿人嘗建祠於州北郊，以答神貺，歲久傾圮。僧德興偕義民王璘輩，圖重修之，方募衆市材，而遠近之人，富者施財，貧者効力，若蟻行鱗集，璘輩覩兹人心信嚮之夥，謂工不可苟作，亦不可苟成，具狀以聞。上曰：若神誠有利澤及人者，宜人信嚮之有如是。乃發金幣，命御用監太監梁芳齎往以助，且俾董其役。芳祗受上命，至被瞻顧，舊規狹隘，又價鄰壤若干畝，以廣其基，卜以戊戌秋七月興工。中建顯應殿，殿兩翼建炳靈、司命二殿，東西建兩廡，兩廡之間建蕃胤、錫作二殿，列廡如官舍，爲七十四司，皆肖像位之，各有職典。殿前建龍虎殿，又前建山門，門内東西建江東、太尉二祠，正殿之東，建慈光廣翊宮，修廊列施，儀門前擁，外甃石爲塗，周圍繚以垣，垣外巷口表牌坊左右對峙，凡棲衆延賓館舍，以及庖湢庫庾，與夫供具樂器，既完且美，以庚子秋九月告成。特頒勑護持之。復簡道士臧守中住持於內，朝夕率衆爲國祝釐，爲民祈祐。芳以上崇奉神明之誠，實寓愛民之仁，不可無文垂示永久，悉述始末，屬筆於安。謹次第書之，且係以詩，曰：泰山巍巍齊魯東，千巖萬壑重復重。三峯直上摩青空，勢跨滄溟臨恒嵩。佳氣竟日長鬱葱，仙禽瑞獸居其中。生賢降才佐時雍，興雲致雨濟三農。溥兹利澤盈八紘，他神豈敢争長雄！自昔供奉嘗瑶宫，曰王曰帝嘗尊封，玉册金笥羅横縱，崇兹望秩三公同。禮典悉繼唐虞蹤，吾皇紹統尤加隆。公祠此郡昭宸衷，爰發金帛徵六工。六工効藝締搆崇，飛殿列廡深且閎。朱門丹陛何峥嶸？晨昏讚祝鳴鼓鐘。靈明歆鑒無怨恫，祈斯應兮感斯通。物不疵癘年穀登，風俗湻美民孝忠。仰佑慈闈與聖躬，千秋萬歲福禄洪。四方萬姓均帡幪，永庇允嗣無終窮。

萬曆二年，慈聖宣文皇太后敕重修，規制敞麗，有張居正碑記。

日下舊聞考。張居正東嶽廟碑記：泰山爲羣嶽長，古之帝王莫不秩祀之。記所稱出雲爲風雨，民所取財用者也。是其威靈顯著，功德廣大，不惟惠及於一方而已。且位在東方，職司善惡，冥運陰隲，可以左右人主賞罰之柄，肸蠁徵應，由來遠矣。涿州之北隅，有東嶽廟，成化戊戌，純皇帝命官鼎建，拓地增宇，迄今九十餘禩矣。廟貌圮敝，神將弗享。今上嗣登大寶，祇奉聖母慈聖皇太后慈命，特出帑金，於胡良、巨馬二河各建一橋，以利濟往來之衆，又以廟近於橋，爲涿人所依，遂並神廟一新之。命司禮監太監馮保督理，内官監太監劉濟董工。財不取於賦調，役不假於官師。人心競勸，再閲月而告成。中爲顯應之殿，翼以司命、炳靈，左右又各爲配殿一，以祀嶽神。東爲慈光廣翊宫，以祀東嶽仙妃。凡殿寢門闥，亭觀廊廡，規制藻飾，視舊有加。而冕服帷帳幡幢供器，以安神靈者，罔不畢具。落成之日，涿人奔走欣躍，瞻眵動色，遠來祈祐者，咸袚除齋慄，無敢弗欽。神靈奠安，景貺昭答，濟濟翼若。青都臨於近輔，磐石移於京邑，信羣望之會宗，方輿之勝境也。夫大造之運，歸于無朕，顯于有赫，后土所載，無不有人，則無不有神司之。君人者爲民則設官以治，治之有弗能移者，則藉神道以默相其間，自生民以來，未有廢此者也。今聖主用大道爲治，天下嚮風，文德四洽，遠人來歸，若無事于神者，乃猶以懷柔之典，有舉不廢，倘亦神道設教之意歟！今靈惟德馨，仰篤慈佑，以保翊聖躬，福庇下民，俾湻風沕穆，億千萬年，則禦災捍患，允符祀典，不爲黷矣。工竣，謹奉命記其顛末，勒聲詩以告成事。辭曰：東方曰仁，萬物資始。神惟岱宗，實主張是。有赫威靈，周流六虚。涿鹿之原，惟神所居。琳宫峩峩，肇禋自古。弗涓弗除，神不安處。惟皇御極，懷柔百神。祇奉慈命，用圖厥新。既建虹橋，遂作神宇。拓其堂基，施及廊廡。真儀崇設，靈官景從。珪幣醪醴，式蕆國容。惟神聰明，保兹皇祚。握圖膺籙，如山之固。敷錫下民，時雨時暘。無有作慝，敢干天常。泰山巖巖，京邑翼翼。敕辭麗碑，垂祀萬億。

真武廟，在北門月城内。吳志。

昭烈廟，在樓桑村，昭烈故里也。唐乾甯四年，刺史婁延建，郭筠撰碑。金承安初重修，翰林應奉王庭筠碑記。吳志。金王庭筠涿州重修漢昭烈帝廟碑：仁者未必成功，成功者未必仁，仁者之心，以仁仁天下，不仁者之心，以仁濟其私。故善論人者論其心之何如，而成敗不與。以仁濟其私者，發其言見於其事，亦仁也，蓋竊仁以欺天下。夫竊仁者是有大不仁根著於心，然竊仁易窮也，而根著於心者不可掩，天下之人莫不腹詈臆唾，雖一時成功，旋與草木同腐矣。仁者之心，不以其身其家，而以天下，故天下之人亦相與謳歌戴仰，願以爲吾君，雖生無成功，天下之人莫不嘆息，至後世猶喜稱道。精爽在天，能推其仁心，用之不已，施之不竭，呼吸而雲雨，咄嗟而風霆，咫尺萬里，朝夕千載，此理之自然，無足怪者。先主，仁人也，當陽之役，不以身而以民，永安之命，不以家而以賢，雖不能如其言，要之其心如是而已。有厚愛天下之心，必饗天下之報，至今天下之人，猶歎息其無成，而喜稱道之，涿之人又祠而奉之，宜哉！涿，先主之故家也。廟距州西南十里而遠，庭有石，乃刺史婁君延重修記，唐乾甯四年也，則血食於此舊矣。歲久屋老，纔庇風雨，今年夏四月，里民始議增葺，於是富者以貲，巧者以藝，少者走以服其勞，老者坐以董其功，稍完治中堂，新作門屏，又作兩廡，配祀元臣：諸葛孔明、關雲長、法孝直在東，龐士元、張翼德、簡憲和在西。既成，其興廢歲月，乞文於庭筠，將以刻諸石。庭筠曰：五季兵火之餘，室廬焚蕩殆盡，而廟貌巋然獨存，悍夫暴客過堂下，斂兵肅跽不敢犯，則其仁之入民深矣。大哉仁乎！蘊之於心，充於天地，被於萬物，蓋有不與死而俱亡者。幽而爲神，其遺澤殘烈，匄及天下後世，以達其生平未厭之心必矣，豈獨私乎一鄉哉！祀而奉之者，特其鄉人之情耳。庭筠既書其事，復作歌遺之，使迎送神，佐其鼓舞以樂之。辭曰：舜禹不可作兮古猷日潰，盜取盜守兮恬不怪。仁人起兮力砭其廢，志天下兮豈獨爲漢計！大統未一兮時已逝，奄爲神明兮陟配上帝。何紓我憂兮仁及異世，彼曹丕兮死爲妖彗。握長鋏兮載芟載劇，燕越邊陲兮范水之裔。平疇如砥兮惟神之豐沛，鬱幢幢兮羽葆蓋，悵離樹兮今安在？記兒時之舊事兮想亦爲之一慨。神之去來兮蒼虬翠駟，粲華裾兮鏘鳴玉佩。緪瑟而吹籥兮，紛羣音之繁會。牲肥酒香兮神其飫醉。雲席帟兮回風滿旆，將而送兮百拜。民不忘兮遺愛，驅螟蝗兮癘疫，時雨暘兮屢歲，俾富康兮耆艾，民德神兮事之無替。

元有郝經碑記，舊稱先主廟，經爲易其題榜曰漢昭烈皇帝廟。

吳志。郝經涿郡漢昭烈皇帝廟碑：涿郡爲昭烈帝里，故其廟祀尤盛。涿故燕國，古多豪傑之士，歌謠慷慨，任俠報讐，遺風尚存，每言曹魏篡漢之事，莫不欷歔流涕，想見昭烈君臣。其父老過其祠下，拜謁而致奠者，朝夕不絕；其歲時祀事，合沓走集，不遠千里，指示樓桑故居，彷徨不忍去。廟在涿郡南十里而近，自隋、唐、五季、遼、金以來，皆卽故居代爲增葺，其正殿當中山靖王之後昭烈像，設衮冕南向。其佐命將相，則列於兩廡。左則諸葛亮、龐統、法正、許靖，右則關羽、張飛、趙雲、馬超，位序崇敞，有法制焉。廟故有碑，金翰林應奉王庭筠詞，推明昭烈之志，論議華采，近世所無，然猶題爲先主，名號有未正焉。按春秋左氏傳，稱先主者，大夫稱其先大夫之辭，生則稱主，没則稱先主，非帝王之號也。魏、晉私記，以昭烈父子爲僭僞，故稱蜀不稱漢，以昭烈爲先主，安樂爲後主。至陳壽作志，卽以漢與魏，使昭烈父子與劉璋共爲蜀志。其後著書者皆以魏爲正統。惟宋司馬光更蜀爲漢，初曰漢中王，卽位曰漢主，崩則曰漢主殂。追稱則曰漢昭烈帝。而亦不以正統歸之。至建安，朱熹始奪黃初之統，以章武繼漢焉。或者又以爲族屬疏遠，不能紀其世數名位，猶宋高祖稱楚元王後，南唐烈祖稱吳王恪後，此又從而爲之辭者也。後世之致疑，未若孔明之傳信，曰：將軍既帝室之胄，信義著於天下。又曰：霸業可成，漢室可興。爲帝胄使興漢室，當是之時，莫不以昭烈爲漢帝，曹氏爲漢賊，豈至於後世而欲以一己之私反之哉！故正其名號曰漢昭烈皇帝，榜其殿而系之以詩曰：高祖造漢，拯民塗炭。世祖戡難，民適思漢。兩都二祖，至四百年。昭烈之興，死灰復然。難於二祖，百折不阻。倉皇奔走，衆纔一旅。豈悌仁厚，民心是歸。必得國士，始可有爲。既挾熊虎，復起卧龍。電掃漢南，雷震江東。蹙操扼吴，據有梁益。遂取漢中，興王立國。高皇之起，始實在此。拓定中原，貽於孫子。漢賊不並，顧起偏安。丕豈其敵，誅讐弗難。天不假年，憤軍崩殂。不能致討，還於舊都。顧命孔明，伊周之事。不私其子，天下大定。琅琅格言，勗以爲善。三代君臣，乃今復見。宗臣流涕，效死出師。游魂倀鬼，折敗不枝。崦兹返照，有光屬天。既絶之統，復一再傳。三君一仁，三起三滅。廟食帝里，至今不絶。燕山之陽，涿水湯湯。篤生異人，復一高光。杜鵑不來，桑猶在寢。刻詩廟門，萬世是諗。明弘治二年，知縣張遜重搆殿三楹，翼以東西配殿。州志：以關、張配饗。

張桓侯廟，一在侯故里忠義店，一在州南郭桑園。吴志。陳懿典涿州重修張桓侯廟碑略：漢車騎將軍張侯專祠在蜀，涿州其所生之鄉，州有廟舊矣。方侯之從先主起也，間關百戰，艱險周旋，身陷陣瀕危者數矣，而卒以之興復，九死不回。及與諸葛亮泝江定蜀，三分鼎建之業，開拓爲多。作鎮巴西，破張郃之衆，曹操逡巡引退，不敢復窺漢川。庶幾哉可與關侯争烈矣。而侯氣吞吴魏，方勃勃未已，乃竟死帳下兵卒之手，其志鬱而未伸，其精爽必有不可磨滅者，則侯之有廟，以奔走其鄉之父老子弟宜已。然侯非獨勇烈茂也，蓋亦有君子之風焉。當搶攘中，士皆從强大就功名，侯獨依先主，共事草昧。孔明一出而居其上，黄、馬後起與並列，關侯猶待費司馬之解而後釋然，侯則退無後言，嘗降級而釋嚴顔，此尤雄鷙者所難，而侯獨能之。以勞定國，以死勤事，侯誠合乎祀典者矣。又元順帝至元六年，加封武義忠顯英烈靈惠助順王，今仍稱桓侯廟。吴志。

藥王廟，在南郭。吴志。吴嘉賓涿州重修藥王廟記：涿州距京師百餘里，城南關外，舊有藥王廟，始建於明嘉靖中。廟東與行宫接壤，純廟、睿廟駐蹕，皆嘗賜寶翰焉。曩廟三楹，中奉三皇，東西祀岐伯、扁鵲、華佗諸人，所以戒疵癘，備禱祀，使佛氏之徒守之。嗣改建，前祀神農，中祀彌勒，後祀觀音，則佛氏之徒倡衆拓修，遂以並祀其師云爾。歲久圮，住持僧心華又議修之，呼號遠邇，莫不競勸，鳩工庀材，削屨皆作，遂於道光二十三年二月十四日興工，次年九月工竣。僧復以其餘力，新廟北之火神廟，接翼連甍，巍焕並峙。是時余仲父芸孫先生牧是州已三年，親見其廟之由圮而復新也，嘉是僧之能守其職，以不墜舊業，因允其請，命余一言識其勤。余惟京師遠近之郊，自前明以來，神宫佛刹，奚啻千百計，今其蹟皆湮滅殆盡，崇閎麗偉之區，無有存者，而斯廟之始，士人猶知之，其興廢蓋何足道。今天子簡於遊觀，務惜民力、物材，不忍置諸無用之地，向時所在行宫，廑飭有司埽除而已。顧涿州爲祇謁陵寢常所經臨，四方來京師道路畢合於廟之西南，遠近瞻仰攸繫，兹廟固密邇，又奉先朝賜墨，永宜珍護，其可使勿復其前觀也耶？詩不云乎：君子所履，小人所視。爰敬識其日月，俾後不忘。

三皇閣，在北門月城内。吴志。

昭佑靈惠公廟，在州治東南隅，神張姓，秀名，仕唐爲馬軍兵馬使、司寇大將軍、檢校太子詹事、安東副都護兼御史中丞，或曰後漢將軍。元天曆、至正間，累著靈異，加封號曰昭佑靈惠公，勒石記事。吴志。夏以忠昭佑靈惠公廟碑：涿郡城東南隅，有古塚巋然，世傳以爲清河張公之墓。公諱秀，仕唐爲馬軍兵馬使、司寇大將軍、檢校太子詹事、安東副都護兼御史中丞，郡人麗其塋而祠之，目曰金甲將軍，歲致祈禱，尚矣。又云：墓嘗圮，得金明昌六年石刻，紀後漢將軍没於是邑而葬焉。其稱清河則一，而或唐，或漢則異，圖牒湮廢，莫決其孰非也。天曆年間，近關不守，已而嬰城得全，人指以爲神之功。有司白於上，始封爲靈惠侯。乞靈者日益衆，神異亦日昭著，不可殫紀。至正十九年己亥春，妖寇侵軼畿甸，京師戒嚴，徵調方殷，遠邇騷動。時諸將貪暴，師冗無律，數百里内掠人爲糧，郡邑率自殘毁。惟涿未破，豎將矯命，利其有，以三月戊午遽入據之，民之膏其鼎鑊者，日以千百計，居十五日而去。人咸謂非神陰遣之，必靡有孑遺矣。請增秩於有司，以答其貺。命未及下，諸軍之接壤而屯者相比，歲饑餽餉不繼，將以兵叛，冀飽於涿者非一日。明年庚子四月己巳，城陷，雖晡至夕遁，然剽掠焚蕩憯甚，驅以負荷者，男女無算，又將割烹之，莫不露禱祈善返，越三日，歸者餘五百人，又以爲非神之力不及此。申前之請益虔。中書下其議太常，遂加昭佑之號，而易爵以公。命下，郡人割牲釃酒以告。范陽尹鄭公侈其事，屬命記之，且曰：吾赤子幸存，神賜也。嗟夫！天地儲精，得五行之秀者爲人，其有聰明正直，卓然不同於流俗者，則能立功名於當世，垂事業於方來，故其殁也則爲明神，漢人所謂生封侯，死廟食者是已。且人之以禍福聽於神者，亦衰世之志也。天道福善禍淫，神豈能私予奪於其間哉？因其有神而禱之，尚足以繫其遷善悔罪之心，庶幾率德改行焉爾。祭法曰：能禦大災者祀之，能捍大患者祀之。公之血食於兹土也，殆所謂能禦大災捍大患耶！聰明正直，固不容以小知窺之矣。雖然，神依人而行者，向使顛連無告，祈哀於迫切之際，而不因有以全之，則將死徒無遺，又何以得今日齋明盛服，以承祭祀如此其嚴乎？鄭君大庸欲誌之於不朽者，豈徒以揭其報貺之虔，殆著其民前日之感，而勸其民後日之無或怠也。予前掌教於郡，悉其顛末，故次弟其事而書之。吴山鳳清河將軍廟祈雨記：人心之所聚，而神憑焉。神依乎人，而天應焉。聖人所以神道設教，而人所有賴乎神者，其理甚正，其道至大。涿州有神曰清河將軍，或曰唐人，或曰後漢時人，有墓在涿境。元時屢著靈應，封號昭祐靈惠公，下有司建廟以祀，歷今數百年。涿之人，水旱疾苦必禱焉。山鳳來牧是州，乾隆二十九年之春，麥將有秋，時雨未至，州之父老來請曰：宜禱於神。屏慮滌躬，齋明夙旦，牲牷粢盛，芬薌肥碩，入廟拜跪，駿奔祇慄，洞靈汗漫，杳寞怳惚，雲師箕伯，神光蜿蜒，霖雨四澍，滂沛汪濊，中田盈尺，決渠奔泉，桔槔卧野，襏襫在廬，台耇齓稚，懽噱載路。曰：微神之惠不及此。越明年，又如之。膏澤應時，不資無匡困，人有四鬴，漿酒藿肉，神之惠我民，豈不蕩蕩乎！或曰：神蓋没於斯，故得主之以福祚其民人。余曰：不然，神之靈無乎不在，涿之人神之，故其應也赫焉。且天之仁愛萬物也，孰不芘之！人之慘怛呼籲於天也，孰不應之！人不能自致於天，而神帥之，使自效於神，以上通乎天，而人以是歸於神之靈。是故神者，聖人所以爲教，而天下之人俛首聽命，感應之理，宜有如是。余忝州牧，邀神休之錫羨，得與州人士樂豐穰而安作息也，於是乎書。

火神廟，在南郭。吴志。

馬神廟，一在分司前，今移在州治内。一在參府西南。吴志。

旗纛廟，先在參將廳後，嘉靖三十四年，都指揮李勇移建於文廟西巷。吴志。

八蜡廟，在州東史家溝。吴志。

蟲王廟，在州東郭。吴志。

劉猛將軍廟，在城隍廟東偏。吴志。

佑濟龍神祠，在永濟橋東南，州志在北郭。國朝乾隆二十六年，奉旨重修。日下舊聞考。州志作二十四年。

御製重修涿州佑濟龍王廟神祠碑文：庚辰春，命大吏重修涿州永濟橋。橋東南故有龍神祠，歲久並就隊剥，飭工斥而新之。越辛巳，西巡旋蹕，省視落成，則行者利往來，居者時蓄洩，善夫人事集而神貺臻，數典庶無闕也。議禮家謂龍之祀，自史記朝那龍湫，始顯，其文不秩于三代。殊不知經訓所載，山川能興雲雨，致神物，以爲民茈者，民必祈而報之。近至一坊一庸，尸祝索饗惟恐後。矧涿郡地列望緊，當九畿之會，而胡良、拒馬二水，渟涵歕飲，用衍潤我神臯，其必有以默相之也固宜。或者疑有明已來，水汎而橋圮，匪一昔矣，神將奚妥焉？諗之曰：神依無在無不在。曩者祠與橋雖廢，而神之精爽固無不在也。今者橋與祠成，而必曰在是，是猶未知神之無不在也。然橋若祠，煥然一新，顧弗致精乎。其所式憑，以蘄所爲佑且濟者，其可乎哉！夫修廢舉墜，不可以人事未集而壹聽諸神，其又可以神妥于斯，而不益懋夫人事耶？則輿梁爲政之句，足深長思已。繼自今若蓄洩在居者，往來在行者，尚其善保厥成，以永乎於神庥而可哉。橋記緣起已詳，茲因祠石請文，書以揭之如此。

海龍神廟，在海神塘邨之南，去州治十五里。吴志。

平浪王廟，在北郭，俗稱小神廟，順治十年，州守鄭玉建，祀蕭、晏二神。畿輔志：蕭公名伯軒，宋新淦人，明封水府靈通廣濟顯應英佑侯；晏公名戍子，元臨江人，明封平浪侯。吴志。

張相公廟，在城隍廟東，畿輔舊志：神本越人，爲水神，明萬曆間有越人經商獲神佑，始爲廟祀焉。吴志。

盧敏肅公祠，在城内大街，祀兩廣總督盧坤，道光十七年遵例建。吴志。

竇公祠，在城内西北隅，相傳禹鈞故居也，今祠圮，古槐尚存。吴志。

房山縣

社稷壇，在西郭迤北。房山佟志。

風雲雷雨山川壇，在南郭東側。佟志。

厲壇，在北郭迤西。佟志。

關帝廟，一在西郭，一在石窩店。佟志。

城隍廟，在縣城西北隅。佟志。吴道凝重修城隍廟碑記：皇朝崇德報功，首重祀典。我房邑城隍社令之神，與山川並列正祀，以其爲萬民司命也。載稽前志，爵封顯佑伯，鎔金爲像，架木爲祠，神式憑之，用嘉惠億兆，俎豆馨香垂二百餘年，以至於今。其間補葺增修者，名勒碑陰，昭然可攷。説者曰：聖人以神道設教，不過爲冥頑輩森羅拜象，使有所懼，而不敢爲惡。此猶淺之乎視神道也。上帝之尊，處於衝漠，而職司都邑者，神實有靈，其心則帝心也，其力則帝力也。萬民之生，胥聽於神，神之聰明，無不見聞，神之正直，無不賞罰。嘗見某也爲善，而降之百祥；某也爲不善，而降之百殃。高爵厚禄，而人忘神力，是枝葉繁昌，而不知培植本根也，豐衣足食，而人蔑神象，是安然無心，而不異抱火厝薪也，豈獨愚民之過，抑亦有土者之羞。余奉命來兹，職在治民事神，瞻拜之餘，見其廟宇摧殘，荒凉滿目，竊以慢神爲懼，而又以有志未逮也，比及三年矣。夫以百姓爲心者，方欲借神力以庇吾民，祈禱有文，災祲有告，胥於是乎在。惟神心與天合，力與天通，一呼而應，捷於風雷。先民有言，入廟思敬。不急爲修理，不敬莫大焉。諸君子勉之。不有廢墜，何由興舉？今規模已定，果能稱量而助，合衆心以爲心，萃衆力以爲力，不需時而棟牖松雲，塗茨丹雘，以妥以侑，所以挽一邑之人心，而共趨於善者，皆神靈之所使也。是實理之充周，原不止形象之威嚴，則由兹而遹觀厥成，益有光於祀典矣。敬爲之記。

賢良忠義祠，在城東南隅，同治戊辰重修。王志。高建勳重修賢良忠義祠碑記：士君子敦品立行，幸而世際昇平，則以德化人，不幸而時遭變亂，則以身殉國，雖賢良忠義之稱謂不同，其所以扶綱常，勵風俗，有功於世教則一也。故各省郡邑咸建祠宇，春秋致祭，蓋嘉其志節，報以馨香也。房山縣城東南隅，舊有賢良忠義祠，荒廢久矣，瓦礫成堆，荆榛滿地，既不足以壯觀瞻，並不足以樹型範，且使賢良忠義之士，英魂毅魄，徒棲依於荒煙蔓草中也，可勝慨哉！余莅任後，極思修葺之。適植本邑常公蓺號葆初，因秉鐸饒陽，遭同治戊辰捻匪之亂，登城固守，城陷身殉。公長子茂才名履剛，號子潛，又殉其父難。經督憲題請，奉旨建祠之文到縣，余正與儒學兩廣文籌議勸捐，仍舊祠而重新之。維時常公之弟拔貢生名綺，號霞軒者進曰：房邑地瘠民貧，疊因賑務橋工，捐輸不已，民力實有未逮，願獨力捐修，無累他人。余嘉許之。兩月後，工告成焉。余遂同僚紳送常公父子神位入祠，遵聖諭，昭曠典也。夫常公父爲忠臣，子爲孝子，既得俎豆千秋，永垂不朽矣，而前此入祠諸賢，又復享祭得所，更無祠宇荒凉之歎，即斯邑人士，亦庶幾有所觀感而奮興焉。

是皆霞軒之功，余故樂爲之記，而立石云。

三官廟，在縣西三里留臺尖。王志。邱秉哲重修留臺尖三官廟碑記：昔人擇名勝之區，建樓閣亭臺，以爲遊觀之所，固其力之有餘也。後之人援爲善獲報之説，以取資於衆力，則不得不謂之廟，則不得不奉以神。有廟有神，則有僧，有道士，而僧與道士者，又託爲詭異之言以爲信：吾道者可以駐顔，否則將爲神於死後，可以邀福，否則亦食報於來生。匪特愚人信之，即當世文人學士，往往不能無惑者，蓋陰陽消長之理，天人感應之機，未能了然於心也，余仍作遊觀之所而已，神者姑以爲地主，僧與道其僕役，歲時藉以修補，往來資其應接，固亦不能無者也。留臺尖者，其命名已久，突起於羣山之外，逼近於縣治之西，登而望焉，城郭邨坊，星羅棊布，歷歷可數，非所謂名勝之區耶！自元、明之世，建三官廟於其上，其間爲僧、爲道士，迭爲廟主者屢矣。有川僧者，因其傾圮，欲易三官爲佛，又欲易留臺之舊號，而加以招提蘭若一切虚誕之名。夫三官與佛無擇也，而留臺之所自始，不啻天造地設，於衆山落脉將就平衍之餘，一峯陡峭，百仞嵯峨，殆留以爲遊觀之所，而自然之臺也，豈人所得而易者哉！幸里中首事，力相排阻，神復其舊，山復其名，而殿宇垣墉，亦悉改觀矣。夫深山絶壑，境則幽矣，而獨嫌其僻。齊雲落星，費亦廣矣，而尚覺其卑。惟我留臺尖，境亦巖阿，較巖阿有開明豁大之觀，地臨城市，視城市有天上人間之别。有志於學者，絜筴其上，誠足以壯其觀瞻，豁其心目，拓其胸襟，而消其鄙吝也。即二三友人，花晨月夕，吟哦於此，亦大佳事。適廟將落成，余遊其上焉。首事者求記於余，余喜其屋宇修整，遊觀者益無憂也，是爲記。

東嶽廟，在縣東二里。佟志。

馬神廟，在縣治西北。佟志。

真武廟，在北郭。佟志。

黑龍潭廟，在縣治北七十里大安山之上。有龍湫，深不見底，相傳有黑龍君居之。元至正十年，京師大旱，遣留守都事薩里默色往禱，大雨霑足。於是依山爲壇，因壇爲廟，正殿三間，東西屋如之，外爲神門，設欄楯臨潭上，中塐龍神像，被服如王者。有歐陽原功碑記。佟志。歐陽元朔建黑龍潭廟碑記：房山之大安山，山之上有龍湫，深不見底，以勢度之，下徹山趾。世相傳有黑龍君居之。至正十年，歲庚寅夏五月至六月不雨，銀青榮禄大夫中書平章政事搠思監奉詔留鎮京師，召京尹、縣令等官，徧走羣望，又率僚屬詣在京名寺觀咸禱焉，雨不至 平章公憂之，歸家，露香禱於庭。左右曰：房山有黑龍潭，禱雨輒應，盍往扣之！公遣今留守司都事薩理彌實奉香幣行，仍戒有司遣价，又玉虚宫十一代真人張公門徒明道洞微大師畢輔貴偕往。既至，輔貴等瀝平章公問雨之誠於龍，明日龍見靈異，觀者喜曰：雨之徵也。既而大雷電以雨，圻甸方數百里皆霑足，槁苗盡起。及秋，五穀胥熟。於是父老以龍君未有祠，請作新廟以彰神庥。輔貴願募衆財，馮潭依山，疊石築壇，高二丈許，廣可二百餘步，因壇爲廟，中作正殿三間，東西屋如之，外爲神門，設欄楯臨潭上，中塑龍神像，服飾如貴者儀，旁列雷雨部諸神以侑，次及祀神之庖，守祠之舍，内外偕作，經始於十年之秋，落成於十二年之冬，費楮幣五萬三千緡有奇。十四年夏六月，京師又踰月不雨，公復遣薩理彌實禱如前，將行，致公之意以廟記屬元。時元感暑下利，連日病不能興，聞命强起，而默禱曰：龍君卽致甘澍，已時蓄，當力疾以償諸責。十三日壬寅往禱，丙午大雨，己酉又大雨，自是雨大集，是歲有秋。都人每雨，見風雲雷電突起西南，自房山來，知爲龍君所致。薩理彌實竣事還，以喜雨告，元疾亦稍甦，乃記之曰：天有三垣，帝座所在，諸星環之。國有京城，天子所居，百神衛之。房山密邇燕都，多深山修谷，實生神龍，疏附奔走，居百神之先，理之必然也。且京師天下之本，盛夏兼旬不雨，舟漕不旣，物賈日翔，四方輻輳者憂之。又旬日不雨，饑饉疾疫將作，居民憂之，鬬訟盜賊滋蕃，朝廷有司憂之。一雨而百憂釋，四方安，故房山之龍能雨京師，有功於國甚大。禮記祭法曰：能禦大災者祀之，捍大患者祀之。新廟之作，於祭法爲宜。或曰：社壝而不宇，今廟焉，以居龍何？曰：地載神氣，神氣風霆，風霆流形，庶物露生，社欲其露處以受生氣也。龍者天之生氣，能爲膏澤以生萬物者也。其質爲陽，陽動必静，静必伏藏，宇以棲神固宜。又曰：肖龍像以人何？曰：龍有變化不測之神，人而爲龍，龍而爲人，古今多有之，異時褒崇之典，請於大廷，祀於奉常，爲侯，爲公，衣冠牲特，祝號祭式，必視人爵。廟也，像也，揆之事理皆宜。平章公，蒙古怯烈氏，國初以來，元勳世臣之胄，其父祖子孫，羣從昆弟，丞相御史大夫，接踵不絕於朝，故其體國也切，其憂民也深，其禱神也能竭其誠。乃作迎享送神詩，俾工歌其辭以祀，併刻之石。辭曰：龍胡爲兮山之鰲，風氣固密兮罔巒綢繆。龍奉命兮宅阻幽，扈帝室兮拱神州。神州兮盛夏不雨，相臣憂兮奉牲醑。牲肥兮醑香，龍來歆兮不遑處。大振雷兮從元冥，雲飛繖兮雨建瓴。雨優渥兮年穀熟，年穀熟兮神州足。神州足兮萬邦福，龍盤桓兮此有屋。龍歘起兮安之？乘靈和兮薄希夷。風雨旗兮絕天河，滃元雲兮揚素波。帝曰勞女兮復女居，新廟翼翼兮山盤紆。房之山兮雨之府，鼓坎坎兮巫屢舞。澤我民兮萬萬古，國大秩兮食兹土。

龍王祠，一在東郭，一在龍門臺，去縣二百里，曰玉河臺，四面皆山，其下深澗莫測。佟志。

虞舜廟，在縣西南五十里。佟志。

藥王廟，一在儒學東，一在縣西南五十里鞍子口。佟志。

閻王廟，在縣南二十五里岳家莊。佟志。

賈公祠，在琉璃河，祀唐詩人賈島，康熙丙子，知縣羅在公重修。佟志。羅在公創建賈公祠記：士之立名節、垂不朽者，或以德，或以功，或以言，苟産於其地，其地之人，固宜若神明然，家祝户尸以爲法，而守於其土者，尤當推而崇之，使民有所觀感而興起於善，此風化之大端，未可以爲不急而漠然置之也。余少時讀唐浪仙賈公詩，與其高曠之致，雅慕其人。其仕吾蜀也，長江之人，至今享祀不衰，豈非以其德與功在民，而其言足歌咏哉！夫公房人也，房人如公者不多見，亦宜祠而祀之，則而象之與吾蜀等，不宜落寞而已矣。考邑乘，墓在縣西南十五里，明大學士李東陽題咏存焉。乃余莅任初，即訪諸衆，俱茫然不知其所。復親至西南，求不得，歎曰：誌存迹亡，不亦悲乎！迨康熙丙子仲冬，余以公事至琉璃河歸，維時水涸草枯，馬蹄輕快，由曠野取捷至二站邨南，見殘碣高三尺餘，篆額爲唐賈島墓云。余驚喜下拜。視其方，則縣之東南也。觀其地，廣不盈丈；覩其塚，高不過尺，踐蹋已甚也。讀其碑，字雖模糊，猶隱隱知爲東陽公題咏也。視其年，爲正德丙子知縣曹俊所立也。余既喜得之無意，而又以蕭條蕪没爲悲，歸而思曰：及此不圖，後將安存！第其地爲旗人侵佔已久，奈何？爰因皇莊黄君麟圖轉懇之，慨施地六畝，復募金錢於有力者，靡不竭力贊襄，而争先之，於是建祠堂三楹於墓前，昭其象也。又建佛殿於祠堂前，從公志也。又建禪房六間於祠東西，募僧居之，期可久也。又清出順治初年，户部存留香火地二十五畝爲焚獻資，崇明禋也。事不煩而成功速。嗚呼！非公有靈，不克顯其蹟；非余與公有深緣，不克有此舉；非衆人好善之誠，不克成其美；夫豈偶然哉！或曰：公宦於長江，卒葬安岳。公無子，誰扶其櫬歸葬乎？余曰：不然，余重其人，非重其墓也。其人而賢也，雖其所經歷，猶將式之，况故里乎！且帝京景物略紀弘治中御史雲雍得斷碑於石樓邨，爲闢地置碑，大學士李别記之，舊碑所載亦然。今石樓去二站不遠，夫使斷碑無據，雲、李二公肯爲之乎？雖唐蘇絳撰墓誌，謂夫人劉氏遵遺旨葬安岳矣，不又曰權妥禮乎？既曰權，安知不歸耶？今曰無子不能歸，夫無子，又誰爲之立碑作疑塚耶？故余□以好善之誠，附雲、李二公後，其他何論焉！工既竣，率紳士而謁之，僉曰：美哉彬彬乎！敝邑文運自□□□公曷記之！余雖不文，若其始末，所深悉也，因書以誌。又爲歌以弔之，其詞曰：大房聳秀，實産先生。天性和茂，風骨澄清。始悟夢幻，托跡緇流。念持金偈，且吟且修。騎驢得句，手作推敲。赫赫京兆，以茲定交。高才不遇，旁若無人。長衢自話，可泣鬼神。飛語中起，行道悲傷。放逐適性，獨鶴翱翔。奪卷脱帝，雖命之遭。君王大度，短簿實遷。煌煌後命，已作參軍。天更愛才，遽遺修文。我吏仙里，景慕高風。西瞻山峪，名以君崇。念茲一坯，心焉鬱陶。偶然相值，如引如招。嗚呼先生，與數爲仇。孟郊北邙，先生石樓。爰建斯室，以作君廬。非善何親？非緣亦疎。賤子無文，憑眺祠宇。敬陳俚詞，感懷千古。

霸州

社稷壇，在柳行街西。霸州朱志。
山川壇，在州東門外。朱志。
厲壇，在柳行街東。朱志。
八蜡廟，一在城隍廟東，一在長屯。朱志。
火神廟，一在學宫前，一在駐坊營，一在東城下，一在天官坊，一在南關，一在趙哥莊，一在信安，一在策城，一在康莊。朱志。
東嶽廟，一在州治東北隅，故益津縣治也。相傳爲前明正德時巨璫張忠所建。祠東爲鹽廠河，每歲冰泮，有水鳥千羣，容與其上，一在新街，一在煎茶鋪，一在胡哥莊，一在南亳家務，一在口頭郬，一在徐哥莊，一在堂二鋪，一在信安，一在長屯，一在策城。朱志。
淀神祠，在州治南太堡郬，東、西兩淀向無神祠，乾隆三十二年，奉敕建立。
御製淀神祠碑文：畿南之地，廣衍多隰，衆水所鍾，翕之渟之，呀然成淵，而以時輸瀉者，則惟淀。淀之名，始見於左思魏都賦，所謂掘鯉之淀是也。字亦爲澱。水經注、新唐書志皆云九十九澱。酈道元又稱爲清河。後世約其數爲七十有二，其名皆不可臚舉。其散見宋、遼、金史者，今或淤廢，或傳聞譌舛，所可指者，不過四十餘。其他或曰泊、曰窪、曰窩、曰港，隨方俗所稱，而統言之，則東、西兩淀。西淀之大，周三百餘里，槪州一、縣四；東淀尤大，周四百里而贏，槪州縣七。其爲藪澤也廣，故畿内之水，大則沽、渝、濡、滱、泒、滋、易、涞，小則山泉澗流，無所不容，而旁境之溝澮汙涔，亦無所不赴。其受水多，故兩淀又各有經河，以條貫釃導之。依城温義亢其首，四角引其　，玉帶會同緣其督，扼以茅灣，掖以中亭十望，絡以南、北、中三殷，歙於臺頭，滌於大清河，趨西沽，爲尾閭之洩焉。其上則千里長堤，空界維鞏；下則格淀隄，以拒子牙，六郎諸隄以障永定，而牐，而涵洞，羅布節宣者，無弗具於是。兩淀無渾流之患，而專清水之利，黍疇稻畦，既膏既溉，厥惟上腴，舟航是通，懋遷利隧，而菰蘆淩蕅，鳧魚之屬，仰資生者億計，非有宰其化者，孰使我民利賴若是！記有之：山林川谷，爲民取財用，皆曰神。蓋淀之有神昭昭矣。人第習焉不察，廟闕未舉。歲丁亥，朕敬循皇祖成憲，巡覽淀海，爰自趙北口御安福臚，沿蘇橋而東，歷揚芬港，至於天津。嘉文安窪之既涸，懲渾河故道之不可復，則有詠。而三灘里淀隄之弗屬者，出帑繕之，亦爲紹我祖烈，以求民甯。維時春水方涣，和飈習颿，烝徒弗勩繄川祇，實昭厥佑。爰進大吏，詔之曰：惟淀縈薄左輔，袤延且千里，理大物博，用阜乂我畿内民，曷可弗重以神事！其相地飭祠用饗。迺發外府金二萬五千，卜度兩淀中，庀材經始之，閱再朞工蕆，堂廡既崇，煇庖咸列，以妥以恪，式副彝典。大吏復籲以明年春莅而落之，且以碑辭請。則又繹告之曰：惟淀實嘉利我甸人，匪今斯今，食神之福，而淀左右耆庶婦孺，歲時祈報，走廟下，則自今始，神實馮而歆之。惟是毋霪毋潦，毋有菑沴，豐殖錫康，俾我民其永利利用，光我秩祀。有司亦無怠祠事，毋弛民功，益迓神惠，而溥淀之利，識其詳謹肇祀也。乾隆三十五年。　御製淀神祠瞻禮紀事成什：江湖河海各神司，豈淀而無神莅之？向命東西中擇陸，是祠建於東西兩淀適中之地。今看爽塏處成祠。贊天宣佑靈哉沛，行地安瀾福以綏。虔奉瓣香申慶落，康田功籲錫民釐。乾隆三十八年。　御製淀神祠瞻禮疊舊作韻：贊天端藉萬神司，兩淀惟資神祐之。舟泛清流通一水，岸瞻楨宇到叢祠。肅兹三叩精誠達，冀我烝民安樂綏。鳳舸載臨同致敬，永陪福履沐鴻釐。

名宦祠，鄉賢祠，均在儒學戟門内。朱志。

文昌祠，一在儒學東，一在燕家務，一在靳家鋪頭，一在文昌閣在東關。朱志。

金龍廟，一在採木營，一在高橋。朱志。

真武廟，一在北甕城内，一在煎茶鋪，一在倉上，一在陶家務，一在沙城，一在口頭邨，一在栲栳圈，一在善來營，一在長屯，一在石城，一在張哥莊，一在辛店，一在柏林莊，一在信安，一在南孟邨，一在北落店，一在曹家莊，一在策城。朱志。

玉皇廟，一在青口，一在葉家莊，一在康莊，一在文明邨。朱志。

碧霞元君廟，一在葉家莊，一在北亳家務，一在汊河，一在杜哥莊，一在苑家口，一在長屯，一在煎茶鋪，一在堂二鋪，一在薛家莊。朱志。

三官廟，一在通濟橋南，一在臨津，一在趙各莊，一在任水，一在桑園，一在辛莊，一在北柏林莊，一在葉家莊，一在杜哥莊，一在善來營，一在漁津窪，一在康莊，一在鋪疙疸，一在七間房。朱志。

馬神廟，在州治西北。朱志。

獄神廟，在州治內。朱志。

藥王廟，一在東關外，一在柳行北，一在堂二鋪，一在狄家莊，一在太堡莊，一在辛莊，一在策城，一在城南營上邨。相傳前明萬曆初年，有道士吳元通者結茅於此，以奉孫、韋真人。三十四年，詔發帑金，改建，賜額曰普濟藥王行宮。四十四年，復遣官增修，備極瓌麗，州人王遠宜有記。周志。王遠宜霸州城南營上邨藥王廟碑記：粵稽霸州，古益津處，迺畿南首郡也。其城南接至口頭營上邨，約地十里餘，蓋隄外汪洋無邊際也。邨當琉璃河下流，住人野渡橫舟，行客駕航長逝，其勝景可概睹矣。萬曆初年，本邨東有道士吳元通，募化造藥王小宇，止一荒臺云耳。夫藥聖孫、韋真人，其生代，其封號，其功德，其行藏，其遠近，今古昭昭傳聞，宜不敢空談紙墨間，惟綜此廟之修建始末，而略記之。高公諱進，河間府任邱縣人也。其人恂恂質樸，有上古君子風，其事上也，鞠躬盡瘁，翼翼小心，絶無浮靡諂諛之習。歷代來中貴之罕睹者也。三十一年四月十八日，奉旨同衆鄭州進香，偶值夜雨驟至，未免有迷蹤失途之倉皇，頃刻金燈隱隱，火光灼灼，恍惚間示以通路者衆，公初以爲人所引，而繼不知燈火何所往，乃知爲神所示也。回奏上聞，達諸國母，發內帑，遣官刱建，欽賜普濟藥王行宮，三十四年告成。玉宇輝煌，金碧映射，何異海島金山，寶光錯落也耶！神通廣大，法力元博。四十四年，聖躬微恙，夢神點化，其形神似有攢眉狹小之狀。復遣重修，增高三尺五寸，前豎碑坊三座，後築層樓二間，若鉢堂，若道舍，若鐘樓，並石牆圍樹，一時焕然改觀。偉哉此行宫乎！我皇鴻庥無量，我州造福何窮也！記遺修宫王諱斌，本州宫家邨人，緣桑梓屬篆文於予。宜後學生也，不敢辭，遂採故老之傳聞備録之，以誌不朽云。時萬曆四十四年歲在丙辰四月朔。

牛王馬王廟，在東皋西。朱志。

三皇廟，一在王家莊，一在康莊，一在煎茶鋪。朱志。

關王廟，一在州治西南隅，一在東門外，一在北關，一在李家胡同，一在鋪疙疸，一在杜哥莊，一在徐哥莊，一在苑家口，一在長屯，一在採木營，一在任水，一在辛店，一在撒袋營，一在柏林莊，一在北南邨，一在煎茶鋪，一在沙窩，一在曹家莊，一在桑園邨，一在田家口，一在康莊，一在七間房，一在陳厨營。朱志。

劉河間廟，一在城内，一在煎茶鋪，一在臨津。朱志。

岳武穆廟，在城東十八里錢家營。朱志。

陶州判祠，在馬神廟右。州判諱譜，明嘉靖十七年判州事，制行清苦，一塵不染，去之日，立廟祀之。朱志。

吴州判祠，在善來營隄上。州判諱尚義，明隆慶間監築文安大隄，民甚德之。朱志。

思功祠，在栲栳圈，去州治八里，祀前明兵備副使陸坤、錢藻。先是，州多水患，陸至，開栲栳圈河以洩之，錢復築隄百二十里以禦渾河之水。州人戴德，並肖像奉祀。兵部尚書王遴有記，朱志。王遴霸州築隄建廟暨報功祠記：余郡暨文安、永清二邑，咸在京師之南，天津之西。凡雲、朔、恒、代諸山之水，由天津入海者，必經流余郡與二邑，而二邑多大陸鉅阜，惟余郡最下，獨當其衝。在郡之南爲苑家口，有前兵憲陸公新開栲栳圈河以洩之矣。在郡之北，有渾河，受諸山之水，夏秋間洶湧浩蕩，三河實不能容，不南溢文安，則北溢余郡，不南溢余郡，則北溢永清，或甚焉，卽郡與邑，咸爲汙池。此皆載之往牘，非臆説也。萬曆三年春，兵憲錢公，飭兵明刑之暇，乃喟然歎曰：盜起訟滋，今畿輔之重，無所資藉，以民貧故也。欲民不貧，莫如除水患，莫如開河築堤，開河去其壅塞，築堤防其泛濫。陸公新開栲栳圈河，民甚賴之，固事事者前茅，吾終不忍坐視，俾陸公而後無聞也。乃慨然上築堤之議於兩臺。兩臺韙之，於是布令諸屬。余郡守郝公汝松則曰：此守土者責也。奉令惟謹。南自郡之山川壇起，由栲栳圈、臺山、平曲至胡哥莊而止；北自南孟，由鋪疙疸、張家莊頭、五間房、採木營至青口而止；中自康莊，由煎茶鋪、沙窩、甯家口、趙哥莊、田家口、蔡園至信安城而止；西自菊花臺，由廼家莊、魏家營、牛哥莊、老堤、王家樓至栲栳圈而止。役夫計二千名，築堤計一百二十里，卑者增高，薄者加厚，仍舊制以適水土之宜，不創作以起紛更之擾。撫臺王公念民力匱詘，恐不能卒業，復下令擇力薄而工大者，臺給以食，計穀二千石，民益感奮，趨事恐後。不三月工成，及秋，水果不爲災，於是有黃髮者數十人詣余，僉曰：堤工既成，水卽就下，人定勝天，有如是哉！然人事之當修者，不止此也。我國家爲民禦災捍患，既勤心力矣，又必於城隍、山川、社稷、八蜡，爲廟，爲壇，夫豈漫然無謂者哉！地方小民，僭援斯義，因於栲栳圈建龍王廟，意使水有所司。又念朝廷設官，亦以爲民，而民不能忘者，在樂樂利利，今水不爲災，錢公所以樂利民者至也，意亦欲於斯地並建錢公報功祠，庶幽明無憾。倘於祀典有合，願公記之。余不佞，生於斯，長於斯，困於斯久矣。今擇事在田，尤以秋爲望，錢公加意於民，暨民之急於水患如此，固所喜談樂道者，敢以下文辭！竊聞聖王制祀典，惟能禦大災，能捍大患則祀之，凡以爲民也。故大田多稼諸詩，周禮荒政十二甘棠之追慕召伯，鄭人之歌頌子産，匪今斯今，振古如兹，若等建廟祀神，並立祠以志不忘錢公之功，禮以義起，固祀典所不廢也。余又聞堤成之後，公尚時時訪求沿革，酌量利害，思欲復神禹之績，俾余郡暨二邑萬世永賴乃已。其言曰：神禹之治水，法在排決疏瀹，譬之行血脉於人之身，通則安，滯則病。陸公誠得其遺意。顧今匪其時耳，堤工之成，末也。嗟乎，仁矣，遠矣！錢公無已之心哉！宜乎民之不能忘已。雖然，良醫之治病也，急則治其標，緩則治其本，無堤則無民矣，堤工之成，曷可以爲末也！請於祀錢公祠内，並祀陸公。黃髮者咸欣欣舉手加額曰：可。蓋開河，治其本也，築堤，治其標也，標本緩急之圖，二公有焉，民不能忘，一耳。請紀錢公之言於石，以竣於後。陸公名坤，陝西蘭州人，嘉靖乙未進士。錢公名藻，南直如皋人，嘉靖己未進士。今廢。

文安縣

社稷壇，在永定門外南偏，洪武間建，成化年知縣劉縉重修。文安楊志。

風雲雷雨山川壇，在來薰門外東偏。楊志。

邑厲壇，在拱辰門外東偏。楊志。

鄉厲壇，在各里，共四十處，今間有廢者。楊志。

關帝廟，一在迎恩門内，一在迎恩門外，一在蘇橋，一在西馬頭，一在李哥莊，一在勝芳鎮。楊志。

文昌祠，在儒學東。楊志。

城隍廟，在縣治西，洪武年建，萬曆年重修。楊志。

八蜡廟，在城内西北隅。楊志。

增福廟，在作新門内。楊志。

馬神廟，在城内西北隅。楊志。

口文閣，在城上東南隅，康熙二十七年，知縣張朝琮創建。楊志。

三貞烈祠，在縣治東，祀烈女董氏、烈婦姚氏、劉氏。教諭郝尚禮撰文。楊志。郝尚禮三貞烈碑記：正德庚午，畿輔弗靖，文安一女二婦被擄，義不辱死，君子是焉，以爲有貞烈風。先是，巡撫都御史孟公上其事於朝，下詔旌表。所司因循未舉。嘉靖丁亥，巡撫河東許公按邑，聞其事，嘆曰：嗟乎！三貞值變不污，昭質罔虧，嚴霜烈日，憤憤而死，不辱其身，死雖弗一，求其是而已矣。夫死，人情所難也。三氏者獨不愛生何？然變當其前，虧體辱名，雖生猶死，故死有所。不口者，舍義而死，不媿其心，固不知其爲貞爲烈，而暇於干名哉！惟慷慨殺身，後人哀之，直其節而是其死，於是乎有貞節者名焉。名之所在，而風斯遠，故三代以降，民多勵節，謂非聞風興起者乎！是故盡其道者存乎常，苦其節者存乎變，常則人之所同，而變則惟其所獨。然天地之正氣生於心，感於時，爲忠，爲烈，爲義，爲貞，爲直，爲潔，爲不污，皆正氣所存也。三氏者，生窮鄉下邑，未聞君子之道，而有古人之節，非正氣根心而能若是乎！故三氏者，死猶不死也。千載而下，其又有聞三氏之風而興起者乎！按：董氏，孫氏鎮民董成章女，被賊獲，投井死。姚氏，孫家務民張文舉妻，國子生姚鏜女，詈賊支解死。劉氏，裴鉞妻，生員裴瀾母，詈賊兵之口，額破血流被面，猶詈，碎其屍。嗚呼！鉉道靡靈，造昧時艱，羣凶逆命，污人妻女，劫人藏積。正氣弗没，二三貞女，誓義不辱，烈烈而死。事雖奏旌，弗彰於時，湮滅不稱，世遠恐遺，斯足悲矣。幸值風司昭彰於石，以昌以熾，永爲後則。噫！人亦不幸而生於若哉！君子曰：閭巷之人，砥行立節，非有青雲之士爲之表揚，惡能施於後！三貞亦當幸所遇矣。敬書此以備他日秉筆者採擇焉。

玄帝廟，一在拱辰門外，邑人王以纁撰文，未見。一在狼虎廟鎮，太史李廷機撰文，未見。一在勝芳鎮。楊志。

火神廟，一在拱辰門內，順治十年河決，水灌門內，頹圮無存，一在迎恩門內，一在勝芳鎮。楊志。

在左家莊，一在勝芳鎮。楊志。

碧霞宮，一在柳河，一在孫氏鎮。楊志。

五龍堂，在永定門外，被水衝没。楊志。

藥王廟，一在迎恩門北，一在柳河，一在勝芳，一在蘇橋河北，一在三窪邨。楊志。

劉守真祠，一在滋皂邨，邢孔陽撰文，一在柳河，邑人紀克家撰文。楊志。

東嶽廟，一在界衛，一在㴌崗。楊志。

龍王廟，一在左家莊，一在勝芳鎮，一在付化邨。楊志。

張相公廟，在相公莊，卽唐工部尚書張仁憲故祠，原碑在焉。楊志。

漢縣令趙夔祠，在靳哥莊。夔，武帝時爲本縣令，多異政，值時大旱，乃自焚。縣人感慕之，爲立祠。楊志。按：日下舊聞攷，趙君廟在近郭莊，今名仙公堂。又漢縣令趙夔祠，在縣東北三十里，爲文安故城，蓋卽縣志所載而分爲二耳。近郭，靳哥，音相近，其地正在文安縣東北。

文公祠，在蘇橋，祀宋主簿蘇洵。楊志。

秦侯生祠，在迎恩門外二大士菴右側，祀知縣秦世禎。詳職官傳。

崔侯生祠，在迎恩門外二大士菴左側，祀知縣崔啟元。詳職官傳。

大城縣

社稷壇，在安阜門外西北一里，萬曆二十四年，知縣任彥棻重修。大城張志。

風雲雷雨山川壇，在明遠門外東南一里，萬曆二十四年，知縣任彥棻重修。張志。

邑厲壇，在恩光門外，周垣久圮，萬曆十一年，知縣狄同熣修。二十四年，知縣任彥棻重修。張志。

關帝廟，一在縣南城牆下，明正德年司禮監太監王廸建，一在縣城牆北，知縣王來聘重修，一爲關王廟，在縣西十二里王鄉屯。

城隍廟，在縣治西北，明天順年建，弘治癸亥年，知縣安佑重修，張志。梁材重修城隍廟碑：禮曰：有其舉之，莫敢廢也。有其廢之，莫敢舉也。是禮也。祀之義也。明其義，可以言祀矣。莫敢廢者，神之當祀者也。當祀而不祀，謂之疎。莫敢舉者，神之不當祀者也。不當祀而祀，謂之諂。是在有司加之意耳。粵稽城隍之神，爲地祇之屬，其名肇於古史，其用著於周易，保障邦土，衛捍生民，當祀之神，莫大於此，故廟祀始於唐，達於宋，猶未徧之天下。迨我太祖混一寰宇，遹清祀典，天下城隍，皆錫之以爵，在府曰公，在州曰侯，在縣曰伯，此定制也。大城城隍封伯爲顯佑，舉而祀之，其敢廢乎！廟在邑之觀音寺東隅，殿三楹，而兩廡翼焉。創建之始，莫之能攷，重修於天順元年，迄今五十餘載，歷歲滋久，日就傾頹，户牖垣墉，悉皆剥落，非昔人崇祀之意也。適安侯來尹兹邑，治人事神，罔不注念，覩廟貌之陵頹，慨祀典之廢弛，亟圖以撤新之，發官緡以易材植，而所費不給，更風邑中士民以助之，不勞民力，不蠹民財，時以農隙，人以悦使，越三月而告成焉。董其役者田信、孫鵬，皆邑之良也。謂廟既重修，當有以記之，而問言於余。余惟神以鑒人，非人不依，人以事神，非神不佑。人神之理，本無二也。兹城隍之祀，豈徒以捍災禦患已哉！吾聞聰明正直之謂神，則福善禍淫，實惟城隍之職，今此下民能爲善以去惡，若神陟降左右，而不敢斁，則福履無疆，垂之子孫不替，神之所佑，不既大乎！是不可以不慎也。雖然，幽有鬼神，明有禮樂，有司之施於有政，無非神道設教耳。試觀安侯之仕平舒也，伸節以礪民之行，率義以作民之勇，彰善以示民之勸，癉惡以示民之懲，法制凛然而不可犯，真如神明之在上也。爾士民能遵侯之令，而守之不渝，則可免刑憲之辱，悠悠於太平之世，是安侯之錫福於民，卽城隍之佑之也。若曰神可媚，而徒務焚修之末，縱肆邪僻，無所不至，是自貽伊戚而已，其如神何哉！士民其慎之。是工也，始於弘治癸亥之冬，成於次年甲子之春，碑記則鐫於正德之丁卯也。安公諱佑，四川嘉定人，父子俱登第，美政之在口碑者，不敢漫述，其勳名則未艾云。萬曆九年，知縣李知春重修。張志。王圖永重修城隍廟記：夫域中有善惡兩途，有彰善、癉惡兩法，當世所爲是非榮辱，後世所爲興廢絶續者在焉。然而有司其符者，有察其機者，有握其權者，世之論者吾惑焉。一則曰：輪廻報應，固屬不經。一則曰：命定不移，亦阻人進修。不若易之積善餘慶，積不善餘殃；書之惠廸吉從，逆凶爲正。若于公待興於高門，嚴母掃墓於東海，李廣不侯於殺降，宋祁發跡於救蟻，更僕數未盡，又不可謂無其報應也。蓋嘗論之，善惡在人心，報應在當世，予奪在鬼神，何也？人惟一心，心惟一理，鬼神亦此理而已矣。爲善者不愧於心，卽不愧於鬼神，而與休之理會，鬼神察其善機而降以福；爲惡者愧於心，卽愧於鬼神，而與咎之理會，鬼神察其惡機而降以禍。是善惡者，禍福之符，而人心則司其符者也。人心者，善惡之機，而鬼神則察其機者也。禍福者，彰癉之權，而鬼神則握其權者也。是故或牖衷而篤其祜，或奪鑒而益其疾，或先號而後笑，或始吉而終凶，或榮瘁止於當年，或顯晦延及子孫，變化匪一，轉移靡定，若縣鑑持衡，錙銖不爽，神之於人，嚴矣哉！余邑城隍廟，建自天順，重修於弘、正間，廟制甚狹。東魯任公令余邑，愛民以仁，事神以敬，下車謁廟，憫其頽且隘，飭工庀材，易廟後隙地，擴而新之，建寢殿三楹，團殿一楹，前後兩廡，門垣視昔增弘敞焉。屬余爲記。余曰：我侯非徼福於神也，亦體朝廷彰癉之意，以襄人治之不逮耳。蓋人或可欺，而神不容僞。凛然易惡遷善，而爲賢人君子之徒，則神之默相也，多矣。爲吾民者，果能奉公守法，履規蹈矩，敦孝弟，習仁義，不失節昭昭，不墮行冥冥，顯不干吏議，陰不懼鬼責，其於皇古之風可庶幾乎！時萬曆庚子歲也。崇禎年，邑人薛國昌募化重修。張志。

八蜡廟，在城東南里許，知縣王來聘重修。張志。

馬神廟，在分司西，明初建，知縣趙德光、狄同熣重修。張志。

龍王廟，在縣南沿河十里灣口，光緒七年，奏准御賜扁額。采訪册。

火神廟，在城隍廟東北，明萬曆年知縣任彦棻重修，崇禎年邑人鄧元諤於廟西增建藥王廟，改爲二聖祠，一在真武廟路東。張志。

真武廟，在北關，明永樂年建。張志。

太山行宫，一在東關外，知縣狄同熣重建，一在北關西里許。張志。

玉帝廟，在縣東南半里，唐時建。明景泰年，知縣崔鐸重建。萬曆年，知縣任彦棻增修。張志。

藥王廟，一在北關北，明天啟年，生員李仲芳、經歷劉圖光重修，一在西城八里李北邨。張志。

東嶽廟，在縣北子牙邨。張志。

金龍四大王廟，在縣南四十里李坦邨。（張志。）

右軍祠，在城西王祥邨，金世貴書，至以書工拙進退士，故北士多慕右軍，立祠祀之。（張志。）

保定縣

社稷山川壇，在縣城西北。（保定成志。）

風雲雷雨壇，在縣城南。（成志。）

邑厲壇，在城北。（成志。）

關王廟，一在馬神廟東，一在北科。（成志。）

城隍廟，在縣治西。（成志。）

馬神廟，在縣治西北。（成志。）

八蜡廟，在馬神廟北。（成志。）

龍王廟，一在北隄，一在北科。（張志。）

玄帝廟，一在北門外，一在路疃。（成志。）

東嶽廟，在圍河。（成志。）

藥王廟，在路疃。成志。

土地祠，在城内。成志。

邑侯吕公祠，在北門内，祀知縣吕焕，字堯文，浙之崇德人，因築城功，民祠祀之，邑人王顯忠作記。未録。成志。

報功祠，在城内，祀知縣田龍。成志。張士雅田侯報功祠碑記：稽古聖王制典，惟禦大災則祀，捍大患則祀，祀豈靡文乎哉！凡以司牧者之功德及民，民故崇報於永，永洵民心之好，有不容泯。藉使惟一切文具，而無與民瘼之痾痒，則民有疾首蹙額向隅飲泣已耳，又胡爲乎祠之報之，如兹田侯者耶？侯自己酉握符，政值菑祲之後，百物凋耗，民生不啻苕華之附物，以故萇楚之歌，如沸如羹。有幸侯至，本之慈祥，據以真醇，事事而調，人人而撫，走馬於荒邨窮谷之中，賑救於祁寒暑雨之際，保釐無愛髮膚，煦六月濡嘔肝膈業起溝瘠而袵席之矣。越明年辛亥夏，忽焉雲昏，白浪幾湧雉堞間，侯冒雨拯援，且塞且禱，頃之陽侯而東，若倉庫、城郭、公署、民宇，幸不爲池，僉侯賜也。再明年癸丑夏，洪濤復至，大城堤幾潰，時已及晡，侯星奔月馳，得不決。嗣是晝則督築，夜則躬巡，無分州境雄、大，東堵西塞，風飡露宿者二十五晝夜，雖竟爲鄰穴乎而禾登，堤既補堅好穎栗，孰謂人力非天工哉！嗟嗟！霸屬誠澤國，曩余齠年，猶憶安瀾，乃甲辰後，天吴降災，決瓠子，吞桑田，乃間歲而然，至城復於隍，不辨牛馬，若慕名狀矣。往司土者，即事畚鍤，亦聊完宜防役耳。侯獨鑒民命攸關，著令附近挨丁負薪捧土，增卑倍薄，視往昔徑庭也。今且設防，夫給工食，從今樂利之休，侯其惠之，是功德之及民者如此，所謂禦大災、捍大患非耶！民安得不祠之報之爲也！若夫嚴吏胥，禁勾攝，革公出，夫馬杜徵，輸火耗，尤彈丸黑子爾寬一分受賜一分者，以故五年之内，百姓晏然，四境甯謐，如登春臺而躋壽域。奈倏然而去也，民安得不祠之報之爲也！祠成，問言於余。余固愀然而感懷焉。以今天下之民生憔悴極矣，所賴休養而生全者在有司，有司之賢盡田侯，若則海宇立躋萘隆無疑，不謂晚近風微，俾幽貞者卒難表見，拙守與巧宦遂隔九閽，侯是以浩然而掛冠也。惜哉！瀕行，男婦號泣，絡繹擁攀，至輟耕罷市，泣送境外，是又可以徵公道之在人心云。侯諱龍，别號雲衢，山西五臺縣人。甲寅既望。

社稷壇，在城西北三里。薊州沈志。

風雲雷雨山川城隍壇，在城南三里。沈志。

先農壇，在城東六里圍房莊東，今止存壇址。沈志。

厲壇，在城北三里。沈志。

八蜡廟，在城東北四里，地名四方臺。沈志。

文昌廟，在文化街，嘉慶二年，州牧張顔重修。沈志。

城隍廟，在城西北隅，康熙二十八年，直隸巡撫于成龍建，西爲土地祠，東真官祠，乾隆十五年，州牧誇喀重修。沈志。

奎星樓，在州治東南文化街，乾隆七年，州牧錢孫振建基，至乾隆十五年，州牧誇喀修竣，上建重樓，爲奎星像，俗名曰新鼓樓。沈志。

火神廟，在城隍廟東。沈志。

武廟，在薊州衛署左。沈志。成憲重修武廟記：薊州衛舊有旗纛廟，附於衛署之左側，歲霜降節，守備官率所屬以牲帛致祭，蓋舊章也。嘉靖間，衛改爲薊州兵備道，又改爲總督軍門。總督徙鎮檀州，復改爲道，而廟附如故，於義無當，且廟庭南向，而門東向，觀者病之。萬曆辛丑，總督杜公奉命來餉薊州兵備，時公方自海上振旅而還，展謁廟庭，既而言曰：薊州左輔重鎮，夫非用武之地乎！旗纛之神，實相厥武，而廟貌未稱，如妥侑何！因謀之督儲司徒大夫齊公，安所得善地而遷之？胥曰：倉之東有隙地一區，土燥而剛，位正而方，以妥以侑，宜無不臧。又進文武官屬而論之曰：力詘而舉贏，懼以煩吾民也。吾捐吾俸以佐之。衆唯唯受命惟謹。於是鳩工戒徒，捐穀舉事，舍其舊制，廓以新規，揆度盡勤，斲虔盡智，塗塈盡良，丹堊盡責，第興序施，底於純備，正殿兩廡，巍然改觀，而又限之重門，繚以周垣，深嚴邃密，罔敢狎暱。且前臨萬井之通衢，後倚百雉之崇墣，體勢雄峻，如靈旗盪空，萬騎自天而下也。又如百靈咸集，煙雲拱護，而神爽赫奕也。猗與盛哉！前此所未覩已！肇工於萬曆壬寅二月，訖工於五月。是役也，公捐貲一百一十兩有奇，郡守鍾君捐貲十兩，新任守備史官署守備事千總馬鑑、暨各衛官，捐貲六十兩有奇，工徒經費，咸取辦於此，民不知有勞且費也。既落成，徵予爲記以詔來者。今按：旗纛正殿設軍牙六纛神牌，仍肖昭烈武成王像，南向，旁有四配，有十哲，有兩廡從祀諸名將，略倣文廟之制，故亦名武廟焉。稽之載籍，青龍、朱雀、白虎、玄武，見於曲禮詩註，亦謂鳥隼曰旟，龜蛇曰旐。楊子曰：所謂龍虎鳥龜是已。此皆四方之星，取其形似，而畫於旗纛之上，以象天而示武，故必有神以主之。而昭烈武成王而下，諸名將莫不有謀王定霸之略，勘亂禦侮之功，義烈震於兩間，英聲流於百代，則萃而祀之武廟，以爲崇報之地，且以作忠義而倡勇敢，亦禮之以義起者也。或乃謂王制，天子將出征，受成於學，執有罪反，釋奠於學，以訊馘告。魯頌云：既作泮宮，淮夷攸服。見文武之道，合而爲一者也。今祀旗纛，而並祀諸名將爲武廟，若岐文武爲二塗，於禮顧弗悖乎？此固一說。然神無不在，禮有攸重。文廟通於天下，武祀專於軍衛，各有取爾也。矧歷代名臣，特以其武功獨盛名之爲耳。中間身都將相，才兼文武，樹耆定廓清之功，而亦不廢詩書禮樂之訓，或稱人材殊絶，或稱輔佐獨優，輕裘緩帶，左右圖書，諸如此類，未易縷指，是可盡以武目之乎！謹以從祀孔庭，宜無不可者，特其武功獨盛，祀之專祠，以爲司軍旅者之炯鑒耳，非以其無文，而別祀之也。故祀旂纛，所以象天而示武，祀名賢，所以事神而名教，其取義甚大。然則公之恢宏廟貌，享祀明靈，豈徒以從侈儀章，聳一時之觀聽乎哉！余樂觀厥成，遂不辭而爲之記。

馬神廟，在城隍廟西，久廢無存，今建於州署西漁陽驛內。沈志。

關帝廟，一在南門甕城，一在火藥局之西，俗曰小關帝廟，一在北城根下，曰上關帝廟，一在武定街，曰下關帝廟，一在州東五里碑，一在州北崆峒山上，一在州東七里峯，一在州東十二里毛家莊，一在州東三十里窰鋪莊，一在州西三十里邦均店，一在州西六里刀薊營，一在州南二十五里鄭家套，一在州東南三十里别山店，一在州南四十里柳子口，一在州南四十里臺頭莊，一在州南二十五里張家莊，一在州南十里營城莊，一在州南五十里馬龍港，一在州東南三十五里下李家莊，一在州北四十里下營。沈志。

藥王廟，一在城隍廟西南，一在州東三十五里峯山莊，一在州東十里黄土坡，一在州東五十里三岔口，一在州西二十五里牛頭山，一在州西三十里邦均店，一在州西五十里段家嶺，一在州西南四十八里公樂店，一在州南四十里城子口，一在州南三十里上倉店，一在州西南六十里西屯。沈志。

東嶽天齊廟，一在州西三十里邦均店，一在州東南十里翠屏山，一在州南六十里下倉店，一在州東南五十里胡家樓，一在州南四十里臺頭莊，一在東門甕城内，今坍塌無存。沈志。

玄帝廟，在北城下，俗稱真武廟，東栢樹二株，鐵幹虬枝，似數百年物。沈志。

倉神廟，在倉大門外之東。沈志。

土地祠，在州署大門内東偏。沈志。

獄神廟，在監内。沈志。

張大明王廟，在州署東北隅，卽預備倉舊址。舊縣志載：張大明王，河神也，因漕運通薊，康熙三十四年，州牧張朝琮創建。沈志。

公輸廟，在天寶觀西。沈志。

真武廟，一在州東二十五里壕門，一在州東二十五里上捻頭，一在州東二十五里下捻頭，一在州東十六里張家店，一在州東二十里東馬房莊，一在州東三十八里八百户，一在州西三十里邦均店，一在東南五十里枯樹莊，一在州北五十里黄崖關，一在州北四十里下營，一在州北五十里車道峪，一在州東南五十二里蒙家圈。沈志。

玉皇廟，一在州東五十里黄花山上，一在州南四十里王新莊，一在州北四里崆峒山上。沈志。

天仙宫，一在西門外，一在州東南三十里别山店，一在州西十里五名山。沈志。

竈君廟，在西門外。沈志。

鄒公祠堂記在城内，祀巡撫鄒時敏，沈志。劉珝鄒公祠堂記：夫人出而濟世於有道，孰不欲立功當時，垂名天壤。然而造物常若有靳焉，不可必得也。比常觀志於功名者，視斯民之痌瘝，切於一體，憂勤而愛深，朝警而夕令，悉心所事，然不知人情勞於下，怨讟叢於身，功不立，名不修矣。又有人，扶樹善良，而寬不爲縱，摧折奸暴，而猛不爲苛，令行而人愛之，政下而人頌之，然感不一時，忘不旋踵，愛於目前，而不必於去後，頌於一時，而不必於百年，功不傳，名不永矣。若乃以國家人愛爲己任，禦災捍患爲所當爲，史書其業，人仰其德，而功名烜赫乎一世，再世，數十世，百世而無疑，蓋百不一見焉。於此，見造物者之於人，豈苟然而已哉！都察院左副都御史鄒公時敏，嘗巡撫薊州、永平、山海等處，去今三十載，而公之即世又已久，參將劉君輔等爲作祠堂以祀之，而徵言於予。嗚呼！公以三十載之前，而尚能感人於三十載既没之後，亦難矣！公何以得此於人哉？邊庭失守騷動編氓，智者謀疏，强者勇縮，時或難之，而公獨以忠義自許，騰擲鯤鵬之力，振揚山岳之威，出奇策，實倉庫，舉將才，安要害，固城垣，精器械，以禁禦侵掠，安輯羣生，而朝廷倚重之如左右臂。當是時，公之德望殆不愧所謂社稷臣，安得而忘諸！況獎善嫉惡，進賢退不肖，足以勉人而勵俗，實又有不可泯者。傳以有功於民，則祀之以報，公在當時，其有功於人如此，然則作當而祀之以報公之功，夫誰曰不可！而公之芳聲令聞，赫赫在人耳目者，兹亦百世不朽哉！如前所云，造物者其殆獨厚於公，是故不可不書也。公諱來學，時敏其字，麻城人，以春秋登宣德癸丑進士第，入官操履之詳，則有先翰林學士蕭公滋誌，兹不著。後又坿祀閻本、楊璿。沈志。閻公坿祠堂記：都憲閻公，登景泰甲戌進士，歷户部郎中，成化乙酉，奉敕總理薊州等處糧儲，操履冰蘖，出納平允。每歲遮洋糧道至薊，故事，總理者躬親收受，多中其奸。公防範周密，動必有則，一切宿弊，搜剔殆盡，人以爲神。會巡撫缺員，禮部侍郎鄒公幹適以賑濟至，暨總鎮東甯伯焦公壽，交章論薦，上允其請，特擢都察院右僉都御史，巡撫順永二府地方，兼整飭邊備。公激濁揚清，鋤强扶弱，賑貸乏絶，申理寃抑，得巡撫風紀之體；防禦要沖，修理城池，操練軍馬，鋒利器械，得整飭邊禦之方；且不避權要，時則有若中貴人據津爲利，莫敢誰何，公寘之於法，仍鎖舟爲梁，以便行旅；總兵書舞文害人，事覺，即於府中掩捕治之。其剛正如此。是以貪婪者聞風解官，奉使者入境斂迹。且樂於造就人才，作興學校，以故口碑載道，聲譽日隆，進右副都御史，兼治正定六府。公不自滿假，益修職業，顧骨鯁不羣，多忤權貴，不容於時，乃引身求退。賜允之日，喜見顏色。軍民遮道留之，揮淚成霖，如失父母。既歸，以田園自樂，若將終身焉。久之，户部缺右侍郎，吏部首舉公。閲月餘，會推公總督軍餉於西陲，既往，則調度有方，饋運不乏，西北之人比之蕭何。事竣回部，得疾而卒。薊之巡撫之賢者，自鄒公後，幾二十年而有公。又十餘年而有楊公，憲綱復振，繼響再聞。若三公者，可謂齊驅並駕矣。跡其爲政，無非以去民災，除民害爲心。皆有功烈於民者也。傳曰：非此類也，不在祀典。然鄒公之有祠久矣，惟公與楊無祠，以祠誠爲祀典，適公之鄉人順天府通判范君澤按部於薊，予以是告之。范君曰：諾，吾當爲之。值歲凶，未暇也。但奉二公神主祔入鄒公之祠，懇徵予言以爲之記。予惟嚴子陵生於范文正公千載之上，文正立祠於釣臺以祀之；諸葛武侯生於萬提舉八百年之前，提舉立祠於衡陽之石鼓以祀之，豈徒崇其德報其功而已哉！蓋以高節清風，能感人於百世之下，故表之名教，樹之風聲，使人目擊而耳聞，心感而神悟，自不知其所以然者。況公去薊未四十年，功烈在人，猶有不忘者，其感人又當何如哉！范君之祔祠，良有以也。然先生之祠，即子陵、武侯之祠，范君之心，即文正、提舉之心，所以報功崇德之地，豈徒然哉！閻公名本，字宗源，陝西邠州人。楊公名璿，字叔璣，南直無錫縣人。記楊及閻，使後人知所始也。鄒公名氏功德，已載諸大學士劉公珝祠堂記，兹不著。

景忠祠，在馬伸橋，祀前御史吴公可讀。可讀，甘肅皋蘭縣人，咸豐三年進士，由部曹官御史，劾悍帥，觸忤失官。皇上嗣位，起爲吏部文選司主事。己卯歲，毅皇帝奉安山陵，可讀送梓宫往，禮畢仰藥於馬伸橋道觀，蓋光緒五年閏三月初五日也。遺疏一通，詩二章。遺書屬知薊州劉枝彦呈總督、府尹達吏部代奏。府尹周家楣咨部以聞。三宫震悼，詔贈公道銜，照道員例賜卹，命國史館立傳。大學士直隸總督李鴻章奏建祠薊州，詔允之。采訪册。劉枝彦吴柳堂先生祠堂碑記：光緒五年己卯，三月二十六日，恭逢穆宗毅皇帝奉安惠陵，禮成，越九日，郡東馬伸橋地保報稱，鎮之三義廟，有隨差京員於西廂屋内仰藥死，無僕從，有遺剌。詰旦詣視，則衣冠整肅，正身瞑目，前御史吴柳堂先生也。先生名可讀，甘肅皋蘭縣人，由進士官御史，以言事失官，復起爲吏部主事。閏三月五日正命，遺有密摺，由順天府尹達吏部。疏入，以論繼統事，下廷議，尋有以死建言、孤忠可憫之諭，遂以五品例賜卹，蔭其一子。其由都來東也，以天官屬，自請與行禮役，隻身赴薊，僦屋茲寺，晝則踽步原野，夜則據案作書，如是旬餘，疏成而先生之命畢矣。先生初擬自經，預製白綾一束，題云九重懿德雙慈聖；千古忠魂一惠陵。然終恐遇救獲免，遂仰藥，盡一器，未及繯首，毒發，大聲呼廟祝，手授遺囑，令毋恐，有函以身後事託州主，數語後，卽含糊不可辨，就榻而隕。嗚呼！悲已！覽其遺書，所以託枝彦及戒寺中道士，與其所以告家人者，從容詳密，措置一語不亂，尤惓惓於埋骨薊土，謂出薊境一步，卽非死所。其遺句云：欲問孤臣戀恩所，五更風雨薊門東。道其志也。枝彦既理其殯事，卽函告先生家人，促之來。是月十三日，先生子之桓始至，蓋先生出都時紿家人以差竣遊盤山，之桓以先生久未歸，入山迓之，致遲數日，是又先生恐家人早來，將誤大事。嗚呼！尤可悲已！其聞信先至者，爲先生門下士鍾楚卿，持有翰林院侍講張君佩綸、户部主事秦君霖熙公函，囑勸之桓宜謹遵先志，遂卜兆於三義廟東一里之原，以十月初三日下窆。葬之日，士紳赴弔，不期而集，於是郡人李孝廉汾等諗於衆曰：先生效史魚之尸諫，從先帝於九原，實爲本朝二百年來所僅見，不可無祠宇以妥其靈。乃白枝彦，陳大吏，聞諸朝，得報可。遂爲祠於寺東偏，距先生之墓里許，北近惠陵，岡巒在望，先生之靈，庶幾其式憑焉。國家容納忠言，褒卹優渥，不惟其身，且及其子。更幸先生生逢盛世，雖死得遂其志，爲足不朽也。先生爲進士時，文名與盩厔路太史德相埒，居諫垣，直聲震天下。枝彦一官匏繫，未獲從先生遊，然先生爲國捐軀，首建大議，臨命從容，志慮深遠，而又處身以儉，訓子以孝，皆枝彦所親見而深知者，足爲後賢表式。薊人之感慨奮發，宜也。至其遺疏所陳，見之聖訓，載之國史，傳之天下後世，非小臣所敢與聞。而其家傳年譜，以及詩文奏議，自有當代賢士大夫纂而述之，又非枝彦所敢任。今謹揭其死事始末，勒石祠中，以告來者。光緒七年八月。

平谷縣

社稷壇，在城外西北，洪武七年建。平谷朱志。

風雲雷雨山川壇，在城外西北，洪武七年建。朱志。

邑厲壇，在城外正北，洪武七年建。朱志。

軒轅黄帝廟，在縣北漁子山。朱志。

關帝廟，在縣西門甕城内，元至正年建，成化六年重修。朱志。

城隍廟，在縣治北，洪武年間建，嘉靖二十年重修。朱志。

東嶽廟，在縣西門外，洪武年間建，正統十年，縣丞張鐸修，成化十年，邑人景鐸修。朱志。金純東嶽行祠記：平谷縣治西一里，有東嶽行祠。祠石鼎所載，重修于勝國至元三年，不知創自何許，□□□□□時，我太祖高皇帝混一中原，重天地百神之禮，凡前代所建廟宇祠觀，有益于民者，聽民崇祀。故邑有東嶽廟，歲時、水旱、癘疫，咸祈禱之，神亦肆其威靈，屢祈屢應。每春夏之會，俗傳爲天齊聖誕，四鄉之人，争持牲醴，享賽于庭，復爲迎神之舉，歷世相沿，率爲故事。永樂初，東軍作亂，祠毁于兵，存者無幾。正統甲子，河東張君鐸來丞于兹，首倡士民，復興舊址，門堂殿廡，百爾粗作。迨成化甲午，營州中屯衛舍人景鐸，乃謀于衆曰：嶽祠爲吾邑具瞻，錫祐深渥，張丞雖已圖復，而狹隘苟完，不足以棲神衆。吾徒安居暇食，惟神之庇，盍謀所以新之大之可乎！于是遐邇翕助，得金若干萬緡，召匠命工，扛材輿石，雖三尺童子，願輸其勞，鳩僝至落成，凡十閱月。增中殿爲三間，以居天齊，殿之左翼一間，以居炳靈，右翼一間，以居府君，東之堂三間，則爲三義廟，堂之西三間，則爲聖母殿。虚鐘鳴鼓，有樓有枹，繚以垣牆，蔽以三門，翬飛鼓翼，丹碧交輝。工雖十倍于前，啟之者實二尹之功，承之者則舍人之力也。祠成，景君出資具石，將誌其顛末以傳。未幾厭世，事竟寢息。垂三十年，景之孫有名源者，撫其故石，惻然以痛曰：吾祖之虔奉于神久矣，今祠成而厥功弗紀，數傳之後，不幾于泯泯矣乎！即出己金募人，緣命工礱石，以畢先志，徵予爲記。予惟五嶽在天地間，依形而立，乘氣而行，嶽爲衆山之宗，岱又諸嶽之宗也。考之祀典，天子祭天下名山，諸侯祭境内山川，東嶽泰山之有祠宜矣。而古今祠祭，禮各不同，嶽者地祇也，祭之以壇壝而不屋，其牲幣祝號，則視三公，舜之望于山川是已。後世此義不傳，自拓跋總立一廟于桑乾水之陰，逮唐，復各立一廟于五嶽之麓，以及趙宋之衰，而東嶽行祠徧天下矣。既廟之，又王之，既王之，又像之，地祇而肖像若人，考古創今，一洗前朝之陋，而加以泰山之封，其示萬世法程至明也。凡所在城邑，猶往往祠之者，何歟？按公羊傳云：泰山之雲，膚寸雨合，不崇朝而徧天下。其潤物之功如此，則天下所以尊崇而報祀之者，非過也，宜也。況祭法有曰：能禦大災則祀之，能捍大患則祀之。今百靈森布，轉異爲祥，甯可不重祀邪！是祠成下以禳災消變，爲民禱福，上以祈天永命，爲國祝釐者，此固張丞之志，景舍之心也。若源者，又可謂聿修厥德，肯構肯堂者矣。是不可以嘉尚之哉！庸書此以誌其梗概。

真武廟，在縣北城上。朱志。

火神廟，在縣南門外。朱志。

崔府君廟，在縣東北橋頭營。朱志。

龍王廟，在縣南寺渠莊。朱志。

馬神廟，在縣治西。朱志。

地理志七

寺觀

江陰繆荃孫纂

幽冀象教始於元魏，盛於隋、唐，遼、金、元、明，又復崇尚一時。上行下效，大璫巨室，爭出金錢布施，以爲邀福之計。琳宫紺塔，崇隆畿甸。而況田盤峙其東，大房束其西，山谷幽渺，緇流翕萃，靈跡既著，名緣遂深，仰瞻招提，倍思禪悦。近今民力彫敝，修築之風亦少衰矣。爰考其締構，類其事蹟，以爲此篇，坿都城伽藍之後，亦鏡古者之所資也。志寺觀。

良鄉

天王寺在縣治東南。

寺舊爲僧會司。良鄉楊志。

宏恩寺在縣西南二十里大道旁。

寺爲明萬曆壬寅御馬監太監楊君用建。舊聞考一百三十三。楊志云，天啟中建，誤。後神宮監太監趙良、御馬監太監盧永壽、張然重修，規制宏敞，爲邑中第一大刹。庚戌，賜佛大藏經及諸品佛經。據王舜鼎宏恩寺碑。寺外古木成林，綿亘里許，夏日濃陰夾道，行人至此，煩暑爲之頓消。良鄉楊志。康熙五十七年重修。乾隆時燬於火，奉旨修復。舊聞考。

有慶寺在縣南郊勞臺西。寺於乾隆二十五年建。舊聞考一百三十三。

壽因寺在縣北三里許塔灣邨。明萬曆中僧人體空建，原名十方院。國朝康熙五十一年，莊親王隨駕過此，重修，迺易今名。有碑在寺内。院宇清幽、花木繁盛，往來使者多駐節於此。良鄉楊志。

恩惠寺在燕谷店西，石路旁。寺建於明。後有藏經閣，係明時頒發。良鄉楊志。

固安

法華寺在縣□二十五里白垡。遼重熙間建，有碑記。固安陳志。

龍泉寺在縣東十八里知子營。遼統和十年建，元至正間重修，有碑記。固安陳志。

慶圓寺在縣南二十里新務。元皇慶元年建，有湛然同寂碑銘。固安陳志。

慧峰寺在縣南五十里林城邨。寺遼大安七年建，王鼎作記。明崇禎二年重修，進士葛逢夏有記。固安陳志。

石佛寺在縣東二十里永定河德義鄉。康熙間，河水漲溢，漂流石佛像九尊止于是邨。衆異之，搆殿祀焉。累著靈蹟。今佛像每逢陰雨，則通身皆潤，若遍體如汗滴，則天必大雨。固安陳志。

永清

三塔寺在城外東南隅。一名會福寺，唐刹也。上林彙考。宋之問題會福塔院詩：如湧浮圖近紫霄，芙蓉仙苑禮羣僚。海天遥奉金輪日，盡遣禎祥歸聖朝。周聖曆二年二月八日，武隆縣令聞生元相造，爲金輪聖神武皇帝造四面象，并浮圖一所。永清周志。旁有明王象雲撰碑。明萬曆十一年重修，有張惟誠撰修寺碑記。據萬曆重修會福禪林記。

龍泉寺在縣西北十五里辛窖邨。

一名龍演寺，唐時所建。西阡爲白石塔，約高七八丈，嶐起半空，其基四面雕鏤，綺櫺交螭，瑣紋極爲工緻。上共十三層，簷角風鈴，猶有存者，年月磨滅，未識何代始也。（舊聞考一百二十五。）

隆慶寺在縣西十三里叉口。

寺本名遵北，建于遼天祚帝乾統九年。明改寺名。萬曆十七年重修，有張惟誠撰修寺碑記。（據萬曆重修隆慶寺碑。）舊有香爐石基在殿，乾統中所立，今已無矣。（永清周志。）又中叉口隆興寺，遼開泰三年建塔於此，今塔已廢，惟有白石香爐，高廣尺許，形製古樸，篆文漶漫不可辨，有明萬曆十年御史傅好禮撰碑記。（寺院冊。）

龍泉寺在縣東南五十里信安鎮。

遼太康時，王孝子若汴施地建。金天眷元年，比邱去憂與其徒再建法堂一座，中繪毘盧四智佛象，兩邊十六高僧。大定二年，敕賜號曰普照禪寺，有侯邦達撰碑記，三年庚辰立。（據大定普照禪院碑記。）明天順五年，比邱行奮重修，有趙昂重修碑記一。後殿有心經半截殘碑，首書奉爲燕國范陽王，唐時物也。碑嵌入壁間。寺東有井，出甘泉，可供十方之衆。院内果樹一百餘株，濃緑灑襟，蔥蔥鬱鬱。鎮又有萬彙寺，有正德十二年御馬監太監張忠鑄銅鐘一，上鑴三十五佛名，下鑴般若密多經。又順治□年修寺碑一，劉灡撰文。永清周志。

保安禪寺在縣南南辛溜。寺建於明宣德初，寺僧覺昂創始也，有成化十八年壬寅修寺碑記，久之淪入地中。康熙四十年，縣人重修，掘地得之，重立於殿東龜趺之上，迄今苔暈猶存。寺内有宋燕山府永清縣景隆鄉新留里王士宗建幢，上刻智炬如來心破地獄真言。宣和七年立。又金中都大興府永清縣景隆鄉張□□建幢，刻陀羅尼經呪，明昌三年立。又有明嘉靖四十四年碑記。永清周志。

玉皇閣在縣南龐各莊。閣爲宋真宗時舊基，龐公某置腴地五十畝，龐各莊因龐公得名也。據萬曆修建玉皇閣碑。有碑五尺餘，卧土中，字跡漫滅，惟慶字完好，前人以爲宋碑。又有萬曆三十七年修建碑記。永清周志。

東安

定覺寺在縣西北五十里常道鄉。寺建於唐垂拱三年，并賜額。五代時燬於兵。遼天慶間，承直郎張銑復爲建立。至金天會三年成。正隆間，韓承彦重修。大定元年，奉直大夫楊俊卿復新之。又有古營寺，金明昌五年建。團城寺，明昌六年建，俱有碑存。舊聞考一百二十六。今古營、團城二寺已廢。寺院冊。

崇國寺在縣西北四十里僧法頭邨。金天會五年建，有碑。東安李志。

甯國寺在縣西北五十里留犢邨。金大定三年，邑人曹瑛建，有碑。東安李志。

廣善寺在徐邨里固城莊。寺卽唐之靈應寺。明洪武元年，太監何至淵重建，有碑。景泰三年立。寺内有浮圖，一夕風雨中，頂忽飛去。今殘塔半枝，湧出林表，盤野鶻於空中，迴倒影於天際，誠佳景也。東安李志。

興勝寺在縣西北三十五里順民屯。寺金時建。東安李志。

靈巖寺在鳳河南。金大定五年，僧供寶建。舊聞考一百二十六。

淨安寺在固城里惠化鄉。寺明宣德三年太監張盛建，正統四年賜額，有碑。東安李志。

香河

隆安寺在縣治東。

俗名東大寺，建自元時。香河劉志。明宣德間，僧福海欲修之，不果。成化三年，僧戒明始修之。有成化十二年禮部郎中直文淵閣關西倪讓撰碑。立碑時，戒明嘗聞寺背有一龜趺湮沒，無訪跡焉。主僧每自詣聖前虔誠懇祝，以龜趺請禱。一日，羣兒戲于寺前，忽一兒見之淺土中，入寺走報，遂命工廣穴引出，士衆聚觀，無不駭異，咸曰：主僧虔誠所致云。據重修隆安寺記。國朝順治五年，僧性慧重修。寺有靈塔，塔廢，僅存銘石高四五尺，計八角，闊逕尺，元時僧定仁塔也。舊聞考一百十八。

隆興寺在縣治西。

俗名西大寺，亦建自元時。有塔高十丈，舊名孫百萬寶塔。香河劉志。寺既頹廢，塔亦圮。明嘉靖間，僅存遺址。至萬曆四十年，知縣徐一鳴壘石高之，亦爲文筆峰，舊聞考一百十八。並修寺，有邑教諭馬如龍撰碑記，後又頹毁。國朝康熙八年，邱文科等重修。香河劉志。

鐵佛寺在縣東南十六里。

寺舊有鐵佛像，高丈餘。元至正中，佛見夢於僧曰：吾緣法不當住此，將辭汝去。僧以鐵鏁鏁佛臂。一夕竟移去東光寺，獨所鏁臂存，至今爲寺供養。燕山叢録。

棲隱寺在縣南三十里。

寺係遼時建。內有康熙六十一年住持僧德意重修碑記。寺有香城塔，高五丈餘，亦遼時與寺同建者。香河劉志。

通州

佑勝教寺在州治西北隅。

寺內有浮圖十三層，高二百八十尺，下作蓮華臺座，高百二十尺，周圍百四尺，虛中以祀佛。名勝志。宇文周時所建。唐貞觀中，尉遲敬德修。元大德間，都哩都爾蘇再修。景物略。按：原作篤列圖述，今从舊聞攷譯改。明成化十二年，文珍、李昇等又修。上有鐵矢，舊以爲金將楊彥升所射。國朝華亭朱溶，攀躋絕頂，往視其跡，謂循塔極而下，分爲觚者八，當觚處建瓴甓，若鴟吻其上，以其高危易墜也，隱以鐵柱拄持瓴甓內，歲久剥落，鐵柱出，遂謂若矢耳。順治間，塔益圮毁，衆莫能治。久之，一老僧來曰：遲我耶？故明時有語我者，緣乃今至矣。遂始以康熙庚戌正月，而訖功於是年之十月，約共費二千金。又以餘力，並塔築廊室，蔭學道者。又治銅爲鐸，周塔上下，聲可聽，或風大作，疾霆甚雨駭電，則鐸聲益奮，聞者咸心動震怛云。朱溶然燈佛舍利塔記。同治六年，邑人王均瑞等重修，并添建紫雲宫。通州高志。

靖嘉寺在州治東。原名慈恩寺，俗呼大寺，元至正二年建。明初置僧正司於内。正統十年，賜敕一道，藏經一函。天順二年，敕名靖嘉。弘治十年燬，州人王鑾等重建。至正德十年，僧正文端竣工，知州藍晟撰記。萬曆末盡圮，州人楊宗仁募建，州紳劉廷諫撰記。國朝順治七年，州人田大禄於寺建寶莊嚴閣，造滲金銅塔，工未成，歿。康熙九年，大禄子永隆出貲竣工，州人康政撰記。通州高志。

靖安寺在州治東。金大定十三年建。明洪武間修。萬曆十年，僧妙來重修，州人劉效祖撰記。通州高志。

寶通寺在州新城南門外。明天順七年，内監張文鋒建，敕賜額名寶通。禮部尚書姚夔撰記。成化五年，户部尚書薛遠撰碑。國朝順治間，内監劉應詔等重修。通州高志。

立禪庵在張家灣。即唐淨業院，大曆中所建。明宣德三年，因趾重建，改名淨業寺。嘉靖中，僧時寶募修，陸光祖撰記。今名立禪庵。通州高志。

法華寺在州新城西北。

明萬曆間建。國朝康熙四十六年，僧愍凡重修，州人馬士璿撰記。年久漸圮。咸豐九年，僧空秀募化重修，時歷十年，煥然改觀，改名法華禪林。通州高志。

三河

萬壽寺在縣署。

寺建自國朝，舊有延福寺、元崇國寺碑陰。蓮宮寺，元普安禪師建，道園學古録。今久廢。

武清

隆興寺在縣治南。

建自明洪武中。康熙辛巳，僧祖洪修，有宛平趙東旭撰碑。寺院册。

法昌寺在縣治東北。

明永樂十八年建。武清吴志。

寶坻

大覺寺在縣東。

舊爲下管院，遼重熙時，老僧洪源建彌陀佛舍。天慶六年，建毗盧殿，尋更爲十方院。其後又建彌陀殿與兩廡及藏經之所。内經一藏，漆函金飾，工制瑰瑋，刻毗盧壇，覆以毳幙，珠纓寶幟，文采燦然。又建東堂及鐘樓，開園，鑿井，甎垣一周，有金張瓚撰寺記。寺有大鐘，亦遼時物。舊聞考一百十三。

廣濟寺在縣西街。

遼僧宏性及門人道廣創建。結搆精巧。其中三大士暨環侍諸天神貌，一一奇古，不類近代裝，或曰乃劉元所改塑也。有遼碑二：一銀青榮祿大夫檢校司徒宋璋佛殿記，太平五年立，今尚存；一重熙五年立，年號猶標記於碑旁，蓋即一碑而上下連書者，後斷其半，碑下尚餘字蹟寸許。殿後爲寶祥閣，高數十尺，凭闌遠眺，崆峒諸山歷歷在目。寶坻洪志。

洪福寺在平政橋。

亦古刹。高閣峻嶒，虬松遠蔭，渠水經其前，新秋澄霽，一望蔥然。寶坻洪志。

朝霞寺在縣西五里。寺創于明時。有臺高二丈餘，上爲準提殿。相傳日將出，先有光射於殿角，日没亦然。寶坻洪志。

甯河

霧擡寺在縣西南蘆家務。昔傳寺在河西，居人邨落在河之東，拜往跋涉。邨中有一老嫗，每日渡河虔禱，前後四十餘年不倦。忽一日濛霧四塞，杳㝠晝晦，但聞半空風濤聲，居民盡駭。晴明視之，寺已巋然河東矣，故名。甯河闕志。

鐵神廟在縣南劉家河。相傳昔有老翁夢神降於室曰：我海神也，當爲我築宫。其人不解所謂，早起往來河滸，見有鐵像端坐水涯，始悟神語。因徧告鄉人，謀建廟宇，然未識神之憑依何所也。遂請於神，以索擡之，期索斷處卽爲廟之基，左右環走，至劉家河西首，而索四裂，於是卜吉成之，往禱亦輒驗云。甯河闕志。

魚骨廟在縣治南神塘。

地近海，當年有巨魚浮岸上，其骨大且多，土人因取之修一廟，其栿、欂、枋、椽，俱用魚骨爲之。甯河闕志。

昌平

昭聖寺在州西北。

唐乾符六年建。明正統十三年奉敕重修。昌平吳志。寺有廣大圓滿大悲心陀羅尼幢一，開元中三藏沙門不空奉詔譯，劉詔書。舊聞考一百三十五。又州東北有聖壽教寺，亦乾符六年建。昌平吳志。

龍泉寺在芹城郉龍潭之上。

寺唐天祐中造。芹城有龍潭，大逾九畝，寺名所由起也。舍利寶塔，亦同時所造。又有海雲國師及大慶壽尊宿塔。據龍泉寺石刻。明宣德間，嘉興大長公主偕駙馬都尉濟延修之，又建望景軒。成化三年十月，釋道深撰碑。黃圖雜志。

九聖寺在州治東。

遼乾統五年建。昌平吳志。

法華寺在州東北銀山鐵壁之麓。

寺卽大延聖寺，金天會三年建。明正統十二年重修。領七十二庵，爲唐鄧隱峰藏修之所。又有鐵壁寺、大萬聖寺，土人呼爲張開寺。昌平吴志。

昭化寺在州南玉泉山。

寺不知創於何時，在玉泉山之麓。寺踞山半，泉流瀌瀌，繞石有聲，夾道松陰，撲人涼翠，游人題詠叢雜壁間，疑非塵境。寺院册。

奉福寺在州西北湯峪川。

金永安年間建。按：金無永安年號，係承安之誤。元至正初，奉敕重修。昌平吴志。

流沙寺在鞏華城北門外。

元皇慶年間建。昌平吴志。

聖恩寺在崔邨。

明正統三年建，四年落成，賜額聖恩禪寺。翰林院編修劉昇撰碑記。木葉山花記。其地四山環寺，東至大獨山，南至南阿坡，西至釣魚坡，北至將軍陀，龍象莊嚴，鐘唄清朗，一邑中勝概也。昌平宋志。

瑞光寺在州治後巷。

寺明成化十年奉敕建。昌平吴志。

元福觀在州南迴龍店。

弘治十七年建，俗呼迴龍觀。昌平山水記。

呂真人祠在州城西大街。

明陳洪範建，有明尚書董其昌撰碑。昌平吳志。明董其昌呂真人祠記：余少誦陰符、道德，意以爲清靜所宗，已而觀真誥所載類所主在忠孝節義，清靜其寓境也。若呂真人於東溟陳大將軍有可異者。將軍兒時，遇道者，眼光射人，熟視公曰：孺子勉之，異日統數百萬貔貅，爲國家干城，幸自愛！髮未燥，卽喜習尚父司馬兵法，以報國自矢。己未春，會遼左四路進師，公當後勁，失利，被創墮馬，僵卧草中，見兒時所遇道者相慰勞云：救爾者至矣。忽聞馬蹄聲數百，遂以馬乘，將軍疾馳而歸。始信真人記莂不虛耳。將軍念真人與有夙緣，節鉞所至，必爲立祠。紅螺固其家山，至若在甘肅則祠之，在石城又祠之，在招寶又祠之。迨莅昌平鎮，度鈴閣左右，購隙地建堂三楹，丙舍爲丹室，崇門邃[illegible]，視諸祠尤雄麗。惜將軍未遇，早遂其談笑封侯之志，然隨在必著壯猷，與戚大將軍後先伯仲，將軍祠呂公之意，政未可量也。我鄉本一禪院，亦有呂先生靈蹟。近遺吾友仲醖藥一瓢，施濟不竭，茲將歸，將從詢此一段奇事，適將軍礱石索予言，遂書所遇真人始末歸之。公諱洪範，字九疇，別號東溟。祠始於癸卯秋，成於甲辰之夏云。

上方寺在駐蹕山。

寺在山上，有十八盤，南爲仙人陀。又一上方寺，在州南口。寺院冊。

白瀑寺在鎮邊城。

寺不知何時所創造，寺中畫壁、碑志，皆金大定年物。舊聞考一百三十五。馬中錫白瀑寺詩：白雲深處萬重山，寺在雲山杳靄間。四壁丹青圖海會，斷碑文字記完顏。唄餘盤石僧初會，齋罷生臺鳥未還。世上紅塵應不到，正宜長日掩柴關。又有德勝寺，在德勝泉上，相傳以爲唐刹。昌平吳志。

香巖寺在永豐鎮。

寺舊名彌勒院，本朝康熙五十九年重建，改今名。一統志。

密雲

大安寺在縣東五十里。北齊天保五年建。金承安四年重修，舊名白猿院。密雲丁志。

龍興寺在縣治北。寺相傳爲唐鄂國公尉遲敬德所造。明趙昂重修龍興金寺碑。金大安中，元大德中，屢次修治。明成化十七年，總兵王榮重修。嘉靖元年又修。俗名錐塔寺，有明翰林院編修趙昂碑記。密雲薛志。又有清修寺，在渤海寨，亦云唐鄂國公建。密雲丁志。

卧佛寺在青銅山下。唐建。明嘉靖中重修。又有聖德寺，在羊山莊；聖壽寺在黄家莊，均唐時舊址。密雲丁志。

治山上寺、下寺，在縣東北。兩寺並遼重熙中建。密雲丁志。

清都觀在縣西北清都山。金大安二年，道人杜宗道建。元至元時，洞陽真人煉藥其地，改洞真宮。洪武二十四年，置道籙司，有皇慶元年翰林院倪堅撰記。舊聞考一百四十一。

祐國寺在縣南十里鋪。至元八年建。明正德二年重修。密雲丁志。

香嚴寺在縣東二十五里。元至正年建，内有鴨腳子一株，俗名白果寺。密雲丁志。

崇福寺在縣東栗園莊。元至正年建。明嘉靖時重修。又有塔山寺，在北省莊；地藏庵，在西石駱駝莊，均元至正三年建。觀音庵，在荆子谷；天盆寺，在賈家莊；龍泉寺，在八里莊；開元寺，在太史莊；亦至正年建。密雲丁志。

慶峰觀在縣南。元人建。明洪武十六年，道人郭東峰重修，邑人魏尚儒重修，禮部侍郎張文憲撰碑記。密雲丁志。

霞峰觀在縣北四十里。白檀山北曰水谷，袤延峰嶺，林木森秀，有宗師霍道隆於元延祐二年棲隱其間，建道院一區。據李志甯霞峰觀記。後魏志和修煉於此，嘗有霞覆其上，密雲丁志。因名觀曰霞峰。既而史志端、李道純、楊道勉、劉道本共成之。據王道亨霞峰觀記。

順義

開元寺在縣東隅。

又名龍興寺，俗稱東大寺，唐初建。大曆五年，試太子洗馬鄭宣力撰碑。金節使剛忠王公子明死節於此。舊聞考一百三十八。

締興寺在縣西南。

俗稱西大寺，明洪武八年建。舊聞考一百三十八。

靈蹟院在牛闌山後。

俗呼頭陀寺，寺後卽靈蹟山，東頂時現佛光及塔影。至唐天寶三年，鄉人因卽其處建石塔三座。後金牛蹄跡，靈異尤多，院名靈蹟，蓋以此也。國朝康熙五十八年，把總郭永年修建。順義黃志。

廣濟寺在縣北十里。

寺本舊址，明宣德中僧道明建正殿並左右廊廡，鑿池植荷，朱闌四角，圃中桃、李、梅、杏，牆外松、柏、槐、柳，濃蔭萬緑，雲煙吞飲，爲畿北勝境，有明趙杲碑記。順義黃志。

白雲觀在呼奴山。

元建。有大德八年集賢學士宋渤碑。淥水亭雜識。又有崇慶寺，元至順間建，明萬曆間重修。順義黃志。

彌陀寺在城西北灘頭郕。明天順中，郕人范福賢暨僧知暄因舊址創建大殿。後僧清讓、淨安來寺住持，復建左右廊廡，繚以垣墉。寺旁置地數十畝，植果百株。神宫監趙琮復資助之，爲請於朝，得賜額。有明李温撰碑記。順義黃志。

懷柔

祇園寺在南門外。寺本名三教堂，久頹廢，康熙四十九年，聖祖經臨，發帑金修造，敕賜名曰祇園。又賜御筆泥金楷書心經寶塔一軸，謹藏寺中。寺僧給銀米，歲有常額。每歲中元盂蘭會最盛，會者常數萬人。寺院冊。

砙堂寺在縣東㔫髻山。懷柔吴志。按：一統志作漢時名曇雲寺。舊名寶泉寺，明正德己卯重修，改今名。有刑部主事王源碑。舊聞考一百三十九。

資福寺在縣北紅螺山。

原稱大明寺，創建於唐。環寺諸峯，如龍如鳳，嘉林蓊鬱，微逕幽邃，白雲青磵，夐絶塵囂，是宜有道者之隱於此焉。山下有小潭，奇石森衛，水色澄碧。中有二螺，色殷紅，每夕能吐光燄，絢輝林麓，居人以爲靈異，遂名其山。後紅螺死，瘞之寺中，今雙浮圖存焉。金大定間，世宗遣使請佛覺禪師於真定之洪濟，以鎮兹山。據樊從義大明寺碑。至元仁宗時，詔雲山禪師主大聖安寺，内侍大司徒王伯順以大明爲聖安宗派，請太皇太后發帑金五萬爲修寺之資。至正中，雲山從聖安歸老於此，復捐前後所賜金帛重修焉。懷柔吴志。

寺規制雄古，簷布鐵網，殿前古槐二株。國朝康熙二年，聖駕臨幸，設御座於山亭。亭下有竹甚茂，上命内侍記其數，凡六百餘竿云。今竹已芟夷幾盡矣。一池曰紅螺池，三面皆果園，花時遊屐頗盛。有元至正十六年樊從義大明寺碑。縣北景山有定慧寺，明正統七年太監夏□建，已廢。萬壽、齊天二塔尚存，有正統八年尚書胡濙撰碑。舊聞考一百三十六。

宏善寺在縣東邵渠莊。

寺在鳳林山下，本宏善寺故址。明正統中，常德公主捐資興建。規制宏麗，屋宇幽邃，勑賜寺額曰宏善寺。久傾圮，有正統九年祭酒李時勉碑。國朝康熙中，僧德雲獨力耕植，不事募化，銖積寸累，悉儲爲修造之資，數年之間，寺宇焕然，悉還舊觀焉。懷柔吴志。

雲巖寺在縣東栲栳山。義山向有道院，名栲栳磚，創自金乾統中，義琛禪師所居，參訪受法者前後三百餘人。義琛入定坐化，備著靈異。有沙門圓撰塔記。道院年深毁壞，明景泰間，御馬監太監阮讓捐資重建，鑿山開基，崇墉廣厦，比舊增倍。事聞，敕賜爲雲巖寺，賜經一藏，并寺前越府草場地與寺内永爲香火。有二碑：一尚書胡濙撰；一沙門德洽撰。讓，交趾人，歷事四朝，陞擢御馬監，先後督軍征勦苗寇，屢次立功，留鎮湖廣。後卒，柩還，賜塋寺左。其後，寺田爲人侵奪，廟宇亦漸頹毁。成化中，太監潘瑛奏復前地，寺獲更新。有商輅重修寺記碑，明末復廢。國朝康熙中，僧來寬漸次修整，始復舊觀焉。懷柔吴志。

涿州

雲居寺在州治東北。寺創自唐時。有浮圖高二十餘丈，周圍三十餘步，有修建碑記。涿州吴志。

智度寺在州治東。寺在雲居寺前，亦創于唐。前有浮圖，高二十餘丈，周圍三十餘步，後復一臺，高二丈，廣百五十步，中有佛殿。有重修碑記。涿州吴志。

普壽寺在州東三里。

一名清涼寺。浮圖高七、八丈，又一臺，高二丈餘，周圍幾二百步。又東南起一臺，爲觀音閣，可以登眺。有萬曆中重修碑記。舊聞攷一百二十九。

福聚寺在州北挾河郉。

康熙四十四年建。并賜額。一統志。

房山

萬壽寺在縣西岢羅陀。

俗呼天台寺。相傳寺有老僧，日誦佛萬聲，以豆記其數，久之，每誦一聲，豆輒自躍過。人目爲豆兒佛。是時陳皇后浴於宫中，澡豆忽躍，心悸，有言及豆兒佛者，迺出金錢建寺焉。析津日記。

香光寺在縣西韓姑砦。

寺爲唐寶積禪師所建。右卽寶積遺塔。明永樂間，賜姚廣孝爲别業，久而荒廢。萬曆二十二年，御馬監張其重修，并賜藏經貯焉。舊聞攷一百三十。先是，萬曆壬辰，翊坤宫管事菩薩戒弟子于景科女，常夢遊上界寶寺，題曰香光佛刹也。適使于女傳旨于御馬監張其，徧燕山飯僧，因囑所夢寺名，當識之。過五年，至丁酉秋，又奉命適小西天上方寺等處飯僧。一夕，抵韓吉郇店宿，行經路北，見破瓦頹垣，古寺基也。詢諸鄉民，曰：此少師園也。夜見火光，或聞虎鳴，豐草滿園，毒蛇交横，鄉民畏憚，任其荒蕪。其異之，因披尋古蹟，獲斷碑於荒草間，始知大唐所造香光佛刹也。遂歸報，因而重修之。事亦異矣。房山佟志。

上方寺在縣西南五十里。

自孤山口西行，約十二三里，行篋游騎寄頓下接待院，歷枯磵二里許，至山門，榜曰兜率禪林。又里許，上石梯二百級，磵旁皆飛瀑宿痕，挽鐵絙而上，是爲上接待院。倚壁皆僧舍。又半里，入上方寺，左有一斗泉，帖石山房十笏，以奉大士。下有文殊洞，上普賢洞，寺爲明萬曆初太監馮保修，有碑。殿後有四十二章經置於壁，筆法遒整，不知倩何人書也。國門近游録。寺有蘋果園，園中蘋婆果二株，入秋結實甚繁，山僧不忍摘。果既熟，暈青紅色，絶可愛。法華經妙莊嚴王言：如來脣赤，好如蘋婆果。可謂善於喻物者矣。上方山志。

天開寺在六聘山。

寺創於漢。自唐以來，屢歷兵燹，始復荒廢。元至元十年，僧普應修建。據天開寺碑記。寺中有元碑三：其一、從仕郎翰林國史院典簿順聖魏必復撰并書，至元二十八年立，末書石局副使李文秀鐫；其一、香山永安寺住持沙門惠川口珪撰并書，後至元三年四月立；其一，石經山雲居寺住持沙門西源洪注撰并書，至正十二年立。又有陀羅尼石幢，字多磨泐，無歲月可攷。吉金貞石志。

雲居寺在石經山。

北齊南嶽慧思大師，慮東土藏教有毀滅時，發願刻石藏閟封岩壑中。座下靜琬法師承師付囑，自隋大業迄唐貞觀，大涅槃經成，其夜山吼，生香樹三十餘本。六月，水浮大木千株至山下，搆寺，額以雲居名之。唐明皇第八妹金仙公主修之。洪武二十六年又修之。山上雷音洞，高丈餘，四壁刻經，四柱刻像。前石有扉維以開閉，几案瓶罏皆石，臺有欄，横與堂亘。堂左洞二、右洞三、堂下洞二，皆經。唐迄元，代有續刻，經目列石幢。人傳石洞火龍所穿也。山下左右，東峪寺、西峪寺，後香樹林，香樹生處也。夢堂庵，唐夢堂師居處也。林後，琬公塔也。萬曆壬辰，達觀和尚覩像設衰頽，石版殘蝕，率僧芟除。啟洞拜石經，石下有穴，藏石函一尺，上刻：大隋大業十二年歲次丙子，四月丁卯，朔，八日甲戌，於此函内安置佛舍利三粒，願住持永劫。三十六字。發晾，得小金瓶，舍利狀黍米，色紫紅。師聞于慈聖太后，迎入供養。函瓶以金，外函複之，安置故處。僧憨山撰雷音窟舍利記，刻之石。山有隋碑二：一仁壽元年王臣暕碑；一仁壽元年王邵碑。唐碑五：一開元十年梁高望碑；一開元十五年王大悦碑；一元和四年劉濟碑；一景雲二年甯思道碑；一太極元年，王利貞碑。遼碑二：一趙尊仁碑；一天慶八年沙門志才碑。元碑二：一至正元年賈志道碑；一至正二年釋法真碑。山半有庵，曰半山庵。帝京景物略。

永壽寺在縣西南十里。

寺創于明僧真英。繼之者僧性澗，訖事者僧寂經。有曹葉碑記。房山王志。

金山寺在縣西南二十里。

舊名蘆子水院。上有香水池，冬温夏涼，每當夏日菡萏墜紅，松篁蔭緑，清氣芬馥，時時逼人。建于金皇統間，有重建碑記。房山佟志。

木巖寺在縣西南十八里。

寺不知建于何時。按郝勳碑云，法師了空，開山于梁天監二年。當梁武天監之初，正北魏景明之際，涿州時爲魏屬，何必遠附江東？由此推之，非實録矣。遼天慶元年，僧定慧修。明洪武初，僧洪林修。嘉靖十年，僧真祥修，有郝勳撰碑記。房山佟志。

興隆寺在縣北十六里。本名白水寺，俗名大佛寺。明成化元年重修，有僧道深撰碑。舊聞攷一百三十二。

霸州

普濟寺在州東門外。元至正二年建，今尚存遺址。霸州朱志。

文安

琴高祠在縣東北石溝河。不知創於何時。乾隆三十八年重修。舊聞考一百二十二。

靈集寺在莊頭邨。寺有浴佛庵，藏經閣，僧文湋撰記。後有古檜二株，傳爲漢物。文安楊志。

清甯寺在安里屯。寺有霸州韓貫撰碑。文安楊志。

大城

興甯寺在縣東南白楊邨。寺爲唐貞觀年建。明成化中重修。舊聞考一百二十二。

石佛寺在縣邵邨。寺創建未詳，明正德辛未年重修。大城張志。

海目寺在縣南李坦鎮。明成化二十年建。大城張志。

保定

天甯寺在城東門外。寺規模廣廓，殿宇森嚴，創始不知何時，元季毁於兵燹。明宣德元年，洞明禪師修復舊觀。有弘治元年僧隱庵撰碑記。前有鐘樓，古鐘聲振十餘里。今樓久廢，而鐘尚存。保定成志。明僧隱庵天甯寺重建碑畧：保定縣城東北隅，有吉壤爽塏，昔人卽其地建精藍，榜曰天甯，實圻内之鉅刹也。經始未遑究其年代。元季寺毁。迨宣德改元，洞明禪師甫棲之，覩兹廢跡，遂舊志興復。先於西山伐杞梓楩枏，塞川而下，甄陶甓瓴，堆邱積岳，於是漸次締搆。邑民施捨者旁午絡繹。其制，先建殿庭，至若丈室、神祠、祖堂，繚垣屹立，回廊四合，厥志未就，付屬弟子遠悟。遠悟能不負所屬，以興修爲己任，前建天王殿，并禪堂齋廡洎山門，凡叢林所宜有者，以次修異，遂能化瓦礫爲祇園，幻荆棘爲金刹。猗歟盛哉！余嘗謂格理盡性，爲人道之本，僧園法物，乃宏道之資，欲樹其本，必賴其資。今兹營建，使樹其本者有所資，宏其道者有所託，其於佛門可謂大有功矣。遠悟不遠千里謁余，爲文茂揚成績，詞不逮意，直言其梗概，勒諸貞珉，庸示悠久云。弘治元年歲在戊申四月立。

薊州

獨樂寺在州治西南。寺不知何時創建。遼時沙門圓新居之。據感化寺窣堵波記。統和二年，僧談真重修，有統和四年翰林院學士承旨劉成撰碑。盤山志。中有傑閣，設大士像，相傳盤山舍利塔神燈自塔而下，先獨樂而後及諸佛刹云。薊州沈志。國朝乾隆十八年，賜帑重修。舊聞考一百十四。

廣福寺在州治北。寺傳爲唐時建，明正統戊午，僧真澤修，有少保胡濙撰碑。萬曆中，僧雲光、邑人蔣菊再修，有祭酒成憲撰碑，後全圮毁。舊聞考一百十四。國朝乾隆五十七年，知州劉念拔重修。薊州沈志。

白塔寺在州治西。寺久廢，有白塔，故名。乾隆六十年，直隸總督梁肯堂奉敕重修。薊州沈志。

香林寺在州北二里。寺相傳以爲刱自漢，修自唐。據馮有經香林寺碑。明正統、萬曆間，一再修之，有翰林院侍講馮有經碑。國朝康熙年間重修。寺在薊城北，翁同鵜泉流峙左右，薊亭之勝槩也。（舊聞考一百十四。）又有靜安寺，在城外西北三里，今久廢。（寺院冊。）

感化寺在盤山。

魏太和十九年，無終田氏營建。（據乾統七年南抃撰寺記。）唐貞元中重建。（薊州沈志。）太和、咸通間，道宗、常實二師繼踵住持，幽州主帥清河張公奏請于朝，賜名寶積寺，後易名感化。舊有遼乾統七年僧南抃撰碑，（盤山志。南抃上方感化寺碑記略：漁陽古郡之西北，叢岫迆邐，曰田盤山，岡巒倚疊，富有名寺，而感化者，魏太和十九年無終縣民田氏玆焉營辦。唐太和、咸通間，道宗、常實二師，前季後昆，繼踵而至，故碑遺像，文迹俱存。法堂佛宇敞乎下，禪竇經龕出乎上，埜有良田百餘頃，園有甘栗萬餘株，緇屬三百，無城郭乞食之勞，斯爲計久之業矣。）金圓新和尚窣堵波記，大定中沙門法詮撰，大安七年，感化寺故監寺澄方遺行碑，元感化寺提點賢公長供記，至正八年僧福珪撰，今俱無考。（舊聞考一百十五。）明天順八年，僧德聚重修。成化十一年，勅改寺曰廣濟。（盤山志。）寺東一頻婆果樹，大可合抱。居人云：此樹歲可得錢二十千，江南橘柚五十樹不能也。（三易齋稿。）國朝乾隆十年重建於舊基之西一里許，以舊寺在靜寄山莊地內也。勅復舊名曰感化寺。（薊州沈志。）

天香妙祥寺在盤山。

舊名妙祥禪院，唐建。元延祐元年重修。舊有元石碣，今無考。乾隆九年重建於舊基之西北二里許。寺內有金石幢刻賜紫沙門圓明聰慧大師塔記，貞元二年建。（寺院冊。）又有降香石，龍亭石。薊州沈志。

天成寺在盤山。

一名福善寺。寺門有樓，下瞰山麓，如深巷屈曲，磵泉苔石，歷歷可數，遠眺林巒攢簇，天成圖畫。或曰：盤山圖經稱四正山。四山迴合，天然城郭，故舊有天成之名。舊聞考一百十五。寺西南有普化和尚塔基。普化，唐時人，寺疑唐建。康熙中，僧雲聯重修，有古佛舍利塔，翠屏峰、飛帛澗、涓涓泉、徹公塔。山前有下天成，原屬寺中菓園，有斷碑，載大遼天成福善寺贈舊業栗園之碑，又有斷石幢，載叡孝天祐皇帝云云。國朝乾隆八年重修，爲行在外八景之一。薊州沈志。

少林寺在盤山。

傳是晉、魏間所建，舊名法興寺，有沙門圓玉碑記。又法興寺提點榮公塔銘，沙門圓瑩撰。盤山志。至元中，棲霞長春真人應召來燕，門下有棲雲子飛舄擇地，其徒張志格等搜及此山，遂營卜築。丙戌春，請長春真人建醮，因題其額曰棲雲觀。雲山集。其徒拆毁殿宇，屏棄佛像，寺内古佛舍利塔，高二百尺，及正殿三門一并拆毁。至乙卯後，上方長老雲公忿其無禮，奏告皇帝。又，共那摩太師、少林雲庭福裕禪師朝覲，具陳其事。至元辨僞録。仍爲僧院，賜額北少林寺。明成化己丑，寶峰德聚禪師重修，嘉靖丁亥又修，國朝康熙中，僧本住再修，乾隆十年又修。寺西有華巖洞，大松棚，東有紅龍池。多寶佛塔下有石曰菱角，曰帳房，曰蟒，再下有石曰晾甲，皆奇秀。薊州沈志。

慧因寺在盤山。

古中盤寺在紫蓋、蓮花、毘盧三峰之間，相傳寶積住靜處。欽定盤山志。國朝康熙十七年改正法禪院，後康熙中大博禪師重爲開拓，乾隆十四年，奉勅重修，四十年勅改今名。寺内有天語軒、五松堂，殿旁揮塵花宫，塔院，精壽堂，門前有談禪石崖，後有静室，名别是一天。薊州沈志。寺外四山相接，疊翠層巒，中有數峰陡絶者，勢插霄漢。又其地多金沙，雨過則星燦奪目。更有舍利塔，每除夕，光明徧山如列炬。其中流泉瀑布，儼若大江之怒濤焉，巨觀也。據蔡士英碑記。

盤谷寺在盤山。

寺卽青溝禪院。初本虎穴，康熙十年，僧智朴來盤山，有僧隆寶來獻兹地，乃始墾闢。十七年，聖祖仁皇帝勅賜盤谷寺額，屢次臨幸，遂成名刹，所謂人傑地靈者歟！乾隆十年重修。寺前有清涼石、漱玉泉、秩泉、松坳，後有杏花陂、龍首巖，中有秋月堂、巢雲軒、選佛堂。薊州沈志。

萬松寺在盤山。

寺之西卽李靖舞劍臺，舊名李靖庵，不知建於何時。明萬曆四年，普照禪師卓錫於此，念四字佛，皈依者衆。明神宗御書清心二字，徑尺許，賜之，今存寺中。崇禎中，普照法孫勝雲重修。國朝康熙中，商邱宋犖以前賢不宜直呼其名，改爲衞公庵。四十三年，勅賜今名。寺左有仙人橋，右有槖陀石。薊州沈志。

雙峰寺在盤山。

舊名重巒禪院，相傳爲唐貞觀中尉遲敬德監造。明萬曆三十年，慈聖皇太后出内帑重修。國朝乾隆十九年重修。薊州沈志。

青峰寺在盤山。

舊名青峰庵，明正德中，僧德杲重修，萬曆中僧常淨葺之。國朝康熙十年，僧隆實再葺，聖祖仁皇帝勅賜今名。乾隆十九年重修。薊州沈志。

法藏寺在盤山。

舊名茶子庵，明成化中修建。國朝康熙中，僧養心又修。殿左有古松。盤山第一住僧實乎擬建東廂，此松微有礙，欲伐之，夜夢一碩士，風流儒雅，揖而告曰：吾住此山久矣，師奈何促吾行！僧覺其異，遂不敢伐。前有法船石。薊州沈志。

雲罩寺在盤山。

舊名降龍庵，唐寶積禪師卓錫地。寺爲盤山至高處，雲生谽然出巘岫間，觸石潤礎，瀰漫林谷，從下觀之，不知寺之爲雲，雲之爲寺，故名曰雲罩寺。據沈荃雲罩寺碑。東嶺有舍利塔，中藏戒珠十六顆，佛牙一具。遼太康中，釋惠源，明成化中，釋本源，嘉靖中，釋圓成，萬曆中，釋真開以次營葺，並有碑記。盤山志。後慈聖皇太后命尚膳監太監呂誠來修之，有王道正撰碑記。國朝康熙中，僧通緒重修，乾隆八年奉勅重修，有刑部尚書張照撰記。寺中塔舍利有光，名曰佛燈。舊聞考一百十六。僧智朴佛燈記異：按宇內名勝，往往有佛燈，如五臺、九華、峨眉、普陀、匡廬、南嶽，百花山，人常言之，卽盤山之燈，人亦常見之。丙辰春二月，張灣居民洪應廣及二客僧夜話，見燈現於山西南樹杪，壯如蓮花，大如車輪，燄色披敷，下練光數丈，搖曳而西。己未八月夜將半，朴出户，甫啟簾，見燈大如屋，起澗中，紅光燄燄，照衣裾作赭色，召諸禪侶共瞻望。壬戌二月，燈二現于屋角東南，大小各一，去人僅丈許，若可攀攬，久之而没。乙丑六月二十五日晚課畢，見燈現於正南方，初如斗，忽大如山，如煙如雲，倏起倏墮，遍山南面作雨後霞色，其光中隱隱有大悲菩薩千手相，光外重光東射，莫可名狀，禪者瞻未曾有。戊辰四月夜，厲風作。壬子，于北部見紅光團團如車輪，横空而過。要之，佛燈之異，不止除夜，時時有之，卽厲風暴雨，隆寒溽暑之夕，亦常有之，但人酣眠長夜，苦不自覺耳。舊有黃龍祖師殿，在山絕頂。殿六角，以象天圓地方。每方各闊一丈，通高二丈九尺，層檐複栱，皆以甎爲之。建于正統十四年。成化間，鑄鐘一，重二千斤，覆以樓。今殿久圮，鐘及樓俱無存。北又有金山寺，唐光啟二年七月建，有石碣存，稱薊州大夫張公修造此寺。又有國子監祭酒張峒題詩勒石。盤山志。

上方寺在盤山。寺唐太和二年道宗大師結茅於此，有遺行碑尚存。國朝乾隆十七年重修。薊州沈志。

東竺庵在盤山松樹峪。

舊名彌陀庵，乾隆十年奉勅重修，二十七年又修。薊州沈志。

雲淨寺在盤山。

舊名淨業庵，明萬曆中蔡來峰建。崇禎中無暗律師重修。盤山志。國朝康熙四十三年勅賜今名，乾隆十五年重修。舊聞考一百十八。寺内有石幢，刊本師惠凝和尚大安八年九月朔門人棲洞等建。疑庵亦遼、金故址也。薊州沈志。

千相寺在盤山。

原名佑唐寺，建自唐開元間。據高宗御製千相寺詩。相傳有尊者挈杖遠至，求植足之所。僧室東北隅巖下有澄泉，恍惚之間，見千僧洗鉢，瞬息而泯，因茲搆精舍。據遼李仲宣祐唐寺講堂碑。遼乾亨二年，寺僧希悟修之，於溪谷澗石上刻千佛像，有統和五年李仲宣撰碑。盤山志。明正統間，僧行明重修。明善醫眼疾，凡目翳、瞳盲之人，聞風而至，咸獲瘳。後裔因習其術，人謂盤山眼藥寺。國朝乾隆十年，奉勅重修。後有搖動石，又有洞曰契真，憨山遇隱士處也。薊州沈志。

瑞雲庵在盤山。

庵不知何時建，金大安中重修。國朝乾隆十年移建。西有歸雲洞。舊聞考一百十六。

報恩寺在千相寺東。寺不知創自何時，明正統四年修治，萬曆八年再修，四十五年尼宏存再修，有米萬鍾撰碑。盤山志。

白巖寺在盤山東盡處。寺建自唐貞觀中，至遼時天顯十一年復建，金大定中重修。有元僧恒志碑記，又有慶壽提點裕公塔銘。盤山志。明天順中，香林蘊空禪師退隱於此，號曰白岩叟寺。北有九華峰，林壑佳麗，岡巒秀挺。薊州沈志。

報國寺在盤山。元至元中，圜悟禪師重修，大德中又修，後幾廢。國朝乾隆二十七年重修。前有黑龍潭，又前一里許有燕子石。薊州沈志。

香水寺在盤山西南二十里。唐建，有金正隆六年頭陀大師靈塔實行碑。康熙中，僧德心重修。後有香泉，故名。舊聞考一百十六。

普濟寺在甘泉山。一名甘泉寺，相傳昔爲毒龍湫，唐太和中，有曉方禪師結茅於此，龍讓之，徙山後，迄今三潭爲龍居也。欽定盤山志。遼、金及元，屢次修葺。明初燬於火。舊有唐郎肅靈塔記，金釋圓照通和尚塔記，俱不存。舊聞考一百十七。國朝康熙中，僧明德重修，有禮部侍郎沈荃撰碑。盤山志。

桃花寺在行宮旁。

乾隆九年奉勅重修。薊州沈志。

隆福寺在行宮旁。

唐初智嘉禪師持妙法蓮花經，選勝至此，穴巖以居，夜半聞鐘聲，心異之，尋至山腹，見廢寺故址也，壁間有龍福院額，遂結茅其地，持誦弗輟。階前伏蠆，日聞經聲，忽得解脫，中夜化爲女子，禮師稱謝，且言使左右五里永絶蠆毒，以報其德。已果有驗。由是遠近信嚮，寶施雲集，此建寺所由也，閱遼至金，天慶、正隆，屢加修葺。據呂卿雲碑記。有金泰和三年，呂卿雲重修碑記。國朝乾隆九年，奉勅重修，有刑部尚書汪由敦撰記。舊聞考一百十七。

香華庵在白澗行宮旁。

舊剎。乾隆十五年奉勅重修。舊聞考一百十四。

平谷

臨泉寺在縣南東高郕。

俗稱高郕寺，遼建，明嘉靖二十七年重修。平谷朱志。

淨甯寺在縣南鹿角莊。

俗稱鹿角寺，金大定二十年建。平谷朱志。

淨嚴寺在縣北大新寨。

遼天慶十年建，明正德元年重修。平谷朱志。

石佛寺在縣北東胡家務。

元至正二年建。平谷朱志。

慈福寺在縣東北山東店。

俗稱山東寺，正統九年御馬監太監劉□建，基臺崇拓，棟宇恢宏，丹碧文珉，各呈工巧，勅賜名曰慈福，有邑人金純撰碑。正德四年，營州屯衛官舍景祺、邑人楊友重修。平谷朱志。

覺雄寺在縣治西。

遼重熙十六年建，嘉靖八年重修。平谷朱志。

香嵐寺在漁子山砦。

俗稱波谷寺，金明昌三年建，嘉靖二十四年重修。平谷朱志。

興善寺在縣東峨嵋營。

唐咸通三年建，明正統八年重修。寺東北一里許，靈泉出焉，流經寺中，俗稱水峪寺。舊聞考一百四十二。

白雲寺在縣北黑豆峪寨。

金皇統四年建，明弘治十二年重修，俗稱繼廣寺。舊聞考一百四十二。

龍泉寺在縣東盤龍山。

寺在山下盤龍，爲東畿大山。蜿蜒以西，又十里爲暗峪，峰巒峭刻，氣勢連霄，峪間夾兩崖，有泉如練，自東北折，每春夏，雲英英騰上，頃刻覆山谷，其色正白，若大海茫無際涯，人因目曰龍泉。泉之北，巉崖壁立，空翠撲人，左右諸峰皆相顧拱揖，黄精、赤茯，雜植其間，境異山幽，雖當烈火流金，使人翛翛有挾纊意。元至正四年，僧人順公結庵于此處，庵以泉名，以誌山川之勝。據金純龍泉寺碑記。明成化六年，營州中屯衛千户景楨、僧可懿修之。正德五年重修，嘉靖二十七年僧大雲再修，有金純撰碑。又北歷店龍泉寺，亦元至正四年建，嘉靖二十七年重修。井兒峪龍泉寺，元至正十年建，嘉靖二十年重修。平谷朱志。

延祥觀在縣東北獨樂河莊。初名元寶觀，至元間，邱長春過此，觀有枯柏，捫之復榮。有南塘老人張天度爲作詩，玉谿老人趙鑄爲作記。盤陰雜記。趙鑄元寶觀柏記：歲丁亥，京東諸紳請長春真人醮于田盤山之栖雲觀，過平谷，飯于城東獨樂邨。元寶觀中有柏，枯瘁已久，師歎曰：可惜！起而摩之。明年春，其杪葉復生，鬱茂如故。見者奇之。予一日托宿于州之通元觀，道人李志平示予南塘老人譽長春子活死柏之詩，所謂非異人不能成異事，非異書不能表異蹟也。志平欲傳其傳，乃書其事于石。

華陽吴祖椿校

地理志八

冢墓

德清蔡賡年纂　江陰繆荃孫覆輯

冢墓題篇，權輿皇覽，志聲塵審，里堠誼兩存矣。在順天境内者，房山之金陵，昌平之明陵，祀典所關，尤宜詳核。爰蒐于邑乘，旁及羣書，以纂斯篇。宜正者正之，如狐奴山之墓，當在順義，不得以唐之懷柔爲今之懷柔；宜補者補之，如今之琉璃廠，遼以前爲燕下鄉，唐御史王仲堪、遼御史李内貞俱葬于斯，據志銘以述其墓，而人名、地名兩可道也。夫前明利瑪竇來自西國，葬於都門，履霜堅冰，當防其漸，以紀事變坿述尤宜，而以義冢終焉。志冢墓。

大興縣

漢

燕靈王陵在縣境。據金史蔡珪傳。酈道元水經注㶟水篇：㶟水又東逕燕王陵南，陵有伏道，西北出薊城中。景明中，造浮圖建刹，窮泉掘得此道，王府所禁，莫有尋者。通城西北大陵，而是二墳，墓趾磐固，猶自高壯，竟不知何王陵。趙一清水經注釋云：魏書地形志，燕郡薊有燕昭王陵、燕惠王陵，後人遂因此誤以燕刺王旦戾陵當之，非。戾陵在薊西南，此陵在薊東南，觀道元所敘高梁河，甚明。金世宗紀：大定九年二月，詔改葬漢二燕王于城東。蔡珪傳：初，兩燕王墓舊在中都東城外。海陵廣京城圍基，在東城內。嘗有盜發其墓。大定九年，詔改葬于城外。俗傳六國時燕王及太子丹之葬，及啟壙，其東墓之柩題其端曰燕靈王舊。舊，古柩字，通用。乃西漢高祖子劉建葬也。其西蓋燕康王劉嘉之葬。珪作兩燕王墓辨，據葬制名物，款刻甚詳。觀此，則知地形志之非，道元疑而未定，可謂有識者矣。按：水經注謂灅水東逕燕王陵南，西北出薊城中，則其陵在薊之東界可知矣。趙一清謂此陵在薊之東南，甚核。薊即薊縣，今據書于此。

燕康王陵在縣境。見上。

蒯徹墓在府東廣渠門外八里莊古埠，墓高四尺，前有井。燕都游覽志。徹見雜人傳。按：于欽齊乘：蒯徹墓在臨淄東二里。漢書：徹，范陽人。高祖曰：徹，齊辯士。故卒葬此，未審孰是？

晉

張華墓在縣東南六十里。大清一統志。華見先賢傳。按：畿輔唐志偁，張華墓或謂在安肅縣西，與劉伶墓相近。又據名勝志偁，劉伶墓在張華邨。考太平寰宇記，幽州薊縣有張華冢，復引郡國志云，有張華村，臨桑乾河。張華邨在固安縣東北。張華，方城人，即今固安，即古方城地。今大興即古薊縣地，與方城俱屬廣陽郡，距安肅均遠。唐志或謂云云，未詳所據。

唐

御史大夫劉怦墓，在縣境。據金史劉頍傳。按：傳云：南苑有唐舊碑，書貞元十年御史大夫劉怦葬。上見之曰：苑中不宜有墓。頍家本怦後，詔賜頍錢三百貫，改葬之。

幽州隨使節度押衙敬延祚墓，在縣境。據墓志銘。按：志銘爲節度前驅使張賓撰，偁君諱延祚，字延祚，中和二年九月十八日終于昌平縣界永甯邨之私第。中和三年二月十一日，葬于薊縣界之會川鄉鄧邨里。中和，唐僖宗年號。唐德宗建中二年，析薊縣地爲幽都縣，今之宛平也。其云葬薊縣界，當在今大興縣境。餘詳金石。

明

興濟伯楊善墓，在縣東南一十五里。大清一統志。善見雜人傳。

巡撫都御史朱之馮墓，在廣渠門外。大興張志。之馮見先賢傳。

兵部主事金鉉墓，在東直門外六里屯，有墓碑。大興張志。鉉見先賢傳。

駙馬都尉鞏永固墓，

在永定門外。大興張志。永固見先賢傳。按：墓今無考。御史陳純德墓，在永定門外。舊聞考九十。薊邱雜鈔：零陵陳純德，以御史殉甲申之難，楚人瘞之湖廣會館側。京山貧士秦嘉系訓蒙京師，積館穀三十餘金，置地于永定門外葬之，立石表其墓。乾隆四十一年，賜謚節愍。墓今無考。穆侍御天顏墓，在縣東廣渠門內板廠。據采訪册。按：墓在黃岡義園地。嘉慶辛酉，邑人官京師者重建，墓碑題曰明御史黃岡穆公天顏之墓。黃州府志傳：公諱天顏，字象元，萬曆戊戌進士，性至孝，方少時，父守文司鐸四川，卒于官，與兄扶櫬歸，艱苦百狀，塗人皆爲感泣。其事蹟詳明史列傳。

國朝

江南布政使司參議分守蘇松常道方國棟墓，在縣之方家莊。據汪琬撰墓誌銘。國棟見先賢傳。陳典墓，在縣境。據方苞撰墓誌。典見方技傳。

義塚南城附見。一、設永定門內香廠，中城南。一、設永定門外地方，一、設崇文門外文昌宮前，一、設東便門外核桃園，一、設東便門外儲濟倉後，一、設東直門外北後街，一、設廣渠門外地方，一、設金魚池西南地方，一、設金臺書院前，一、設右安門內聖賢廟東，均指揮管理。會典事例。

宛平縣

漢

燕剌王旦陵，在縣境西。據水經注㶟水篇。按：水經注釋，謂戾陵在薊西南，今據書于此。左馮翊韓延壽墓，在縣西三十六里覺山。一統志。延壽見先賢傳。景物略：出阜成門三十六里，罕山，志稱韓家山，漢循吏韓延壽冢焉。罕、韓音譌也。俗呼黑山匯。黑、罕又譌也。山黃壤，一平岡耳。韓延壽墓在山之南，磚甃，埠高以丈，非漢磚也。志云，有故碑剥落，今碑復不存。按：畿輔唐志山川門，韓家山在宛平縣西二十六里。引天府廣記云：山陰有漢左馮翊韓延壽墓，韓世居于此。而于陵墓門偁，韓延壽墓在文安縣東南韓村。單文莫辨，歧異可疑。

唐

哀忠墓，在縣西十里。一統志。哀忠墓，相傳唐太宗見隋煬帝征遼兵亡卒骸骨，惻然憫之，令悉收葬爲一大塚，因名。按：墓久無考。濮陽卞氏墓，在西安門内。據全唐文。日下舊聞：康熙辛酉，西安門内有中官治宅掘地，誤發古墓，中有瓦罏一、瓦罍一。墓石二方：廣各一尺二寸，一刻卞氏墓誌四字，環列十二辰相，皆獸首人身；一刻誌銘而舊作誌鋕。題曰：大唐故濮陽卞氏墓誌鋕。文曰：貞元十五年，歲次己卯，七月癸卯，朔，夫人寢疾，卒于幽州薊縣薊北坊，以其年權窆于幽州幽都東北五里禮賢鄉之平原。日下舊聞又據此墓以爲今之西安門去唐之幽州城東北五里而遥，以唐之幽州憫忠寺在城東南隅爲證。餘詳金石。監察御史裏行王仲堪墓，在縣境。據志。仲堪見先賢傳。志云：遷神于薊縣燕夏鄉甘棠。原墓今無考。燕夏一作燕下，爲今琉璃廠地，詳遼李内貞墓注。故太子洗馬博陵崔府君墓，在縣境。據成表微撰墓誌。誌云：君諱載，字載，以元和十四年五月二十三日遘疾，終于幽州薊縣招聖里。十一月十六日，窆于幽州幽都縣保大鄉村北一里之原，祔于先塋。餘詳金石。幽州大都督府兵曹參軍陳立行墓，在縣境。據李儉撰墓誌銘。誌銘云：君諱立行，字晞顔，皇唐甲子四周，歲在丁丑，夏四月甲戌，没于府城之肅慎里。越月，景申晦，葬于幽都縣禮賢鄉之平原。其云甲子四周，歲在丁丑，則唐宣宗大中十一年也。自唐高宗儀鳳二年丁丑，至是爲第四丁丑耳。餘詳金石。竇建德墓，在城西南二十里。宛平王志。按：舊唐書，武德四年，擒竇建德斬于市。是建德何以有墓在此？縣志云云，未知所據。

遼

耶律淯墓，在西山。據遼史本紀。按：史偁耶律淯者，世號爲北遼興宗弟四孫，保大二年，天祚入夾山，奚王和勒博林牙、耶律達什等，引唐靈武故事，議立淯卽位，百官上號天錫皇帝，改保大二年爲福建元年。尋病死，百官僞謚曰孝章帝，廟號宣宗，葬燕西香山永安陵。按：陵今無考。御史大夫李内貞墓，在琉璃廠東。日下舊聞。錢大昕記琉璃廠李公墓誌云：乾隆庚寅三月，琉璃廠窰户掘土得古墓，棺槨不具，而骨節異常人，旁有一石，眡其文，則遼故銀青崇禄大夫檢校司空行太子左衛率府率兼御史大夫上柱國李公墓誌銘也。提督兩窰廠工部郎中孟君澔，募人改葬于故兆東二十步，別買石書李公官位，表于道，而誌石則仍瘞之。按志云：葬于京東燕下鄉海王村。今之琉璃廠，在遼爲城東燕下鄉，正可互證。而海王村之名，亦好事者所當知也。餘詳金石。

金

萬壽王冢，在阜成門外嘉禧寺西二里，有碑。舊聞考一百四。按：冢今無考。隱士劉伯熙墓，在仰山之棃園頭。據郝經劉隱士墓誌銘。伯熙，大興人。 耶律楚材墓，在縣西北三十里甕山下。一統志。楚材見先賢傳。縣志：墓東有祠，今爲僧舍，石像猶存。匏翁家藏集：耶律丞相墓在甕山下，前有石像，鬚分三繚，其長過膝。野獲編：耶律楚材，大有造于中國，功德塞天地，元世祖眷之亦異他將相，其壽域想必屬當時恩賜者。今按元文類，宋子貞撰耶律公神道碑，偁耶律公生于明昌元年六月二十日，年五十五而卒。以中統二年葬于玉泉東甕山之陽，從遺命也。然則非恩賜矣。又耶律公事太祖、太宗三十餘年，太宗崩後，皇后偁制，公卽以其年卒，是癸卯歲也。閱十七年庚申，始爲世祖中統元年，世祖眷之異他將相之説，亦未核。碑文詳金石。 乾隆十五年，奉命特加培護，覆以屋三楹，並立祠宇。采訪册。御製題耶律楚材墓詩并序：墓在甕山好山園之東，昔年營園時，以其逼近園門，故培土爲山其上以藏之。聞其爲楚材之墓久矣，使閱時而湮滅無傳，豈所以褒賢勸忠之道哉？因命所司仍其封域之制，並爲之建祠三間，使有奠饋申酌之地，並命汪由敦爲碑記，而題之詩如左：曜質潛靈總幻觀，所嘉忠赤一心殫。無知幸免稱冥漠，有墓還同封比干。窀穸卽仍非改卜，堂基未没爲重完。摛文表德輝貞石，臣則千秋定不刊。汪由敦元臣耶律楚材墓碑記略：甕山之麓，有元臣耶律楚材墓一區，歲久弗治，漸就蕪没。會其地近別苑，所司將有所營建，上特命覆以屋三楹俾勿壞，而敕臣由敦記之。臣謹按元史，楚材事元太祖、太宗，歷三十餘年，時方草昧，一切定賦税，分郡縣，籍户口，別軍民，皆其所經理，嘗謂治弓尚須用弓匠，治天下安可不用天下匠？遇所不便于民，必力争不少屈，至有厭其爲百姓哭者，率賴其規畫，法制粗立，民得甯息，故論有元一代名相，必以楚材爲稱首。顧閱世久遠，蹟漸湮没，當日豐碑高塚，已翳爲荆榛，幾莫有過而問焉者。王士禎裂帛湖詩，已有誰弔湖邊耶律墳之慨。而趙吉士寄園寄所寄并云，遭掘於摸金之手。則此荒隴之僅存，其不致蕩然磨滅盡也，難矣。乃一旦沐聖天子表彰培護，不惟不以在苑側爲嫌，更爲之界以垣墉，蓋以簷宇，較之貞珉綽楔，而愈垂不朽，斯豈楚材當日意計所能及哉！史稱楚材精術數，其下兆于此也，豈真預知身後必膺榮遇？抑亦其功烈所存，有不容終泯者？然使不遇皇上眷懷賢哲，安望于世遠年湮之後，勿墮而益傳？則是舉也，固爲楚材幸，而聖天子所以教忠勸功，大彰癉而示風勵，直使百世下咸知感奮，尤大書特書，以垂示無極者也。臣得承命紀斯盛舉，不勝欣幸，拜手稽首，而書諸石。按：耶律文正王題和林新居壁詩，有舊隱西山五畝宮之句，其子所製墨，亦以玉泉爲名，今甕山遺墓，或即其所居井樗，未可定也。

太保劉秉忠墓，在縣西蘆溝橋北。一統志。按：長安客話云，太保與其弟秉恕墓，俱在邢臺縣。嘉靖中爲盜李淮等所發壙，時盡勒諸盜名，官驗得之，按名捕盜，無得脱者，未知孰是。按：墓今無考。

特穆津墓，在蘆溝河之側。舊聞考九十五。元名臣事略偁，墓在蘆溝河之側，山水環繞，相傳插矢以爲垣，邏騎以爲衛，闊蹄三十里，特穆津生于此，故葬于此云。按：墓今無考。

平章政事李武愍墓，在縣西永安山之陽。一統志。元吳澄李世安墓志銘：公名恆，西夏賀蘭於彌部人也。至元二十一年，薨于交趾。子世安護喪歸葬大都路宛平縣永安山之陽。延祐七年，夫人王氏薨，合葬公墓。日下舊聞引張伯滔養蒙集偁，葬京師之西永安山之陽，其子益都淄萊等路管軍萬户世雄祔葬先塋。考云：墓今無考。

李魏公孟墓，在縣西北香山石井村。一統志。按：墓今無考。

歐陽楚公原功墓，在縣西北香山石井村。一統志。按：墓今無考。

禮部尚書馬忠懿月合乃墓，在縣清水河之陰。據馬祖常撰神道碑。碑云：公諱月合乃，世屬雍古部族，居靜州之天山，官至禮部尚書，葬于大都宛平縣清水河之陰之原，太夫人王氏墓後，梁郡夫人白氏祔後。

平章政事廉文正公希憲墓，在縣西。據元明善撰神道碑。碑云：王姓廉氏，字善甫，北庭人，年十九，宿衛世祖王邸。三十，拜平章政事。至元十七年十一月十九日夜，大星隕于正寢之後欒堂，流光燭地，久之方滅，是夕王薨，春秋五十。越某日，葬于宛平縣之西原。

正議大夫禮部尚書王倚墓，在縣西三十里盧師山下。劉因撰神道碑。倚見搜古表。按：墓今無考。

榮禄大夫郝參政景文墓，在縣西三十里盧師山下。馬祖常撰墓誌。元良見先賢傳。

楊襄敏公教化墓，在縣西香山鄉之皇華原。虞集撰神道碑。碑云：教化，西夏人，葬宛平縣香山鄉之皇華，原娶李夫人，繼室王夫人，皆祔焉。

平章政事李世安墓，在縣境。吳澄撰墓誌。世安，恆之子。

宋本墓，在縣西三十里撅山邨。一統志。本見先賢傳。寰宇通志有元翰林待制謝端撰墓誌。按：墓今無考。

星吉墓，在縣西北玉

河鄉。一統志。按：吉以江西行省平章死難，見宋濂撰碑。

明

景帝陵，在縣西金山口。一統志。長安客話：景帝陵在金山口，距西山口不十里。陵前坎窞，樹多白楊及樗。凡諸王公主夭殤者，並葬金山口，其地與景帝陵相屬，諸妃亦多葬此。舊聞考：今封樹如故，陵前恭勒高宗御製詩碑亭。東華續録：乾隆二十一年五月，禮部議奏：西山有明代景泰陵及墳塋數處，原有司香太監六名，應並裁，酌設陵户二名，照昌平州例辦理。從之。按：宛平志并録建文帝陵在黑龍潭金山口北，殆即楊士驄玉堂薈記所指天下大師之墓也。朱安度兩京求舊録曰：金川門之變，建文帝闔宮自焚。實錄謂中使出其屍于火中，越七日，備禮葬之，遣官致祭，而不言葬地所在，或謂松楊王景請葬以天子之禮，成祖從之。若葬以天子，豈有不爲置陵守冢掌之祠官乎？是則備禮云者，特史臣欺世之辭耳。至于北京金山口景皇帝陵北，相傳有天下大師之墓，好事者實之以爲建文帝墳，然訪之土人，皆莫辨其處也。遜國之事，野史紛紜，以思恩所獲僧楊應祥謁爲楊應能，或又以太監吴誠謁爲吴亮，且隱應祥之斃獄，而云老佛取入西内，又言葬之西山，不封不樹，遂指不知何人之墓，以爲帝墳，轉相紀述，亡而爲有，毋乃爲有識者所笑乎！又考應祥之獲，在正統五年，土官岑英執送總兵柳溥，械至京師，錮之錦衣衛獄，是年太監吴誠坐征麓川失利弗救，法司論辟，雖得宥死，未必即給事宫中所傳老佛語，誠伏地餂，賜鵝肉，誠拜而哭，其事亦不足信。崇禎中，鞏都尉永固請以建文帝入祀典。思陵曰：建文無陵，從何處祭？于是言者謂當袪西山不封不樹之謁，而考尋成祖禮葬之蹟，是亦癡人説夢矣。今考度之言甚辨，且建文無陵一語，出自思陵，即是塙據，自不必以無爲有矣。謹闕。

蔚悼王墓，在西山東麓功德寺西。都穆南濠集。按：墓無考。

長平公主墓，在廣甯門外。明史公主傳：莊烈帝長平公主，順治二年病卒。賜葬廣甯門外。

修武伯沈清墓，在阜成門北原。王士禎香祖筆記。帶經堂集：康熙四十三年三月，西城外有盜發古冢，視其誌銘，乃明特進榮禄大夫柱國食禄一千一百石修武伯沈清墓也。清字永清，滁州人，洪武壬申，嗣其父爲燕山前衛百户，守禦開平。永樂間，五從車駕北征有功，累陞本衛世襲指揮同知。洪熙中，陞後軍都督府僉事，賜蟒龍衣，充參將，鎮守大同。尋命爲總兵官，鎮居庸。宣德中，征欒安州，破兀良哈，北狩洗馬嶺，皆扈從。陞都督同知，總督官軍匠作，修造京師城垣、濠塹、橋道。正統中，陞左都督，敕諭提督營建奉天、華蓋、謹身三殿，乾清、坤甯二宫，正統辛酉告成，特陞今爵，錫誥券，子孫世襲。以八年夏四月戊戌薨，年六十七，葬阜成門北原。子榮，孫煜。留守中衛指揮王滄撰文，卞聚書，襲善同篆。予考弇州，仁宣以後功臣伯表，無清名，故具録之。

李東陽墓，在縣西畏吾邨。舊聞考九十八。東陽見人物傳。法式善明大學士李東陽墓記：余居近明李文正公舊宅遺址，所謂西涯者也。嘗考公軼事，裒集爲記，復欲尋公墓所，屬同年宛平令章君訪于畏吾邨，不可得，又屬後任武進胡君及大興令郫縣郭君訪之。一日，二君過余，言適因事過畏吾邨，問公墓于土人，皆不知。有大慧寺老僧云，識一古墓，相傳前明顯官，今其子孫已絶。往視之，良然，然不敢遽定爲文正墓也。翌日，余親訪焉。老僧他出，裴回久之。遇石翁者，年八十六，居畏吾邨且六世，叩以文正墓，亦弗能知。因舉僧言相質。迺同詣寺西北土阜，一冢巋然，旁有二冢，且夷矣。翁指云：是間尚有二，兒時猶及見。余周覽而諦視之，慨然曰：此爲文正墓無疑也。案文正集，復畏吾邨舊塋及合葬告考妣諸文：文正曾祖文祥，洪武初，以戍籍隸燕山右護衛，其祖某方幼，挈與俱來。稍長，代父役，靖難兵起有功，弗見録，以藝簡內局製軍器，爲價以養。文正父名湝，微時爲舟子，有陰德，遇異人爲擇吉地瘞祖父骨，即畏吾邨塋是也。文正父改葬樹邨不吉，仍口畏吾邨。文正子兆先先卒，祔葬文正，卒亦葬焉。是畏吾邨墓，文正子孫五世同域。茲墳適有五，非李氏墓而誰耶？劉世節瓦釜漫記，謂其家族姓漸微，至以墓前白石碑搥碎與販鹽者雜賣。蔣一葵堯山堂外紀謂兆先卒，公竟無嗣。然則其子孫久絶，而碑碣無徵，宜矣。嗚呼！公五世之墓，聚于一口，身歿而子孫不振，至于夷冢爲田，屑碑易食，不亦傷哉！然以文正風流所被，猶能使後之人旁皇履勘，諮于野人、老衲，卒得其實，不致終淪于蓬藋，豈非默有啟之者乎！墓在大慧寺西，距寺三十步，墓之西爲畏吾邨口一里許。小徑北通石道，白塔菴在焉。南則長河，由枯柳樹迤邐南行，即望見極樂寺，後有欲展公之墓者，視吾文庶幾有考焉。修祠墓記畧：西涯先生墓，明萬曆時已不可辨識，有農人取土于冢，露其棺之前和，大學士方公從哲爲重封之，進士王文遇補植墓木，而未及勒石以紀。其後遂爲民産，東阡西陌，麻麥相望，訖于今更不知畏吾邨中有所謂西涯墓者。余據諸家紀述，數履其地，訪之故老，乃得其所。計地二十一畮，主之者爲□祥菴僧，贖之而未果。宛平令武進胡君遜聞之，慨畝捐百金贖之。墓先有五冢，今一存，其二僅可識，夷其二且數十年矣。胡君既贖墓田，則封之如其舊。

兵部右侍郎李震墓，在縣西玉河鄉。商輅李公神道碑。碑云：公諱震，字用初，別號省菴。成化乙未某月日卒，距生永樂甲午某月日，壽六十有二。以卒之年月日葬玉河鄉之原，祔先塋也。先世山西臨汾人。元季，曾伯祖希賢，遊宦于燕，因家宛平，娶蔡氏、劉氏，子四：浦、瀚、淏、江。

英國公張輔墓，子懋坿葬，在蘆溝橋南長新店。宛平王志。一統志，長新作長里。

定國徐公墓，在縣西鑼鍋嶺。宛平王志。

方內閣從哲墓，在縣西南豐臺。宛平王志。按：汪堯峯撰方國棟墓志，方氏祖塋在大興之方家莊，從哲蓋別葬也。

米太僕萬鍾墓，在海淀。宛平王志。

王方伯愛墓，在縣西真覺寺後。宛平王志。

劉少保餘祐墓，在縣西畏吾邨。宛平王志。

張少宗伯邦紀墓，在諸葛邨。宛平王志。

惠安伯張元善墓，在縣西北香山南。宛平王志。

剛炳墓，在西便門外下莊。宛平王志。帝京景物略、罕山志偁：韓家山山陽二寺，曰靈福，曰延壽者，太監剛鐵墓也。墓無石表，無翁仲，惟石墩六。僧云：長陵賜鐵坐凡六，故六墩也。

女僧呂氏塋，在阜成門外香山黄邨顯應寺

左；塋前有嘉靖四年敕賜碑，碑後並刻有像。舊聞考九十七。吕氏見釋道傳。利瑪竇墓，在阜成門外馬家溝。舊聞考九十六。帝京景物略：萬曆辛巳，歐羅巴國利瑪竇入中國，始到肇慶，劉司憲某待以賓禮。持其貢表達闕廷，所貢耶蘇像、萬國圖、自鳴鐘、鐵絲琴等，上启視嘉歎，命馮宗伯琦叩所學，惟嚴事天主，謹事國法，勤事器算耳。利瑪竇既入中國，襲衣冠，譯語言，躬揖拜，皆習。越庚戌，利瑪竇卒，詔以陪臣禮葬阜成門外二里嘉興館之右。其坎封也異中國封，下方而上圜，方若臺址，圜若斷木，後虚堂六角，所供縱横十字文。後垣不琱篆而旋文，其脊紋若螭之歧其尾，肩紋若蝶之矯其鬚，旁紋若象之卷其鼻也。垣之四隅石也，杵若、塔若焉。祔左而葬者，其友鄧玉函。函善其國醫，于崇禎三年四月二日卒。墓前堂二重，祀其國之聖賢。堂前晷石有銘焉，曰：美日寸影，勿爾空過，所見萬品，與時併流。

國朝

大理卿高裔墓，在縣境。據方苞高公墓碣。裔見先賢傳。王進士兆符墓，在縣境。據方苞王生墓誌銘。兆符見先賢傳。禮部尚書王文貞崇簡墓，在縣西畏吾邨。宛平王志。崇簡見先賢傳。保和殿大學士王文靖熙墓，在畏吾邨。宛平王志。熙，崇簡子，見先賢傳。貴州巡撫王燕墓，在縣之骨香山社。張玉書貴州巡撫王公墓誌銘。燕見先賢傳。左都御史李紱墓，在縣之黄莊。紀昀撰墓誌銘。銘云：公諱紱，字佩廷，號杏浦，又號竹溪。然學者惟稱杏浦先生也。先世自山東遷宛平，葬于黄莊。孟忠毅公喬芳暨孫大理寺評事纘祖墓，俱在縣西。韓菼纘祖墓誌銘。誌云：公爲忠毅公喬芳之孫，監察御史熊飛之子，諱纘祖，字聿修，號芥舟，生于順治己未六月二十七日，卒于康熙丙寅十月初八日，年僅三十有二。妻馬氏，子一以恂，方八歲。以明年丁卯正月壬寅，葬于忠毅公之墓側。前刑部右侍郎黄叔琳墓，在縣境。陳兆崙撰墓誌銘。叔琳見先賢傳。湖廣長陽縣知縣朱登俊墓，在西山二老莊鎮岡塔前。采訪册。登俊，珪之祖。陝西盩厔縣知縣朱文炳墓，在西山二老莊。采訪册。文炳，珪之父，見先賢傳。山東長清縣知縣朱垣墓，在二老莊。采訪册。垣，珪之兄，見先賢傳。江西靖安縣知縣朱堂墓，在西山吕邨之南。采訪册。堂，珪之兄。翰林院編修朱筠墓，在縣之二老莊。王昶編修朱君墓表。錡，珪之兄，見先賢傳。大學士朱珪墓，在西山吕邨二老莊。阮元朱文正公神道碑。珪見先賢傳。

仁宗御製望朱珪墓詩：有序。故大學士朱石君墳園，在西山吕邨，距蹕路十餘里，命侍郎英和往奠，誌以詩感：碩彥嗟頹壞，臨風歎奈何。經邦言總正，論道益誠多。伏冀心隨往，躬行禮實過。故大學士朱石君，於去歲臘月初五日溘逝，旋於二十五日葬於西山吕邨。朕緬懷舊學，於一切飾終之典，務從優卹，亦由伊平日持躬宅性，足以稱此哀榮耳。茲以展謁西陵，道出黃新莊，聞其墳園距蹕途不過十餘里，朕本欲一往賜醱，因詢之軍機大臣等，奏稱：臣下墳塋，從無親臨賜奠者，惟費英東、揚古利、額亦都三墓，於駕詣盛京，得蒙親酹，蓋三人皆開國元勳，故列聖垂此恩禮，以示旌寵，此外未之前聞，且恐以尊臨卑，於禮過重，逝者不能當此，轉非體卹既往之意。爰命侍郎英和前往代醱一觴，用抒眷念。朕雖未得親行，而惓惓不置之心，不啻偕使命而往矣。抽毫紀事，良用憮然。雲烟結神想，西嶺望嵯峨。

宣宗御製奉命祭奠朱石君師傅輓詩二律：招摇東次大星垂，元老西歸竟有期。一世操持忠與信，兩朝輔弼相兼師。趨班詔許扶鳩入，臨奠親煩步輦移。禮重易名邀特錫，湯劉鼎立信無疑。髫歲追隨講席前，朝朝涵泳聚三天。時云就學詩書首，每論成身孝悌先。宿德早將師道立，終年不以世塵牽。清酤三灑悲何極，銜命遄來片刻還。太僕寺少卿朱錫經墓，在西山吕邨。采訪册。錫經，珪之子，見先賢傳。山西直隸州知州朱錫庚墓，在西山二老莊。采訪册。錫庚，錡之子。山東布政使司布政使朱錫爵墓，在西山二老莊。采訪册。錫爵，垣之子。江安督糧道朱涂墓，在西山吕邨。采訪册。涂，珪之孫。山東補用知府朱英墓，在西山二老莊。采訪册。英見先賢傳。翰林院庶吉士刑部主事朱瀛墓，在西山二老莊。采訪册。瀛見選舉目表。江蘇常州府知府朱澄墓，在西山二老莊澗水之西。采訪册。澄，珪之姪孫。廣西永福縣知縣安徽定遠殉難朱爲霖衣冠墓，在吕邨。采訪册。爲霖見忠義表。廣東儋州知州朱庭桂墓，在西山吕邨。采訪册。按：庭桂，澄之子。內閣學士翁方綱墓，在朝陽門外□□□。采訪册。方綱見先賢傳。刑部郎中翁樹培墓，在朝陽門外□□□。采訪册。樹培，方綱子，見先賢傳。金處士茗墓，在西便門外三里河。據程瑶田撰墓誌。誌云：乾隆四十九年閏三月初十日，大興金茗及疾卒，某月某日葬于京師西便門外三里河先人墓側，而歙縣程瑶田爲書石以誌之。茗字櫰山。父克誠，江西瑞金縣知縣，丁母憂，歸居京師。櫰山年猶未冠也，與其諸兄同受業于吾友歸安丁小雅。余歸五年，小雅言其有志于學，使之謁余，而來見焉，時庚子夏四月也。是年十月，余南歸。明年，小雅成進士，亦南歸。余歸五年，又以試春官，復至京師，其叔兄紹綸訪余于蓮華寺，未嘗言櫰山之病也。閏三月八日昧爽，有持雙雞扣門來饋者，言櫰山病且垂死，欲一見余，死且不憾。余倉皇往視之，則奄奄在牀蓐，言不能成聲。又二日，死矣，年僅二十四歲。嗚呼！櫰山垂死而不忘余，余能不爲之悲乎！其兄言：櫰山性明敏，律己甚嚴，不能苟合于人事，父母能得其歡心，昆弟同處，怡怡如也。好書，購買之得三千餘卷。國家開四庫全書館，有校讐善本，則務求必得之，手自鈔録，輒廢寢食，不自卹其體之羸弱也。遇漢唐舊碑帖及名人墨蹟，尤所珍愛，心摹手追，未嘗厭倦。嗚呼！櫰山而竟死矣，余又安能以不悲乎！遂繫之以銘。銘曰：櫰山于天殊不負，天于櫰山何不厚！嗚呼！使劣者夭而佳者壽，則何悲憤不平之有！

義塚北城附見。一、設西城廣甯門內老君地南。一、設老君地東。一、設廣甯門內報國寺後。一、設潘家地內。一、設阜成門內三塔寺。一、設宣武門外黑窰廠。一、設西城地方白馬寺坑。均指揮管理。會典事例。

良鄉縣

周

樂毅墓，在縣南三里，一統志。地大數畝，高丈餘，題曰：望諸君墓。舊聞考一百三十三。按：日下舊聞引皇甫鑒城冢記偁：

燕廣城君。厲鶚遼史拾遺引同。今從大清一統志胡祭酒儼集云：望諸君墓在縣治南三里，近盧溝，堤決，役夫輿墓碑築隄，恐後無徵矣。按：魏書盧道將傳，道將爲燕郡太守，下車表樂毅、霍原之墓，而爲之立祠。又柳宗元弔樂毅文有序云：許縱自燕來，曰燕之南有墓焉，其志曰樂生之墓。據此可爲毅墓在燕地之左證。惟邯鄲又有毅墓，或謂毅卒于趙，墓當在邯鄲。不知凡有功于人者，人人欲得而祀之，其孰真孰僞，可不辨也。

隋

楊君讓墓，在陽鄉舊店。日下舊聞引名勝志。並云有古碑，今無考。

唐

雲麾將軍李秀墓，在縣境。據李邕撰碑。按：碑云，葬范陽福禄鄉，今無考。水經注聖水篇：聖水又東，福禄水注焉。福禄水當由福禄鄉得名。

後周

竇禹鈞墓，在縣西北十五里豆家莊。良鄉佟志。按：日下舊聞，涿州有禹鈞墓，在州西團柳邨。今良鄉志又云在豆家莊，未詳孰是。舊聞考云，按州志，團柳邨北有河形，舊名康河，北岸上有荒邱，微有甃形，土人呼爲十郎塚。考墓前石碣，爲明正統時太監竇吉祥墓。惟碣文內稱吉祥爲宋學士儀九世孫，葬于康河之陽祖塋之次云云。竊思涿州有良鄉舊城，在州北四十里，今縣治西，至涿州七十里，或此墓本屬良鄉舊治，縣既移徙，故其墓遂兩見也。且吉祥既以儀爲遠祖，則所謂祖塋者，又恐以亡爲有耳。若指祖塋爲儀墓，則儀官于宋，其時涿州等處皆入于遼，宋與遼尚未和好，未必儀之柩安然葬于涿州。總之，兩墓均未得塙證也。

金

韓夔墓，墓北韓懿袝葬，墓在縣南二十五里高舍邨。良鄉楊志。

元

梁都運斗南墓，在縣南三十里立教邨。良鄉舊志。斗南見先賢傳。徽政副使張九思墓，在縣境南。虞道園撰神道碑。九思見先賢傳。

明

楊侍御墓，在縣南舊店西北。良鄉楊志。李太保如柏墓，在縣治西北崇各莊。良鄉楊志。李懷中墓，在縣治西北崇各莊。良鄉楊志。張鑽墓，在縣南魯邨。良鄉楊志。江南道監察御史張思聰墓，在縣南魯邨。良鄉楊志。誥封懷遠將軍唐斯盛墓，在縣治東。良鄉楊志。楊太守九春墓，在縣南舊店。良鄉楊志。少師吴中墓，在城北怪它邨東。畿輔唐志。

固安縣

周

孫臏墓，在方城邨東南一里。固安陳志。按：房山縣亦有孫臏墓，康熙年間，知縣羅在公得墓誌，知房山者爲唐將軍孫士林，非臏也。

金

張君墓，在押敵邨西北一里，有碑。固安陳志。按：墓前有石刻云：故贈儒林郎清河張君之墓，明昌二年立石。墓前石獸猶存。

元

宋侯墓，在駝頭邨西南半里，有碑。固安陳志。按：墓前有石刻元故武畧將軍大都路都總管府判官宋侯墓，翰林學士承旨歐陽元書，至正十四年立石。宣使張士遠墓，在縣之唐陽邨。固安陳志。

明

鄉賢張素墓，在張士遠墓旁。固安陳志。贈太常卿前掌河南道御史傅好禮墓，在縣東知子營。一統志。王騏墓，在縣西一里。子復墓祔焉。畿輔唐志云：在豐樂門西一里許。都御史淡成墓，在豐樂門西一里許。固安陳志。都御史蘇志皋墓，在豐樂門西一里。固安陳志。侍郎劉永墓，在豐樂門東北半里許。固安陳志。鄉賢楊和墓，在孫郭郵東南。固安陳志。都御史張介、穆允濟墓，在縣北。固安陳志。都御史特贈兵部侍郎郭光復墓，在清河西半里許。固安陳志。太僕寺卿、狀元楊維聰墓，在孫光郵。固安陳志。翰林院侍讀、榜眼楊維傑墓，在孫郭郵。固安陳志。副使馮繼芳墓，在梁家莊。固安陳志。杭州司馬李天祥墓，在南房郵東北。固安陳志。茂州知州祖志伊墓，在東嶽廟後堤内。固安陳志。内黄教諭李時康墓，在東關李家塲。固安陳志。

國朝

上江巡按劉宗韓墓，在南房郵。固安陳志。江西道監察御史卜峻超墓，在白郵。固安陳志。贈光禄大夫都統于安國墓，在城南三十里南房郵。固安陳志。志云：係于清端公之本生父。清端公爲國朝名臣，祀賢良祠、名宦祠。通志列傳云，永甯人。蓋出嗣永甯籍者也。

永清縣

元

史氏先塋，在縣西南二十里大焦垈邨，有史氏慶源碑記，崔鉉撰。永清周志。按：乾隆四十二年，知縣周震榮命工從土阜中搜出，植立墓傍。史尚書秉直墓，在大焦垈邨，有神道碑，劉祁撰。永清周志。秉直見先賢傳。史元帥進道墓，在大焦垈邨，有神道碑，段紹先撰。永清周志。進道見先賢傳。史丞相天澤墓，在大焦垈邨。永清周志。按：大清一統志及畿輔唐志，焦垈均作黑垈。日下舊聞作墨垈，今從志。天澤見先賢傳。平章史格墓。按：周志未載格墓，惟元姚燧撰神道碑云，葬太保莊太尉兆。按，云太尉兆者，必祔葬天澤墓者也。且碑銘云，載烈茲碑，石獸衛之，與漯河流，相永無期。漯河卽桑乾河，既有碑可據，因標目於天澤墓之次。格見先賢傳。

明

錦衣僉事張麒墓，在縣境。永清周志。方從哲撰墓誌云：錦衣衛魯山張公，卒於嘉靖乙卯，越三十三年丙戌，其仲子坤等，始持狀來乞銘。按狀，公姓張氏，諱麒，字國祥，魯山其別號也，世永清人。父朴菴公，故業儒，封明遠將軍。公弱冠以緹騎入東廠，主章奏籍，有能聲，累功授百户，特擢理刑，蓋異典也。尋進千户，掌廠刑，已而陟今職，管事南鎮撫司，性剛毅不能附權勢。時緹帥方貴幸，無敢觸其鋒。公獨不相下，竟以此賈禍，奪任家居矣。亡何，裕府事作，波及甚衆，公以前忤緹帥，與韋經等同日被逮，配之瘴鄉，抵戍所，不逾月而没。先帝改元，緹帥已没，坤與兄乾欲具疏辯理，爲當事所格，不行。又二載，前帥以追論奪官，而公之事始少白。今年三月，坤等各鬻産治裝，與弟性訥，間關萬里，始負公骸骨歸。卜明年念六日，啟恭人兆，合葬焉。公生於弘治乙丑正月五日，享年五十有一。弟麟，子惟誠、惟謹。公子男五，女一，孫男六，女孫十三。方從哲曰：公忠貞剛介，致身報國，而獨不獲死所。雖公議已明，而極寃未釋，何以勸天下後世之爲人臣者！因爲之銘。銘曰：天道無親，常與善人。胡公之德厚，而不能保厥身？嗚呼！身雖屈矣，志則常伸。箕裘奕奕，麟鳳詵詵。是天與公者不於其躬，於其後人。松柏既茂，邱壠方新。我銘爾墓，永垂千春。庠生聳鴻謨墓，在縣東南信安鎮，有李時芃撰墓碑。永清周志。錦衣同知馬景墓，在縣南門外，有嘉靖二十一年遣大學士嚴嵩諭祭碑。永清周志。按：明史后妃傳，世宗諸妃無馬氏者。此妃父之喪，至使大學士諭祭，典禮亦可謂隆重者矣。劉鍊墓，在縣西瓦屋辛莊，有墓表一。永清周志。

國朝

劉雲生墓，在縣西瓦屋辛莊，有墓碑，康熙九年立。永清周志。

東安縣

晉

劉琨墓，在縣東二十里樓桑邨。一統志。舊聞考云：墓在古縣東二十里樓桑邨，今其地有南桑園、北桑園。按古縣卽漢安次，廢縣在縣西北。琨見先賢傳。李光昭弔劉太尉墓文：余讀晉史，建武初，劉琨與段匹磾謀討石勒，屯兵固安，及匹磾從弟末柸受勒厚賂，乃沮其計而退。後琨別屯故徵北小城，爲匹磾所疑忌，被拘經月，遂縊殺之。按琨之居徵北府也，在建興三年。匹磾據薊，自領幽州刺史，數使使要琨，同奬王室，故琨歸之。匹磾大悅，居之薊小城故徵北府。琨之見害也，在建武元年，王敦與匹磾書，令殺琨。匹磾遂稱詔收琨，縊殺之，時年四十八。志載琨墓安次縣東二十里之樓桑邨。訪之故老，杳不知爲樓桑邨者。惟徵北小城通志云，在大興縣，東晉時實安次地，其跡久湮。夫自晉以來，千數百年於此矣，加以遼、金，南北割據，徒存其地其名，而邱隴已平，致令忠魂白骨，埋没於黄沙野草間，悲夫！

遼

中丞韓澤墓，在縣西北五十里更生邨。一統志。按：遼史拾遺據縣志偁，乾統八年葬，墓旁民掘得志石，掩而埋之。今無考。

遼西郡王楊皙墓，在舊州西南二里。東安李志。按：舊州卽元之東安州，在縣西北四十里。李光昭云：乙丑之秋，余在舊州，與王孝廉培元間詢東安軼事，孝廉謂楊遼西墓在兹邨西南。按兹邨卽舊州頭也。今邨西關帝殿柱下石礎，人皆知從楊郡王墓上移來，二十年前移石之老人尚在，必知其處，今則不可考矣。

元

張宏綱墓，在縣境。據元吴澄撰墓表。

明

太常卿齊章墓，在縣二里東儲邨，有弘治八年賜諭祭碑。東安李志。

兵部尚書劉體乾墓，在縣北門外一里許，諭祭碑存。東安李志。贈光禄寺卿胡甫榮、胡忠墓，在縣西馬圈邨，諭祭碑存。東安李志。刑部尚書施禮墓，子禮部尚書純袝葬墓，在縣南十五里益留邨。東安李志。李侃墓，在縣北五十里鳳河之陽。一統志。明張瑄李公墓誌：公諱侃，字希正，號歸菴。先世自河南新野徙湖廣荆門，後宦游東安，遂家焉。曾祖士瞻，祖繼本，父東公。生永樂丁亥九月九日午時，卒成化己巳九月二日未時，享年七十有九。配張氏瑄之姊，年七十五卒。子四，孫五。以卒之歲十一月十三日，葬於縣之張家莊鳳河之陽。李光昭封墓碑記云：丁卯之冬，余命工吏滕國貴查詢鳳河故道，並囑密訪中丞墓。不數日，國貴偕張家莊老民徐文進署，備言李都院墓在邨東半里許，久爲鑲白旗石姓圈地，今則爲隄上營張文宣所租種也。圍牆莊屋，傾圮已久，豐碑墓誌，亦無復存，惟邨東關帝廟前石獅，傳聞爲都院墓間物也。余聞之，喜不自勝。翌日親往查勘，墓離張家莊邨東北二百二十步，正中一穴，高三尺許，左旁一穴，右旁二穴，高不及二尺，耕犁幾及壟矣。細尋基址，東西約十二丈，南北約八丈，斷碑殘礫，猶有存者。余猶恐其未確也，徧詢於鄰近之龍門莊、堤上營諸邨，則凡高年垂白之人，無不知其爲李察院墓也。且僉云，故老相傳，康熙初年，李氏後裔有官於西夏者，來訪先墓，彼時因地係新圈，恐有干礙，均不敢以實告，其人慟哭而去。此後遂無問津者。余遂委衙官姚尉，封殖其墓。逵基之東、西、北三面，環植榆柳，以杜侵佔，且立石於墳之陽，舁獅於石之兩旁，垂之永久云。布政使紀諄墓，在縣東南六里紀家莊。東安李志。明王英墓表：紀氏系出平陽，有令聞，居東安者族姓甚蕃，皆敦尚德義，而山西布政公猶卓然傑出者也。公諱諄，字克誠，入縣庠，補弟子員。洪武乙亥，貢禮部，陞於太學。選署都察院事。尋晉山西道監察御史。時言官以天下縣令任非其材，無惠政，詔選京職任之，遂以公爲睢甯令。永樂改元，擢湖廣道監察御史，後遷山東按察使，政尚清肅。無何以事左遷浙江道監察御史，扈從遠徵。及還，以功陞交趾按察使。交民初附，推誠卹下，遷交趾左布政使。仁廟嗣位，改山西布政使，政事修舉。丁外艱，還鄉，以哀毀成疾，正統九年二月十六日卒，年七十有六。

國朝

刑部郎中孫居湊墓，在城西南三十里胡家莊。東安李志。李志拾遺：孫居湊前明懷甯伯孫林十世孫，其先本大同東勝州人，父名承計，襲世爵，入我朝，改授鑾儀衛南堂。承計卒，居凑以蔭補管理左翼街道員外郎，尋轉刑部郎中。及卒，葬於縣西南之胡家莊。孫居相，亦承計子，授太平縣令，及卒，葬於縣之哈喇港，今其子孫，皆籍東安。太平縣知縣孫居相墓，在城西南三十五里哈喇港。東安李志。

香河縣

楊令公墓，在城南一里。香河劉志。按：志偶年代人氏，俱不可考。顏令墓，在城南十里。香河劉志。

金

比部郎中通判易州張衍墓，在城西隆安寺。香河劉志。衍見先賢傳。

明

贈亞中大夫行在光禄寺卿李參墓，在縣北李家莊。香河劉志。楊榮撰墓表云：公諱參，字文舉。其先開封河陰人。祖禎，字均祥，仕元爲翰林檢討。父光璋，字本玉。公性質直，喜讀書，見義勇爲，嘗北游幽薊，至香河北鄉馬家莊，愛其風土之厚，士習之純，遂占籍焉。故今爲香河人。公生於有元癸亥九月二十三日，卒於皇明洪武丙子七月初五日，享年五十四，葬於縣北李家莊之原。娶孫氏，子男一，曰誠，孫三，欽、亨、英，曾孫十五人。亨自少以俊秀選爲邑庠生。未幾，太宗皇帝奉天靖難，召藩府從事，以城守功，任修武丞，有惠政，陞行在吏部主事，陞北京刑部員外郎，調行在吏部員外郎，擢行在通政使司左通政。持節使南交，封黎麟爲安南王。竣事回，特拜行在光禄寺卿以寵異之，頒賜誥命，推恩二世。公及子誠，咸贈亞中大夫，行在光禄寺卿。李隱公墓，在縣之口頭社。香河劉志。陳循撰墓表云：李君景春者，左春坊司直郎兼翰林院編修泰之大父，元至正十年某月某日生，永樂四年六月二十五日以疾終於家，春秋五十有七，以卒之年七月某日，葬於邑口頭社先塋之次。

國朝

山東巡撫袁懋功墓，在縣之大王莊。香河劉志。懋功見先賢傳。

通州

周

羑門子墓。松漠紀聞。

漢

畫眉冢，在舊潞縣南五里。日下舊聞據冢墓記。相傳張京兆葬此，今無考。

唐

彭涚墓，在州東古城北。據王諫撰墓誌。誌云：彭涚字巨源，建中二年十月三日卒於官，明年十一月，季弟字長源，迎神葬於古漁陽城北采貴里之原。曾祖順，祖杲，父棲梧，其世系及生卒年月均載，而未載其郡貫，意在闕文中也。詳金石。　李丕墓，在州城東南。據柳峴撰墓誌。誌云：唐貞元三祀五月，故長豐宰李君丕，卒於幽州潞縣，春秋六十有三，無嗣，獨女適河東柳氏，名峴，盡半子之禮節，粤三年建子月，葬於縣之南三里潞水之右。詳金石。

金

張遵哲墓，在州東潞邑鄉。通州高志。　遼金故塚，在故潞縣西南二十五里得仁務。通州高志。燕山叢録：潞縣得仁務有三大冢相望，其西北有岡隆起，岡首有洞，其中窅然深黑。嘗有以燭入者，行里許，有瓷瓮貯油一燈，熒熒然，人間什物俱備。試擲以礫，即有矢外射，其人懼而出，蓋遼、金諸貴人冢焉。

元

郭汝梅墓，在州東城外東北隅。通州高志。汝梅見先賢傳。　脱脱丞相墓，在故潞縣西南八里魯郈之南。

通州高志。

李忠靖廷墓，在舊城南關南臺坡。通州高志。志又云：天啟初，水潦岸崩，墓石盡露，乃藝文監丞揭傒斯所撰，州人楊世揚録其文，仍取土揜焉。揭傒斯潞陽郡公墓誌略：天曆元年春二月八日，淮東宣慰使李公薨，贈通奉大夫、江西等處行中書省參知政事、護軍，追封潞陽郡公，謚忠靖。元統二年冬十有一月二十二日，其配潞陽夫人柴氏薨，十有二月六日，合葬潞縣之南臺坡先塋。嗣子世安請銘。公諱廷，字瑞卿，其先漳南人，今家京師。

金元王子墳，在州新城西門内西倉之北門内。通州高志。舊志謂：大約金、元時公族墓，萬曆二年，倉役於地坍塌處掘之，見石座如窖狀，四面皆粉飾墨畫人物，中有神座，前設方臺，臺上列香鑪，役下探之，水没趾，監督官命掩如故，積土成阜，今如舊。

明

武夫人墓，在州之清安鄉。通州高志。楊榮撰志云：遷安人盧龍王得成妻子彧，以武功自燕山護衛百户，累陞至驃騎將軍都督府都督僉事，夫人卒於永樂五年，葬州清安鄉之原。

李侍郎温墓，在故漷縣南城外一里。通州高志。

徐盛墓，在州南故漷縣西四里塘頭邨。通州高志。

劉中敷墓，在州北安德鄉。一統志。通州高志：中敷，順天人，曾修州城。景泰間歷官户部侍郎。

孫巖墓，在州東馮家務。通州高志。楊榮孫公神道碑：公諱巖，世家鳳陽之於皇里，公生元至正當作至元。己卯十一月十有一日，元季兵興，仗劍歸太祖高皇帝於淮甸，有功，擢金吾左衛百户。太宗舉義□□，以公宿將知兵，特起守通州。是歲南兵大至，城圍數周，起土山臨城，攻西門，毁樓堞，公竭力捍禦，城賴以完。以功陞明威將軍、指揮僉事，仍鎮通州。辛巳，兵復至，攻益亟，公勵將士，登城力戰。論功陞都指揮僉事。壬午春，南帥平安督遼東兵千餘逼城，公率敢死士數百犯其鋒，而城上亦合聲大呼，安衆大潰。是歲夏六月，太宗入正大位，進封奉天翊位宣力武臣、特進榮禄大夫、柱國、應城伯，食禄千石，給券，子孫世繼。自曾祖考而下，皆如公封；曾祖妣而下，悉贈夫人。永樂戊戌六月二十日卒於正寢，年八十。訃聞，太宗命有司給棺，斂治墳塋，累遣官致祭，贈翼城侯，謚威武。歲十月，葬通州東馮家務之原。

岳文肅正墓，在故漷縣西南二十里之尖邨。通州高志。正見先賢傳。

贈通議大夫董政墓，在故漷縣境。通州高志。商輅董公神道碑：公諱政，字文正，今刑部右侍郎方之父，以正統乙丑七月十九日卒，享年五十有四，葬漷邑里居河陽之原。以方貴，贈通議大夫、刑部右侍郎。按狀，董氏先居太原之忻州，公曾祖提禮；祖才友，父興，俱隱居不仕。母侯氏。公生三歲，失怙恃，育於季父郁。郁嘗以從事挈家至南京，公實往時從事年邁，有子在幼，一家衣食，皆倚辦於公，後因應詔，偕公占籍通州之漷邑，公遂卽覓子店，披荆棘，創室廬以居。配張氏，壽六十六。後公十有三年，以天順丁丑八月二十五日卒，合葬公墓。

刑部尚書董

方墓，方子兵部主事甯祔葬在州南故漷縣城柳川原。通州高志。方，政子，見先賢傳。董子和墓，子布政使昱祔葬，在故漷縣北。通州高志。薛瑄董公神道碑：公諱子和，字有節，姓董氏，世爲順天府漷縣人。曾祖顯，祖成，父恭。公性剛直謙厚，幼知嗜學，通經史大義，居家孝友，樂善好施，位不滿德，而教付厥子，長曰暹，次曰昱。昱以明經中壬戌進士第。公生於洪武甲寅，没於宣德癸丑，享年五十有八。配張氏，生於洪武丙辰，卒於正統癸亥，擇葬邑北祖塋之原。李贄墓，在城北三里迎福寺西，有碑。日下舊聞。汪可受卓吾老子墓碑略：按卓吾老子者，其鄉里世族並宦蹟生理，皆老子所敝屣棄之，人第知其爲卓吾老子云。老子著述有焚書、藏言、説書之屬行於世。余性不善涉獵，亦莫得而詳焉。惟是相見因緣，始傳述之。歲己丑，余初見卓吾老子於龍湖。丙子歲，老子以劉司空之約至上黨，余亦以校士至，約相見於上黨之精舍。辛丑，老子以馬侍御之約至通州，而余適起官霸上，約相見於侍御之别業。時紫柏老人在戒壇，余意欲爲二老作小西天主人傍觀宗門下事，而忽有河上之役，行矣。行而念老子不置。復過，辭於侍御之别業。老子愴然曰：願以紙筆來，爲公書証道歌一幅，異日見書如見我也。余亦愴然不能應。徐曰：將作鹽梅於鄉黨。柳先生歸龍湖，老子曰：吾百年之計在盤山矣。别後，老子被逮至禁衞，蒙主恩不殺，而老子自殺，以實其言。余時急胼胝，不獲詳聞，第聞人偁侍御甚有盛德，不舍老子於患難中，使生有養、而死有葬也。碑不詳姓名，定知千載下考古者不疑有兩卓吾老子也。張欽墓，在州南黃泥溝。分省人物考。欽見先賢傳。按：州志載，有李侍郎名欽墓，在州城南永安屯，後遷城西，有明諭祭碑。雍正元年，知州黃成章以諭祭碑所存半石，重立墓前，當卽此墓。焦亮墓，在州城東境。通州高志。亮見流寓傳。李莊簡偉墓，在州永樂店西北，有明大學士申時行撰神道碑。通州高志。侍御馬經綸墓，在州境白河北溝渠莊。通州高志。都司聶敏墓，在故漷縣東南十八里大樹村南，大道東。通州高志。志又云：有通政司左參議劉體乾撰墓誌。今無考。葉節婦墓，在州曬米廠，有碑。通州高志。節婦見列女傳。林烈婦墓，在城西，有御史馬經綸撰墓碑。通州高志。王指揮雲墓，在州南門外。通州高志。張參議聰墓，在州南故漷縣西南二十五里。通州高志。楊冢宰行中墓，在州境白河東召里莊。通州高志。張知縣祥墓，在州南故漷縣城南五里田邨。通州高志。劉司訓庭訓墓，在州城西娘娘廟東。通州高志。張孝子士壽墓，在州張灣。通州高志。志又云：吏部郎檉芳子。大學士魏藻德墓，在州新城南門外一里道旁。通州高志。藻德見鑒誠傳。

國朝

柳國棟墓，在州城南飲羊河。通州高志。吏部侍郎楊正中墓誌銘略：君諱國棟，字玉梁，世籍浙江山陰。父諱澄，字仙宇。君以仙宇公，故俛見趨吏曹，冀得甘旨，久之授江甯府句容縣丞，視事凡六年，歲癸巳歸奉仙宇公，卜居潞河。君生於萬曆癸巳，卒於國朝康熙丁巳，得年六十有五。以戊午九月己酉，葬城南地曰飲羊河。

吏部尚書張士甄墓，在州張灣城西。通州高志。

禮部侍郎楊正中墓，在州舊城南門外營房。通州高志。

王孝廉公擢墓，在州北門外溝渠莊。通州高志。志又云：墓有古柏六株，高可四五丈，闊兩抱，雖距數里，可望見之。

吏部郎中李含春墓，在州新城西門外娘娘廟南。通州高志。

謝尊光墓，在州南八里東小馬家莊西，有碑。通州高志。志又云：名撝謙，係浙江餘姚人，流寓在此。餘姚邵鵬程撰墓碑，州人胡廷瑾篆額，李聘書丹。

五老墓，在州新城南門外葱市口東畔路北，有碑。通州高志。志又云：孫嗣聖、張鵬、王介宏、朱達文、僧人性廣墓也。有二碑：一碑正面書五老墓三字，前知州程俊立，碑陰爲江南揚州府同知古越秦尚忠撰文。一碑爲兵部督捕主事州人康莊撰文，後列州人韓懋德等四十七人名，俱康熙三十一年立。先是，孫嗣聖，張鵬、王介宏並客於通，晚年乏嗣，預營身後葬事，商諸州人王申之，申之以南門外葱市口東香火地左隙地一邱，計二畝九分，捨爲公塚，並議定嗣後無論土著僑寓之人，有無子煢獨者，俱得卜葬於此。追孫、張、王三人相繼没，復有朱達文、僧人性廣旅櫬無歸。州人爲之合葬，稱爲五老墓云。碑載，孫嗣聖字閑先，江南泰州人，妻牛氏，山西武鄉人。張鵬字雲博，江南來安人，妻曹氏，同邑人。王介宏字奉池，直隸清豐人，妻張氏，順天通州人。朱達文字元韜，江南休甯人，妻王氏，福建上杭人。僧性廣號無住，俗姓李，順天宛平人。

姚侍郎元之墓，在州城東北草寺莊。通州高志。州人李玉棻撰墓考：光緒戊寅之秋，棻夜夢一人於座上，冠裳樸雅，意度老成，自偁曰：僕姚伯昂也，家本皖人，因作宦京師，亡時無嫡嗣，旅櫬未歸，久厝於潞，僕之骨殆將不朽於潞矣。茲聞志乘將成，願附誌之，俾後人知此一坯土爲流寓之某也。乃拱手作別。余亦驚悟。日者乃以是夢徧詢諸吾鄉之耆宿，知者能道其顛末，以爲姚伯昂先生諱元之，又號竹葉亭生，官至工部侍郎，年至九十餘，卒於官，窆於潞之北鄉，地曰草寺，過者猶能指之曰：此姚侍郎墓也。嗚呼！夢亦奇矣。

李壯烈載文墓，在州北高安屯邨迤西小墳莊。通州高志。載文見先賢傳。

三河縣

遼

章宗陵，在縣北五十五里。歷代山陵考。按舊志云：前有兩小山並峙，上有擂鼓臺。顧炎武謂遼無章宗，其一代諸帝，亦無葬三河者，今徧訪境内，無址可考，但舊志相沿，未便薙芟，姑識之，以俟博洽者。

金

中都轉運使劉樞墓，在縣西五十里。三河陳志。樞見先賢傳。　長興公主墓，在縣北五十里。三河陳志。志又云，食邑梁國。　韓英墓，在縣北六十里。三河陳志。　韓延壽墓，在縣北七十里。三河陳志。　宣武將軍冉企雍墓，在縣北五十里。三河陳志。　招撫使趙景先墓，在縣北五十里。三河陳志。　楊延平墓，在縣北五里。三河陳志。

元

祁侍郎墓，在縣東二里。三河陳志。志又云：遺名。

明

御史蕭選墓，在縣西十里。三河陳志。　御史劉金墓，在縣西十里。三河陳志。　御史邢昭墓，在縣東。三河陳志。　太僕王楠墓，在縣西。三河陳志。　布政王揚墓，在縣西。三河陳志。　郎中喬伊墓，在縣西三里。

三河陳志。御史馮三元墓，在縣西南。三河陳志。志又云：三元，平原令，累官副都統、御史。主事張文運墓，在縣北六十里。三河陳志。按察使盧友竹墓，在縣南三里。三河陳志。副總兵趙昱墓，在縣南。三河陳志。三屯營總兵朱國彥墓，在縣西三里。三河陳志。總兵王業隆墓，在縣西。三河陳志。

國朝

知縣胡應徵墓，在縣南五里。三河陳志。同知胡繼芳墓，在縣南五里。三河陳志。知縣劉瑞遠墓，在縣西。三河陳志。知縣朱國俊墓，在縣西三里。三河陳志。查贈公曰乾墓，在縣之百草溝。三河陳志。志又云：即查氏七烈國英妻周氏之孫。曰乾見先賢傳。查孝廉爲仁墓，在縣之石渠。三河陳志。爲仁，曰乾子，見先賢傳。查通判爲義墓，在縣境留水渠。據紀昀撰墓誌銘。爲義見先賢傳。魏贈公雲蘭墓，在縣西南十五里。三河陳志。伊宜人墓，在縣南三十里余各莊。三河陳志。按：志未詳其夫姓名，殆失考也。按：蔡中郎集有漢交阯都尉胡夫人黃氏神誥，言夫人留葬洛陽，不歸祔夫墓也。此伊宜人墓，或其例，故仍縣志録之。

武清縣

唐

鄭高士忠墓，在縣東柏邨東北二里，有唐永泰二年胡詹撰墓碑。武清蔡志。按：墓久無考，光緒七年，知縣蔡壽臻訪得墓碣，因封識之。忠見官吏傳。

國朝

左僉都御史趙之符墓，在縣境北倉。武清吴志。之符見先賢傳。李可楨墓，在縣境邱家莊。桐城張英撰墓誌。可楨見先賢傳。吏部郎中趙珣墓，在縣北倉鄉大河溝。武清吴志。珣，之符子，見先賢傳。

寶坻縣

唐

羅將軍墓，在縣北三十里羅莊邨。一統志。日下舊聞引名勝志偁，羅將軍墓在縣北羅邨，即羅士信也，征高麗，經此道卒，葬焉。按新唐書，士信從秦王擊劉黑闥洺水上，得一城守之，城陷，不屈死，王購其屍以葬。初，士信爲裴仁基所禮，及東都平，出家財斂葬北邙，以報德，且曰：我死當墓其側。至是如所志。然則士信之墓，當在北邙矣。又考，士信以武德七年殉節洺水，距貞觀十九年太宗親伐高麗時已二十一年矣，安得有同征高麗之事？此羅將軍不知何人何朝，誤以爲士信耳。

元

中書行省左丞劉深之墓，在縣西八里。寶坻洪志。志又云：石獸碑碣，尚有存者。

明

都指揮僉事蔡完者不化墓，在縣南劉谷莊。寶坻洪志。按：縣志鄉賢傳，引朱國楨明史概云：洪武二十年六月丁未，宋公取納哈出，及閏六月己酉，朔，完者不花乃降。不系蔡氏，必此人也。蒙古本無姓，其氏蔡者，當爲歸國後所賜耳。參政朱德墓，在縣西南十八里。寶坻洪志。左都御史芮釗墓，在縣東北一里，有諭祭碑文二道。寶坻洪志。王好善墓，在縣境。寶坻洪志。錢象坤撰墓誌云：好善由進士歷官虞衡郎中，出守鳳陽，卒。承恩公吴禄墓，在縣西南二十里。寶坻洪志。閩浙總督劉兆麒墓，在縣東南豐臺鎮之一里許。寶坻洪志。兆麒見先賢傳。湖廣巡撫劉殿衡墓，在縣東南林亭口。張大受撰墓誌銘。殿衡見先賢傳。王鼎呂墓，在縣南石橋。據姜宸英撰墓表。鼎吕見先賢傳。

甯河縣

五代

梁王墓，在縣南蘆臺莊。甯河丁志。按：梁王不知誰人，今無考。

宋

楊七郎墓，在縣西潘莊。甯河丁志。志又云：舊廟尚存，疑卽延昭弟也。潘美墓，在縣西潘莊。甯河丁志。志又云：宋史，潘美，大名人，受知太祖，平定海内，後以判并州，卒。今潘莊有古墓八十一座，九行並列，土人相傳爲潘美墓云。

明

分守甯夏等處地方遊擊將軍都指揮楊從新墓，在邑東門外一里許。甯河丁志。兵部都司署都指揮僉事楊桂芳墓，在邑東門外一里許。甯河丁志。

國朝

誥贈保和殿大學士杜仁墓，在邑東南一里。甯河丁志。仁，立德之曾祖。

誥贈保和殿大學士杜朝先墓，在邑東南一里。甯河丁志。朝先，立德之祖。

誥贈保和殿大學士杜守禮墓，在邑東南一里。甯河丁志。金之俊撰墓誌云：公諱守禮，字致中，世居寶坻之梁城所。其先爲金陵世族。始祖諱敬，以昭信校尉扈從明成祖文皇帝封燕邸有功，遂以世爵居梁城所。敬生寬，寬生奈，奈生銘，銘生仁，世有令德，爲燕望族。仁生朝先，是爲公考。生子二，長守約，蚤卒，次則公也。公生平勤苦好學，雖未登仕籍，以殫厥施，然立身飭行，以古自命，鄉里化之，每入都，輒於市肆搜古今逸書，手自校閲，老而不輟。敦尚故舊，與人交，始終弗渝，周人之急，拯人之難，有古指囷風。公生於萬曆辛巳年十二月二十八日，卒於順治甲午年四月二十七日，享年七十有四。

光禄大夫保和殿大學士杜文端立德墓，在邑東南一里，有諭祭碑文。甯河丁志。立德見先賢傳。盧州府知府杜立本墓，在河東捷道沽。甯河丁志。立本，立德弟，見先賢傳。江西廣信府知府杜恭俊墓，在縣境東南。甯河丁志。恭俊，立德子，見先賢傳。河南陝州知州杜遹文墓，在縣南十里孟家莊。甯河丁志。遹文，立本子。劉毓珍墓，在縣西南四十二里蘆家務。甯河丁志。毓珍見先賢傳。誥贈安徽壽春鎮總兵王秀生墓，在縣南。誥贈安徽壽春鎮總兵王斌墓，在董家莊。甯河丁志。斌，錫朋祖。誥贈安徽壽春鎮總兵王者佐墓，在縣南董家莊。甯河丁志。者佐，錫朋父。照提督例賜卹、安徽壽春鎮總兵王剛節錫朋墓，在縣南董家莊，有福建陳慶鏞撰神道碑。采訪册。錫朋見先賢傳。碑云：道光二十一年秋八月戊戌，安徽壽春鎮總兵王公帥師討英吉利於定海，死之。事聞，上震悼，命浙江巡撫治其喪，照提督例賜卹，賜御碑，賜謚剛節，建祠定海、甯河兩縣。越明年四月，公之喪至甯河，葬於蘆臺西董家莊之原。其孤持狀乞銘。按狀，公諱錫朋，字樵慵，順天甯河縣人，生於乾隆五十一年九月十五日丑時，春秋五十有六。配顧夫人。子二：承泗、承瀚，皆世職。銘曰：䞨䞨遻公，如貔如虎。西靖回疆，南戢荊楚。蠢爾英夷，跳梁跋扈。齒我天戈，籔濤鯷户。皇赫斯怒，爰整遻旅。翦此鯤鰤，執此醜虜。鷁趯趯，樓船峩峩。血衎於海，以靖逆波。逆波猶揚，妖魔復僵。擊而反齚，爲公神傷。公復何傷？銘書太常。勇則兼義，死登明堂。公靈赫奕，誓斬妖魄。公目怒張，雷砰霆激。蒼兕蒼兕，毋呶毋傲。爲公復仇，師鼓鼛譟。兵科給事中劉人睿墓，在縣西北邦道沽。甯河丁志。安徽歙縣知縣廉驥元墓，在縣城外東郊。甯河丁志。驥元見昭忠表。户部右侍郎倉場總督廉兆綸墓，在縣西南谷家莊。甯河丁志。浙江太湖營副將劉宗漢墓，在縣西牛莊。甯河丁志。直隸固關營參將、提督銜、謚剛節趙有勝墓，在縣南蘆臺西。甯河丁志。有勝見昭忠表。

昌平州

漢

張孝、張禮墓，在州西北賢莊口，有碑。光緒昌平宋志。

唐

諫議大夫劉蕡墓，在州境，有明董其昌撰碑。昌平宋志。蕡見先賢傳。帝京景物略：志稱蕡宅墓在昌平，今其址俱不可尋。崇禎五年，劉京兆榮嗣謀於董宗伯其昌，爲撰碑，手書以風策士，猶稱司户，存憤也。太尉朱懷珪墓，在州城西北十五里積粟山下，有唐元載撰碑。日下舊聞考。吴師道覽碑詩：昌平官道旁，卧碑何壯偉。有唐營府督，懷珪姓朱氏。盧龍昔彊藩，臣孽所根柢。爾嗣泚與滔，逆氛粤有始。耽耽元相國，肆筆方述紀。甯知兩月後，口轗不貸爾。千載託斯人，遺臭同一軌。荒墳莽無迹，石獸相撑倚。雙螭已插地，文字未殘毁。徒令行路者，喟喟嗟僭侈。聖賢樹功德，金石無溢美。末世乃濟姦，事定有公是。奈何極穹崇，來者紛未已。留此懲不忠，並以愧諂子。

元

常山王劉秉忠墓，在州西南堅子口之側。昌平宋志。順德王哈喇哈斯墓，在州境。昌平宋志。盧孝妻祝氏墓，在州境。日下舊聞。祝氏見列女傳。

明

成祖長陵，在州北二十里天壽山南。一統志。明雷禮大政記：永樂七年五月，營壽陵於北京昌平縣東黄土山，封曰天壽山。顧炎武昌平山水記：陵故爲康家莊，長陵之東百餘步，有土一邱，康老葬焉。康老者，明初以前人也。文皇帝卜斯地作山陵，曰：安死者，人之同情也，命勿去。自州西門而北六里，至陵下。按：山水記又載明諸妃墓，並妃墓緣起，附志於此。記云：長陵有東西二井，東井在德陵東西饅頭山之南，西向；西井在定陵西北，東向。會典言，長陵十六妃從葬，位號不具。其曰井者，蓋不隧道，而直下也。自英宗止宫人從葬，於是妃墓始名。其在陵山内者，昭陵之左，九龍池南爲蘇山，有萬貴妃之墓，東向，憲宗妃也。又南爲銀錢山，有鄭貴妃及二李、劉、周四妃之墓，南向，神宗妃也。又南爲峓兒峪，有四妃，二太子墓，中閻妃、王妃，左馬妃，次左哀沖太子，右楊妃，次右莊敬太子，世宗妃、太子也。又南爲悼陵，東南向。孝潔皇后陳氏，初謚悼靈，葬此後，遷世廟永陵，而其封兆尚存。旁有沈、文、盧三妃之墓，至今猶曰悼陵云。東山口迤東有劉貴妃墓，英宗妃也。

仁宗獻陵，在天壽山西峰下，東南距長陵一里。一統志。明史：誠孝皇后張氏，永城人，正統七年崩，合葬獻陵。昌平山水記：獻陵在天壽山西峰之下，距長陵西少北一里。光緒昌平志：獻陵在天壽山西峰下，地名皇山一嶺。

宣宗景陵，在天壽山東峰下，南距長陵一里半。一統志。志又云：天壽山東峰下，亦名黑山。嘉靖祀典：景陵葬宣宗章皇帝，孝恭皇后孫氏，而以恭讓皇后胡氏葬金山，榮思賢妃亦葬金山外，六妃謚葬不可考。明典彙：八妃一葬金山，餘皆從葬。按實録：宣德十年三月庚子，贈何氏爲貴妃，謚端静；趙氏爲賢妃，謚純静；吴氏爲惠妃，謚貞順；焦氏爲淑妃，謚莊静；曹氏爲敬妃，謚莊順；徐氏爲順妃，謚貞惠；袁氏爲麗妃，謚恭定；諸氏爲恭妃，謚貞靖；李氏爲充妃，謚恭順；何氏爲成妃，謚肅僖。謚付有曰：兹委身而蹈義，隨龍馭以上賓，宜薦徽稱，用彰節行。是從葬者蓋有十妃，祀典、典彙皆誤也。昌平山水記：景陵在天壽山東峰之下，距長陵東少北一里半。

英宗裕陵，在石門山東，東距獻陵三里。一統志。嘉靖祀典：裕陵葬英宗睿皇帝，孝莊皇后錢氏，孝肅皇后周氏。昌平山水記：裕陵在石門山，距獻陵西三里。

憲宗茂陵，在聚寶山東少南，至裕陵里許。一統志。孫國敉燕都遊覽志：茂陵在裕陵西北。嘉靖祀典：茂陵葬憲宗純皇帝，孝貞皇后王氏，孝穆皇后紀氏，孝惠皇后邵氏。昌平山水記：茂陵在聚寶山，距裕陵西一里。

孝宗泰陵，在筆架山東南，距茂陵一里。一統志。嘉靖祀典：泰陵葬孝宗敬皇帝，孝康皇后張氏。日下舊聞引無用閒談偁：泰陵金井内，水孔如巨杯，水仰歕不止。楊名父親見之，歸而疏諸朝，請易地。事下工部，湯陰李司空鐩怒其多言害成功，陰令人塞其孔，以誹謗狂妄奏，命錦衣官校押名父赴陵所驗看，名父身親三木，朝辭賦詩云：禁鼓無聲曉色迷，午門西畔立多時。楚人抱璞云何泣？杞國憂天竟是癡。羣議已公須首實，衆言不發但心知。殷勤爲問山陵使，誰與朝廷決大疑？其志亦可憐矣。孝廟聖體竟葬此中，言之可爲寒心。李司空居官，風采凜凜，晚年尤剛勁不阿，獨此一事不愜人意。按無用閒談，不知何人所述。日下舊聞所記，羣書目録中未見。又按祝允明九朝野記偁，初建泰陵，都下盛傳有水。吏部主事楊子器直言其事。子器殆卽名父歟？俞燮癸巳類稿云：此事史紀志不言，散見日下舊聞，其後孝宗子武宗無子，以此見術不可不慎也。昌平山水記，筆架山作史家山，距茂陵西少北二里。

武宗康陵，在金嶺山東北，距泰陵二里。一統志。嘉靖祀典：康陵葬武宗毅皇帝，孝靜皇后夏氏。燕都游覽志偁，在泰陵正西。昌平山水記作距泰陵西南二里。光緒昌平志：康陵在八寶蓮花山，卽金嶺山。

世宗永陵，在十八道嶺西，距長陵二里。一統志。志又云：十八道嶺，嘉靖十五年改名陽翠嶺。李因篤芹城小志偁，永陵葬世宗肅皇帝，孝潔肅皇后陳氏，孝烈皇后方氏，孝恪皇后杜氏。昌平山水記作距長陵東南三里。

穆宗昭陵，在大峪山東北，距長陵四里。一統志。燕都游覽志：穆宗莊皇帝陵曰昭陵，在定陵之南，東向。芹城小志：昭陵葬穆宗莊皇帝，孝懿莊皇后李氏，孝安皇后陳氏，孝定皇后李氏。昌平山水記作長陵西南四里。

神宗定陵，在小峪山東，距陵一里。一統志。芹城小志：定陵葬神宗顯皇帝，孝端顯皇后王氏，孝靖皇后王氏。昌平山水記作在大峪山，距昭陵北一里。日下舊聞引朱文懿奏議，亦偁大峪山。山陵考：銀錢山在昭陵之西，去九龍池五里。萬曆二十五年三月，敬妃李氏薨，進封皇貴妃，擇地萬貴妃墳之右，悼靈墳之左葬焉。按明史，世宗肅皇后陳氏，嘉靖七年崩，謚曰悼靈，葬嶴兒峪，十五年改謚曰孝潔，遷葬永陵，則悼靈墳之舊，特舊蹟耳。

光宗慶陵，在天壽山西峯之右，東南距獻陵一里。一統志。芹城小志：慶陵葬光宗貞皇帝，孝元貞皇后郭氏，孝和皇后王氏，孝純皇后劉氏。在裕陵西南，俗傳爲景泰窪是也。先是，景泰中，建爲壽宮。英宗復辟，景皇帝遂葬西山之麓，陵基遂虛。光宗上賓既速，倉卒不能擇地，乃用此爲陵。按日下舊聞載，朱國祚謁慶陵詩有云：翠微色映長陵樹，金粟堆開景帝窪。足證芹城小志之說。光緒昌平志：慶陵在天壽山西峰之右，地名皇山二嶺。

熹宗德陵，在雙鎖山檀子峪西南，距永陵一里。一統志。芹城小志：德陵葬熹宗哲皇帝。王鴻緒明史稿：熹宗懿安皇后張氏，祥符人，天啟元年册立。莊烈帝上尊號曰懿安皇后。十七年三月，李自成破都城，后自縊死。順治元年十月，世祖章皇帝卽位，允太監曹化淳請，命合葬熹宗陵。燕都游覽志稱，德陵在永陵之東北，卽永陵之虎沙也。陵獨西向，與昭、定二陵相對。

莊烈帝思陵，在錦屏山昭陵西。一統志。譚吉璁肅松録載，昌平州吏目趙一桂呈，開壙捐葬事云：恭照明陵當昌平州天壽山，卑職於崇禎十七年正署州捕，遭都城陷没，故主縊崩，至三月二十五日，順天府僞官李紙票，爲開壙事，仰昌平州官吏，卽動官銀，僱夫速開田妃壙，安葬崇禎先帝及周皇后梓宮。四月初三日發引，初四日下葬，毋違時刻。彼時州庫如洗，監葬官禮部主事許作梅，因葬主限迫，亦再三躊躇。卑職與好義之士孫繁祉、白紳、劉汝朴、王政行等十人，共捐錢三百四十千，雇夫啟閉。初四日申時，候故主靈到，卽停於祭棚內。卑職親領夫役入壙宮內，卽將田妃移於石床之右，次將周后安於石床之左，後請崇禎先帝之棺居於正中。田妃葬於無事之時，棺槨俱備。故主有棺無槨，遂將田妃之槨移而用之。三槨之前，各設香案祭器畢，將二座石門關閉，當時掩土，地平尚未立塚。至初六日，差人傳附近西山口地方撥夫百名，各備掀掘筐擔，舁土築完。卑職與孫繁祉亦捐貲五兩，買塼修築周圍塚壇，高五尺有奇。幸大清定鼎，特遣工部復將崇禎先帝陵寢修建香殿三間，羣牆一週，使故主不致淪没於荒郊，君后猶享血食於後世，三代開國，不逾是也。朱彝尊按：思陵葬日，仁和龔光禄佳育流寓昌平。地官例書某帝之陵，合以石板，奉安梓宮之前。時倉卒不及礱石，以甎代之，鈐之以鐵，乃光禄所書也。光禄嘗爲予言，壙始開，入石門，地甚溼，其中衣被等物，多黴黑。

順治四年四月諭工部敕：朕巡幸畿輔，道經昌平，見明朝諸陵寢，殿宇牆垣，傾圮特甚，近陵樹木，多被砍伐，向來守護未周，殊不合理。爾部卽將殘毁諸處，盡行修葺，見存樹木，永禁樵採。添設陵户，令其小心看守。責令昌平道官，不時嚴加巡察。爾部仍酌量每年或一次，或二次，差官察問，勿致疏虞。

順治十六年十二月諭修明崇禎帝陵詔：頃者，兩幸昌平，周視明代陵隧，躬親盥奠，俯仰徘徊，以彼諸陵規制，咸壯麗相因，獨愍帝兩陵，荒涼痺隘，典物未昭，因欲繕治陵寢，丹堊几楹，慰靈爽於九京，彰異數於奕禩。迺核少府金錢，悉皆小民正供，儻增工徒之費，殊乖賦式之經。然終不忍聽其闕略，用是布告方州，開導悃忱，交相輸助，聿新礱甃，以肅松楸。

康熙十四年九月諭禮部敕：朕近行幸湯泉，道經昌平，見明朝諸陵，殿宇雖存，户牖損壞，附近樹木，亦被摧殘，深爲憫惻。爾部卽嚴加申飭守陵人户，令其小心防護。仍責令該地方官，不時稽察，勿致仍前怠玩。

雍正七年三月上諭：明代十二陵之在昌平州者，自本朝定鼎以來，卽設立太監陵户，給以地畝，令其虔修禋祀，禁止樵採。聖祖仁皇帝屢頒諭旨，嚴行申飭，著該督轉飭昌平州知州、昌平營參將，差委人員，時加巡視，務令地境之内，清淨整齊。倘陵户或有不敷，即著該督酌量增添。

乾隆五十一年三月諭：直隸昌平州，爲前明陵寢之地，本朝定鼎後，所以加禮前代者，最爲優渥。朕此次行幸湯山，取道昌平，躬詣長陵致奠，見諸陵寢，明樓、享殿，多有損壞，神牌、龕案，亦遺失無存，爲之慨然勿忍視。自應重加葺治，增設龕位，俾臻完備。再此次修復諸明陵殿宇等工，即費至百萬帑金，亦所不靳。所有此項工程，著派尚書劉墉、德保、金簡，侍郎曹文埴、德成董率經理，務期完固。工成後，飭該地方官隨時稽察，小心防護，嚴禁樵蘇，用副隆禮勝朝之至意。

乾隆五十二年上諭：順治年間，因明陵附近居民於陵旁樵採，曾奉諭旨禁止，並添設陵户看守。數十年來，地方官並未小心稽察，以致殿宇損漏，牆垣欹側之處甚多，前年因特發帑金，揀派大臣監督，將各陵重加修葺。第恐閲時既久，地方官查禁不力，復不免有私行樵採及殿宇牆垣間被風雨損壞等事。嗣後應交直隸總督責成霸昌道，就近專管稽查，仍於每年十月，著工部屆期奏請派該部堂官一員，前往查勘，如有殿宇牆垣樹株傷損等事，惟該管道員是問。著爲令。

錢陳羣乾隆十年請修思陵饗殿疏：昨九月二十日，奉旨告祭明代諸陵，臣派往思陵。思陵者，明莊烈愍皇帝陵也。伏查愍帝當國運既替，人心既去之時，流寇蔓延，兵荒四告，在位十七年中，未曾營及陵寢。逮李自成猝犯京城，引國君殉社稷之義，慷慨自裁，就葬妃園，壞土僅掩，至爲慘惻。遭我世祖章皇帝躬幸思陵，憫其荒凉痺隘，敕令修葺，並勒豐碑。越今八十餘載，風雨剥落，傾坦特甚。臣奉差將事陵次，見饗殿三間，已傾其二，惟東偏一間，數椽僅存，配屋數間，瓦毁椽折，牆垣倒塌，不數年後，盡爲瓦礫，勢所必至。幸生闡廢舉幽，昌明無忌之朝，若不據實奏聞，於心實有未安。仰請皇上據情垂察，諭令督臣，轉飭有司，重爲修葺，東華續録：乾隆二十一年辛酉，禮部議奏昌平州明代十二陵，向設司香太監十六名，多係虚設。且距京稍遠，稽查爲難。每陵有看守陵户三名，又有世襲一等延恩侯，歲時承祭。應將前項太監，裁歸爲民，所遺養贍地畝，交地方官同原撥祭地招佃收租，辦理祭品，並令選老成殷實者充補陵户守護。又該州明代妃冢六處，即十二陵太監承管。今既裁太監，應添陵户四名，各給養贍地三十五畝，餘地並交地方官招佃收租。從之。

光緒七年上諭：户部奏：查核明陵開墾地畝，於陵寢有碍，請旨辦理一摺。昌平州明代陵寢，久嚴禁侵佔，地方官宜如何認真稽察，加意防護。乃近來宫牆左右，開墾地畝至數頃之多，並已侵佔明堂正路，實屬不成事體。著直隸總督、順天府府尹查照户部此次所奏章程，分別辦理。其所墾地畝，有在一百步以内者，一概騰出，永遠封禁。並責成該地方官，隨時稽查，不准再有墾種情事，用副隆禮勝朝至意。光緒七年四月二十五日户部謹奏，爲查核明陵開墾地畝於陵寢有碍，請旨辦理事：順天府府尹咨照，具奏查明明代陵寢開墾地畝情形，請飭户部核議一摺。臣等伏查：直隸昌平州，明代陵寢，歷奉列聖諭，飭交地方官，隨時稽查，小心防護，嚴禁樵蘇，所以隆禮勝朝者，最爲優渥。該地方官自應隨時認真稽查，何以宫牆左右，開地至數頃之多？現經順天府府尹繪造圖册送部，臣等按册查核，各項墾地畝俱在各陵宫牆左右，有距牆二三丈者，有距牆一丈餘者，有距牆及實城數尺者，且有侵佔明堂正路者，實屬不成事體。查大清律儀制條内載：職官一品塋地九十步，二品塋地八十步等語，是品官墳塋，尚有限制，前代陵寢，尤應保全。臣等公同商酌，所有昌平州明陵，擬請以一百步爲限。此次順天府尹單開已墾輪糧旗民各地畝，如在一百步以内者，一概騰出封禁，以後永遠不准開墾，以仰體聖朝保護前代陵寢之至意。

光緒八年上諭：誠端奏，請飭查驗明陵種地斫樹情形一摺。明陵左近，開墾地畝，上年四月間，經户部奏定章程，諭令直隸總督、順天府府尹查明，分別辦理。現在曾否清查完竣？著將辦理情形，據實具奏。並飭該地方官隨時稽查，嚴禁斫伐樹株，以副隆禮勝朝至意。謹案：明代陵寢，每年即遣明裔襲爵者前往致祭，誠端卽明裔也。俞燮癸巳存稿載：雍正二年十月，封朱之漣一等侯，世襲，人丁入正白旗。雍正元年九月乙酉上諭云：近於聖祖仁皇帝書笥內，檢得未經頒發上諭一道，欽此。雍正五年御製景陵聖德神功碑云：前後南巡，親祭明孝陵者三，又欲封其後裔，俾承世祀，予小子祗奉遺言，錫之侯爵。乾隆十四年八月世襲，定名一等延恩侯。

蘄獻王墓，滕懷王墓，俱在州東十三里縣山。昌平山水記。光緒昌平志：今柏樹獨存。

東平王朱能墓，在州東北一百二十里。一統志。

金鄉侯王真墓，在州東北八十里。一統志。

襄城伯李濬墓，在州東北七十里。一統志。

榮昌伯陳賢墓，在州東北九十里。一統志。

興安伯徐亨墓，在州東北五十里。一統志。

慶雲侯周能墓，在州西柳林邨畔。一統志。

王承恩墓，在思陵西，有世祖章皇帝御製碑文。一統志。昌平山水記：思陵右爲司禮監太監王承恩墓，以從死祔焉。

明王政行墓，在小營邨。昌平宋志。韓菼撰墓碑略：初，流賊李自成破京師，帝后既崩，以車一乘載出東安門外，棺以柳木，置道傍。久之，僞符下昌平令葬，而不給以見錢。時皆僞官，無有以爲意者。於是有十人者，痛哭相與出家財，啟懷宗故妃田氏之墓，以葬既堋，復痛哭各散去。十人者，既不自言於官，而世亦無有跡之者，蓋晦而弗傳久矣。康熙十有四年，有王生敬者，狀其父之行謁予，請表其墓。余讀其狀，及迎葬山陵事，亟問之：嘗聞有十人者，生父在乎？曰：固也。方僞符下州，州藏無一錢，吾父聞，日夜泣，倡九人者，各傾其資產，得錢三百有五十千，爲請於官，迎梓宫而合諸妃墓。凡畚鍤斥復之事，吾父無不親也。於是知十人者有王君，而惜乎其九人，則生亦忘之矣。君諱政行，號次泉，世居昌平之福會裏。祖泰，父三省，皆業農不仕。君生於萬曆戊戌年二月某日，卒於康熙甲辰三月某日，卽以其年四月葬於其里小營邨之原，子二：敬，芳。按：十人者，日下舊聞載州吏目趙一桂呈報捐錢葬崇禎先帝事，則劉汝朴、王汝朴、白紳、徐魁、李某某、鄧科、趙永健、劉應元、楊道、王政行也。惟李某某，未詳其名。

參將趙文魁墓，在州東香屯邨之西。采訪册。按：今香屯趙姓，皆其後裔。

贈太師少保孫祖壽墓，在城西北龍虎臺。昌平宋志。祖壽見先賢傳。

劉娘娘墓，在州東北十八里。據劉嗣綰尚絅堂詩集原劉姬行序。詩又云：昌平城東北十八里，有劉娘娘墓，明武宗所納晉府樂工楊騰妻也。居豹房，寵冠一時。然終帝世無位號。其死當在世宗時。乾隆戊辰，盜掘姬墓，多獲金寶，縣官捕而獲之，因作此詩示昌平牧煦堂姪。詩云：康陵石馬嘶西風，秋墳鬼唱荒烟中。劉姬碑斷三百載，複道昔入恩承宫。武皇外傳昔人補，當日翠華幸宣府。小部方傳樂伎名，邨醪半醉娛歌舞。（武宗詩：邨酒醉人多。）法曲仙音侍豹房，巫雲朝暮入高唐。龍艑鳳艒隨波去，殿腳三千笑蜀岡。班姬團扇摇纖手，銅雀分香誓長久。玉顔幾輩羨寒雅，歌舞宫中寵誰耦。後來松隧穴偷兒，寶匣旋空夜莫知。玉盌金蠶灰滅盡，空聞子夜鬼歌悲。金燈奕奕殯宫道，茂陵那奉夫人號。空説前朝憶餅師，明珠十斛人誰報。

國朝

甘州副使楊春茂墓，在城東界山之陽。昌平宋志。春茂見先賢傳。湖北巡撫徐化成墓，在城東八里南邵郈，詹事沈荃撰神道碑。昌平宋志。化成見先賢傳。

順義縣

無時代古冢

燕王冢，在縣西三十里。昌平山水記。記云：縣西三十里，有燕王冢，或曰水經注所謂㶟餘河在燕王陵南者也。按：㶟餘當作㶟餘。燕王不知何世。水經注無此文，若即指㶟水篇，㶟水又東逕燕王陵南，則其陵有二，爲漢燕靈王、燕康王，在古薊縣地。金蔡珪傳，兩燕王冢，舊在中都東城外，海陵廣京城圍基，在東城内是也，何以又在順義境？顧氏或曰云云，亦縣莫能定之詞，無可取証，書以存疑。

元

慈濟張真人墓，在呼奴山前。據懷柔吴志。按：唐之懷柔，爲今順義。狐奴山在東北，呼奴即狐奴也。今懷柔縣志，誤將呼奴山載入志中，而又録此墓，殆不知今之懷柔實非舊地，舛錯甚矣。今改入於此。

明

李慶墓，在縣西三十里。一統志。少保李賓墓，在縣南二十里李家莊。順義黄志。□□撰李公墓表畧：李公卒於私第，上聞驚悼，詔贈太子太保，遣官諭祭。以成化二十一年八月十二日葬於祖塋東之新壟。公諱賓，字廷用，號敬菴，姓李氏，世爲畿内順義人，卒於成化乙巳五月十六日，生於永樂丙申二月十七日，得年七十。薛駙馬環墓，在西府邨。順義黃志。志又云：萬曆十三年葬。將軍宋朝粹墓，在臨河邨。順義黃志。山東巡撫郎永清墓，在梭陀莊。順義黃志。湖廣按察使郎建棘墓，在梭陀莊。順義黃志。

密雲縣

唐

劉武周墓，在東南提轄莊北。密雲丁志。

遼

遼太后墓，在縣境。日下舊聞。徐昌祚燕山叢録：密雲有大古墓，圍十餘里，高與山等，昔人欲發之，將及墓門，有羣蜂飛出螫人，遂不敢入。相傳以爲遼太后所葬。劉存規墓，在縣之嘉禾鄉。密雲丁志。志又云：存規字守範，河間王二十四代孫。大遼間屢著奇功，拜爲積慶宮都提轄使，金紫榮禄大夫、校尉、司空兼御史大夫、上柱國，卒於應歷五年。葬密雲嘉禾鄉。子五：長繼玭，攝順義軍節度衙推；次繼英，永康府押衙；次繼昭，山河都指揮使；次繼倫，定遠軍節度衙推。見碑志。

元

董元帥墓，在縣東八十里牆子嶺。密雲丁志。蕭丞相墓，在縣西二十里蒼頭。密雲丁志。楊佑墓，在縣之燕樂莊。密雲丁志。志又云：縣西五里有燕樂寨，縣東北五十里有安樂莊，即安樂郡，有城址存。又云：佑，元武畧將軍，世家檀州，中統辛酉，充檀州管軍官，通敏有才幹，擢檀州採金都提轄。

國朝

兵部尚書范承勳墓，在縣北青甸莊，有神道碑，張廷玉撰。密雲丁志。志又云：公先自卜壙，亥巳兼乾巽，傍置別墅，號清溪莊。

王掞撰墓誌：兵部尚書范公，予告十有一年，以疾卒於邸第。訃聞，天子憫悼，贈卹如禮。公諱承勳，字蘇公，號眉山，又自號九松主人。故太傅文肅公諱文程子，而浙閩總督忠貞公諱承謨弟也。忠孝世胄，爲遼左族望第一。公卒於康熙甲午二月初一日，距公之生爲前明辛巳三月十八日，年七十有四。公晚歲愛密雲山水，遂卜兆，仿漢趙邠卿故事，自爲生壙鳳山清泉間。配穆奇覺羅氏，繼沈氏、趙氏。子一，時繹，鑲黃旗佐領。公爲尚書時，兼轄是職，既乞休，上卽命時繹襲之。時繹以康熙五十四年八月二十二日葬公於密雲縣北之清溪莊，卽公所自營生壙處也。

布政使鄂□墓，在青甸莊。密雲丁志。

漕運總督郎温勤廷極墓，在縣東十二里柏崖。密雲丁志。李紱撰墓誌銘：康熙五十有四年正月朔，戊戌，總督漕運兵部右侍郎兼都察院右副都御史郎公，以望闕行賀正禮，蒙犯風露得疾，越二十有二日己未卒。總督趙公疏聞。下禮部議卹。公故奉天廣甯人，先世有列於朝者，遂家京師。秋七月，其孤文壽、文勳以公喪至京，諭祭如典禮，賜謚温勤。諸孤以冬十二月某日，葬公於密雲某山故壟。公諱廷極，字紫衡，生康熙二年四月初十日，距卒得壽五十有三。

高大中丞墓，在縣北鄉青水峪。密雲丁志。按：志未著其名，而云曾任安徽巡撫。

懷柔縣

元

東平王劉公墓，在縣兩河莊。懷柔吴志。

明

贈懷甯伯孫林墓，在縣北紅螺山，前有正統四年尚書李賢碑。懷柔吴志。

懷甯侯孫武敏鏜墓，在縣北紅螺山，前有諭祭碑，及大學士彭時撰神道碑。懷柔吴志。志又云：公父子賜葬懷之紅螺山，因卽占籍焉。

武定侯郭勛墓，在縣北紅螺山前。懷柔吴志。

成山伯王公墓，在縣西北七里。懷柔吴志。

兵部主事成介愍公德墓，在縣北鳳林山前。懷柔吴志。德見先賢傳。昌密道吴愼撰墓碑略：故明甲申之變，君死社稷。順治十年，詔搜輯故明殉難諸臣，以信史册。禮臣上其事，凡二十有八人，而故兵部車駕司成公與焉。因得此葬，錫諡介愍。炳炳乎表忠顯烈。公既光垂簡帙矣，然未悉其一門之節烈。丙午，予承命飭兵昌、密，懷柔周令特以其邑故紳成公殉難之事請，予讀其紀事作而曰：有是哉！成公之闔門忠烈可風也。公諱德，字元升。先世晉之霍州人。以舅氏在懷，遂籍焉。甲申三月，寇圍京師，城陷，公長跽請其母張太君曰：君死國，臣死君，兒之分也。忠孝難以兩全，母其避難。母曰：兒爲忠臣，吾獨不能爲忠臣之母乎？母子俱自經。妻霍氏及其七妹年甫笄未字，亦曰：將何歸乎？有死而已。皆自縊。嗟乎！死節者有之矣，孰有如公之一門從容就義，視死如歸者乎！夫有美而不彰，亦司土者之責也。爰上其事於督撫，而命懷邑令祠公於鄉，且爲之除墓棘，樹豐碑，紀其事以永之，而爲之銘。銘曰：山巉巉兮鬱蒼蒼，石磷磷兮風霜，水嗚咽兮流長，忠魂此埋骨兮馨香，闔門正氣兮流芳，鬼神呵護兮百祀無疆！

國朝

范太傅文肅公文程墓，子都統達禮附葬，在縣北紅螺山，前有賜諡及諭祭碑。懷柔吴志。志又云：都統原名承蔭，後更達禮。李蔚撰墓誌略：公謝政浹一紀，以今康熙丙午卒於邸第，禮臣以卹典請，上念耆德碩績，軫惻有加，祭葬碑諡，須賜靡弗備。已而長公副都統造蔚曰：先太傅葬有期矣，幽宫之石，子宜有言。按范氏系出宋文正仲淹，文正生忠宣公純仁。忠宣之弟丑子正國，爲宋樞密院料理官。靖康之變，扈元祐孟太后至江西，遂家臨川。六傳至景申公岳明，洪武中仕爲雲夢縣丞，坐事謫遼東瀋陽衛，遂爲瀋陽人。公生於丁酉正月二十四日，享壽七十。公諱文程，字憲斗，號輝嶽。

范忠貞公承謨墓，子兵部尚書時崇祔葬，在山北莊，有賜諡碑及兩次諭祭碑。懷柔吴志。范氏家傳：公既殉節，閩海有義士許鼎，負骸繭走京師。事聞，上爲震悼，遣內大臣哭臨其喪，卹典營葬，概從優厚，賜諡忠貞，親製文灑翰，遣近臣督內工勒石表其墓道，而以御書真本賜其家，真古今曠典也。

兵部侍郎范承烈墓，在山北莊。懷柔吴志。

知縣秦簡墓，在城西觀音寺側。懷柔吴志。

涿州

漢

盧植墓，在州東河邨里。一統志。植見先賢傳。後漢書列傳：盧植以初平三年卒，臨困敕其子儉葬於土穴，不用棺槨，附體單帛而已。長安客話：涿州境東南，有漢盧植墓，土人呼爲南臺。

金王寂詩：南臺故址今頹然，漢盧植墓今相傳。舊聞攷：今城東南四里許，盧家莊稍北，有荒阜，徑丈餘，高三尺許，土人指爲盧植墓。墓旁有石半没土中，亦無字蹟可攷。

晉

將軍王友墓，在州東二里。涿州吴志。文將軍墓，在州西粉水口。涿州吴志。太平廣記：范陽粉水口有一墓，石虎，石柱，號文將軍冢。晉安帝隆安中，閭邱南陽將葬婦於墓側，是夕從者數十人，皆夢云：何故厄人以自安？覺説之人皆同，雖心惡之，恥爲夢迴。及葬，鳴鼓角爲聲勢，聞墓上亦鼓角及鎧甲聲。及至墓，死於墓門者三人。後閭邱爲楊佺期所誅，人以爲文將軍之祟。按：墓今無攷。鮮于亮墓，在州南三里。畿輔唐志。

唐

袁天綱墓，在州東北浮落岡。一統志。李淳風墓，在州東北向陽里。涿州吴志。司徒張液墓，在州東南西掖邨。涿州吴志。清河張秀墓，在州東南隅。涿州吴志。元夏以忠昭佑靈惠公廟碑：涿州郡東南隅，有古冢巍然，世傳以爲清河張公之墓。公諱秀，仕唐爲馬軍兵馬使、司寇大將軍、檢校太子詹事、安東副都護兼御史中丞。郡人麗其塋而祠之，目曰金甲將軍，歲致祈禱。又墓嘗圮，得金明昌六年石刻，紀後漢將軍没於是邑而葬焉。

周

竇禹鈞墓，在州西南二十里團柳邨。涿州吴志。志又云：土人呼爲十郎冢。冢後有小穴，人以瓦石投之，鏘然有聲。

遼

王吉甫墓，在州南郭。涿州吴志。

金

高師成墓，在州南永豐里。涿州吴志。翰林學士李慤墓，在州南梁口。涿州吴志。

元

尚書高知廣墓，在州東徐里營。涿州吴志。大名路總管張子良墓，在州東呂郵。涿州吴志。大名路提舉劉瑾墓，在州東北臺郵。涿州吴志。范陽郡侯忽都真墓，在州東河郵。涿州吴志。廉訪使王義墓，在州南郭。涿州吴志。楊仁美墓，在州東河郵。涿州吴志。中奉大夫王德亮墓，在州南莊頭郵。涿州吴志。

明

侍郎李敷墓，在州南永豐里。一統志。都御史秦敬墓，在州東河郵。涿州吴志。鎮撫楊瑛墓，在州北永樂里。涿州吴志。都督王端墓，在州東南交渠里。涿州吴志。尚書田景賢墓，在州東二里。涿州吴志。尚書鄧璋墓，在州東八里。涿州吴志。兵部尚書史道墓，在州城南，有季本撰神道碑。涿州吴志。代府右長史前户部員外郎頓鋭墓，在州境。據楊掄撰墓誌。鋭見先賢傳。

國朝

太保馮銓墓，在州西北栗園莊。涿州吴志。銓見雜人傳。知州楊瑜顯墓，在州南關外。涿州吴志。

房山縣

漢

紀信墓，在縣南三十里韓郈。房山佟志。志又云：有漢誑楚將軍短碣在焉。

唐

孫士林墓，在縣西南趙郈，有碑。房山王志。羅在公孫臏墓辨云：余特往趙郈，謁孫臏墓。拜畢，徐讀墓誌，乃唐將軍孫士林字茂卿墓，其文最詳。蓋碑文美將軍善將兵，因援引古人，謂爲孫臏之後，而土人不識，但見上有孫臏二字，遂以爲其墓云。賈島墓，在縣南十里。一統志。涿州續志：在二站郈南，地被撥入旗，舊迹幾泯，人無識者。知縣羅在公訪得之，募地六畝立祠。島見先賢傳。日下舊聞引長安客話偁，島舉進士，授長江簿，卒於蜀，歸葬房山，墓在縣城南十里。又云：島墓本在普州安岳縣移風鄉，蘇絳誌文足據。日下舊聞據長江集，今攷全唐文所録地名畧異。明一統志乃載入房山，蔣仲舒遂謂島卒於蜀，歸葬房山，不知何所本也。

金

太祖睿陵，在縣西北二十里雲峯山下。一統志。金史貞元三年，遷太祖、太宗梓宮葬大房山。正隆元年，又葬始祖以下十帝於大房山。大定二十八年，改葬熙宗於峩眉谷，曰思陵。蓋每陵以前諸帝皆葬此。金海陵紀：金海陵煬王貞元三年三月乙卯，命以大房山雲峯寺爲山陵。五月乙卯，命判大宗正事京等如上京，奉遷太祖、太宗梓宮。太宗恭陵，在雲峯山下。詳上。世宗興陵，在縣西北大房山東北。一統志。章宗道陵，在大房山東北。一統志。按：一統志又載有宣宗德陵。顧炎武日知録云：宣宗自卽位之二年，遷於南京。三年五月，中都爲蒙古所陷，葬在大梁，非房山矣。今一統志似沿明統志而誤。舊聞攷：雲峯山金帝陵，順治初特設守陵五十户，每歲春秋致祭。亨殿前碑亭恭勒世祖章皇帝御製碑文，聖祖仁皇帝御製碑文。乾隆十六年命葺金太祖、世宗二陵亨殿及繚垣，工竣，親詣展謁。東華續録：乾隆十七年二月，直隸總督方觀承奏，遵旨相度金陵，在房山縣北崇山之內。金太祖陵前地基稍寬，應增修亨殿一，繚以圍牆，立正門，其原有之祭臺、甬路、階砌等項，並加修治。金世宗陵前地隘，應增修亨殿一，並祭臺、圍牆、甬路等項，不能立正門。今就碑亭接連柵欄，立兩角門，足符體制。並將自房山北門至金陵山路二十里一併修治。奏入報聞。十王冢，在縣西北十五里石門峪。房山佟志。志又云：金之宗藩也。

元

高尚書彥敬墓，在縣北六里羊頭岡下。日下舊聞。彥敬見僑寓傳。查嗣瑮查浦輯聞：聞尚書有墓，在羊頭岡，故西巖姚庸詩有云：月射羊岡玉樹林，山齋猶在白雲深。今土人已無知其處者。

明

姚少師廣孝墓，在縣東北四十里太平里。一統志。明宣宗實録：宣德元年五月立故少師榮國公姚廣孝神道碑。初，廣孝卒，太宗皇帝親製碑文，命有司營葬，並樹碑。神道碑已具，而文未刻。至是其養子繼以請，上出永樂中御製文付之曰：其即刻碑，以成皇祖嘉念功臣之志。廣孝見釋道傳。

國朝

大中大夫繼亭佟公暨劉淑人墓，在縣西大房山下，有總督浙江軍務趙廷臣撰墓表。房山佟志。

表云：佟氏自晉、魏以降，世籍撫順，再遷甯遠，代有聞人。迄本朝，而族滋大。繼亭公立身制行，事事以古人爲法，每讀史傳至忠孝節義，輒欷歔歎息，毅然慕之，不斤斤制舉業。元配劉淑人，梁孟儔也，柔順貞静，克嫻婦則，與繼亭公俱以孝恭著節。卜吉於康熙四年二月二十六日，合葬房山之先阡。吴偉業劉淑人墓誌銘畧：大房山之下，有佳城鬱然，斗泉聖水蜿蜒趨之者，是爲佟母劉淑人之墓。淑人之葬也，子江南右方伯彭年方從政於吴，季弟房山令有年爲書告兄曰：吕望封齊，三世葬周，不忘本也。吾家備旄車之族，掌環列之官，循墓大夫遺制三輔股肱，山川完密，莫宜於房邑，將以月日逆吾母之喪而堋焉。

魯旦復墓，在樓邨。魯之裕式馨堂集。之裕有拜族叔旦復公墓詩，注云：在房山縣樓邨。

張中丞墓，在縣東南一里許。房山佟志。

九女墓，在縣南一里許。房山佟志。

霸州

漢

公孫渾邪墓，在州東。一統志。長安客話：公孫渾邪卒，葬於平曲城，俗名花達墓，在霸州東二十里。日下舊聞引作二十五里。今按同治十三年州志，郙莊門州東有平曲郙，屬臺山里，亦作二十五里。又按：會通河北支，自三岔口東北流入州之東南境，又東北逕花達墓。周堪墓，在州南二里。一統志。王存九域志：漢光祿大夫周堪墓，在城南二里。按：墓今無攷。

明

郭御史龍墓，在維民坊東北。霸州周志。志又云：龍四川宜賓人，永樂二年以御史謫霸州忠孝屯編氓，卒葬於此。侍郎王宗義墓，在城東十五里。霸州周志。志又云：梁尚書夢龍撰志。王遴墓，在州東。一統志。遴見先賢傳。南京工部侍郎張恕墓，在州境。據洪鍾撰墓誌銘。志云：正德戊辰七月十七日，工部亞卿張公卒官，其子驄踵門泣求誌銘。按：公諱恕，字希仁，世居順天霸州。公生於景泰壬申，距卒享年五十有七。配江氏。子三：長龍，次豸，俱卒。次即驄，驄卜正德四年春二月甲申，扶柩歸葬於祖塋之次。

國朝

户部侍郎郝傑墓，在城東青口郙，有諭祭碑。霸州周志。傑見先賢傳。

文安縣

無時代古冢

康王墓，在縣西南。文安楊志。志又云：不詳世系。墓高丈餘，圍五六十步，每遇旱，自墳西南逶迤三里闊，尋苗先枯，疑爲隧道云。唐王墓，在縣東南天德店。文安楊志。志又云：故隴巍然，世系無攷。孝母冢，在縣西南孫家務西里許。文安楊志。志又云：不知何氏，上有草叢，生花淡紫，徑寸如蓮花，土人謂孝蓮。

漢

欒巨叔墓，在縣東南二十五里。一統志。太平寰宇記：欒毅伐齊，後從燕入趙。毅生間，間生巨叔。毅封昌國君。至漢高祖，求毅之後，封巨叔爲華成君，卒，葬於此。

唐

都御史董甫墓，在城西南安祖店迤北。文安楊志。志又云：萬曆初年，土人掘得墓石，文乃裴晉公撰，畏禁，毀之。

工部尚書張仁憲墓，在縣西北三里相公莊，有神道碑，李儉撰。一統志。文安楊志：即仁憲故里，有神道碑，在莊北。碑云：工部張公，嘗仕本州，歷居右職。貞元初，敕授銀青光禄大夫、太子中允。四年，薨於昌平縣之官舍，春秋七十有五。旋窆於文安縣之西北安樂鄉原。夫人魯氏，後公二十二年没，至是祔焉。公諱仁憲，字仁憲，其先清河人。祖諱爲，瀛州刺史，封清河伯，遂家於燕。

元

平章政事王伯勝墓，在縣東南二十五里岳邨，有碑。一統志。伯勝見先賢傳。

布衣張伯用墓，在縣東北艾子邨，有墓碑。文安楊志。

明

四川巡撫邢表墓，在縣東南二十里龍街邨，有諭祭文。文安楊志。志又云：順天府通判趙鉉營祭葬。

大同巡撫王儀墓，在城北十八里張哥莊。一統志。楊志云：有中允楊維聰志。儀見先賢傳。

河南布政紀常墓，在城西孫章邨。文安楊志。志又云：有翰林王顯忠志。常見先賢傳。

孝子王原墓，在縣西北相公莊之南。文安楊志。原見先賢傳。

鄖陽巡撫姜璧墓，在城東南東鄭邨。文安楊志。志又云：有禮部侍郎余繼登志。璧見先賢傳。

湖廣按察使王應霖墓，在城西北相公莊。文安楊志。志又云：有大學士孫承宗志。按：應霖即孝子王原之曾孫。

雲南按察井濟博墓，在縣北二十里狼虎廟。文安楊志。志又云：有孫承宗志。

山西布政司

右參政王以纁墓，在縣東北莊頭邨。文安楊志。志又云：有兵部尚書李汶志。山西按察副使王緎墓，在城北十八里張哥莊。文安楊志。志又云：在儀墓側。翰林院檢討王陞墓，在縣西北郭里邨。文安楊志。志又云：有孫承宗志。孝子應天府推官紀汝清墓，在城西孫章邨。文安楊志。志又云：有禮部侍郎公鼐志。山東平度州知州陳所問墓，在縣東北孟家務，有諭祭葬文。文安楊志。户部郎中李崇德墓，在城西盧哥莊。文安楊志。志又云：贈光禄寺少卿，有諭祭葬文。

國朝

奉天府府尹王守明墓，在縣西北相公莊之南。文安楊志。志又云：在孝子王原墓側，有大學士傅以漸志。志云：公諱守明，字翊哲，號敏我，爲文安甲族。子參藩，以丙戌成進士。公没，參藩伯仲卜兆於相公莊之祖塋。崇明知縣陳慎墓，在城東久遠莊。文安楊志。慎見先賢傳。倉場總督陳協墓，在慎墓側。文安楊志。協，慎弟，見先賢傳。崔廷珍墓，在縣東北急流口西。文安楊志。志又云：崔邑侯啟元長子，諱廷珍，字光振，從侯捕賊於柴溝邨，奮勇争先，被重傷身隕，邑人痛惜之。

大城縣

秦

太子墓在城北六十里段堤邨。日下舊聞引皇甫鑒城冢記。大城張志：相傳始皇巡狩沙漠，駐蹕於此，值幼子薨，因瘞之。昔年居民向冢祈禱，無不應者，人呼爲仙人墓。

晉

王羲之墓，在城西王祥邨。日下舊聞。按：徐昌祚燕山叢録：大城城西五里有古墓，近世民竊發之，見五色石槨上有王羲之三字，乃掩之，好事者因立石識其處。右軍故琅邪人，流寓江左，墓本在會稽，今大城云云，其妄無疑。張志云：羲字疑義字之訛，似宜從。

唐

靳夫人墓，在城東南十五里。曹學佺名勝志。大城張志：兗州長史靳思室也。墓沿河，河水衝決，止存墓石。董縣令墓，在城西王祥邨。大城張志。志又云：唐西蜀峨眉令，僅有邱形，石碑無存。

金

趙榮、趙展墓，在縣西梁邨。大城張志。志又云：大定十年立，迄今有土邱，纍纍如貫珠。

元

同知廣東宣慰司事王守信墓，在縣北孟邨。大城張志。姚燧撰神道碑略：至元三十年，年五十六，六月四日卒廣州，在官三十二年。今以某歲月日還葬霸之大城孟邨。平章劉寬墓，在縣東二十里交河邨北。大城張志。志又云：有碑，碑爲河水所盪刷，字不能辨，相傳爲劉寬墓。左丞武成墓，在縣北六十里武家莊。大城張志。

明

僉憲傅吉墓，在城東二十里小流漂邨。大城張志。志又云：公按甘肅有聲。封公馬齡墓，在城東郝兒莊。大城張志。憲副馬慎墓，在城東北樓堤邨。大城張志。刺史馬雲鴻墓，在城東姚家渡。大城張志。郎中孟錡墓，在城南趙二邨。大城張志。封公李淮、大中丞李松墓，俱在城西陳邨。大城張志。封公劉鉞、太常卿劉大受墓，俱在城西王香屯。大城張志。舉人劉汝爲偕烈婦馬氏墓，在城西王香屯。大城張志。馬氏見列女傳。按察使李應魁墓，在城南宋家莊西。大城張志。封公劉灝墓，在城東趙扶邨。大城張志。知府鄧希皋墓，在城北隴中邨。大城張志。知縣鄧希夔墓，在城南白羊邨。大城張志。知縣梁國棟墓，在城東南賈莊邨。大城張志。

國朝

贈僉事，保康縣知縣薛溥墓，在城南白羊邨。大城張志。兵部主事薛元瑞墓，在城南白羊邨。大城張志。都察院左副都御史劉漢儒墓，在城北二里許。大城張志。漢儒見先賢傳。知縣王建中墓，在城北興兒莊。大城張志。陝州知州吴夢周墓，在城南田莊邨。大城張志。推官王秉乘墓，在城西王祥邨。大城張志。

保定縣

漢

張堪墓，在城西南二里。一統志。按：後漢書：張堪拜漁陽太守，開稻田八千餘頃，致民殷富。視事八年。其葬處，史無明文。非如朱邑，桐鄉之塋有可據。惟攷保定，於漢爲涿郡易縣，地與漁陽郡統屬幽州，其界相連，或亦堪遺愛所在。然其蹟已不可辨矣。

唐

竇建德墓，在城西南二十里。保定成志。按：新舊唐書：建德於陣前俘獲，戮於長安市，保定有墓，未必真也。宛平志亦載有建德墓，未知孰是。

元

湖北道宣慰使張榮實墓。保定成志。榮實見先賢傳。都督元帥張玉墓。保定成志。

明

刑部郎中仝士元墓，在縣西燕子口。保定成志。刑部山西司郎中仝保墓，在縣南羊路疃東。保定成志。監察御史楊常墓，在縣東南孔家務北。保定成志。太僕寺少卿宋□墓，在縣西北張青口。保定成志。户部主事榮守正墓，在舊城南。保定成志。志又云：有翰林酈汴撰墓誌。山東按察司僉事王誥墓，子顯宗坿葬，在縣西南。保定成志。志又云：侍郎張潮撰誥墓志，大學士陳以勤撰顯宗墓志。山東文登知縣王廷楹墓，在城西。保定成志。工部郎中史瑜墓，在縣西莊頭南岡。保定成志。

國朝

户部主事劉餘清墓，在老城南。保定成志。志又云：有大學士傅以漸撰墓志。古稱劉園果木叢盛。

薊州

戰國

燕昭王墓，在盤山千像寺之東十里。薊州沈志。劉之推九州要略云（按樂史、寰宇記引作九州要記）：古漁陽北，有無終山，山上有燕昭王冢，冢去千像寺東南不數里，而人無知之者。欽定盤山志：燕昭王冢，通志在玉田縣，並述明志在府西清河縣，保定府志在易州東南，錯互不可置辯。劉之推作九州要略，時張華伐木照狐之説尚可稽訪，所言宜較確鑿耳。

明

御史歐信墓，在州東三里，有諭祭碑，石人、馬等物。一統志。祭酒成憲墓，在城東三里，有神道碑。薊州沈志。御史劉□墓，在州西白馬泉，下有諭祭碑。薊州沈志。御史錢□墓，在城西一里，有封誥碑，諭祭碑。薊州沈志。尚書賈斌墓，在州東七園莊，有諭祭碑。薊州沈志。侍郎毛綱墓，在州東七里鳳凰山下。薊州沈志。尚書燕忠墓，在州東三里。一統志。御史李□墓，在州東六里珠兒峪。薊州沈志。吏部張□墓，在州西北香林寺左側。薊州沈志。處士李孔昭墓，在州北二里白馬泉西。薊州沈志。妻王氏合葬。孔昭見先賢傳。戴孝子墓，在州東北二里悟樂菴東。薊州沈志。舊志：戴夢熊，浙之浦江人，事母至孝，死，葬於薊。此墳或即其墳，姑志之，以備後之參攷。

國朝

恆親王園寢，在州東北六里鍾靈山下。薊州沈志。

榮親王園寢，在州東北四十五里黄花山下。薊州沈志。

端慧太子園寢，在州東三十里朱華山，乾隆八年建，設立千總一員、外委一員、馬兵七名、守兵四十七名，以守護焉。薊州沈志。兵部侍郎韓鑅墓，在州東一里北大井。采訪册。李宗昉撰神道碑：公韓姓，諱鑅，字序東，别字蘭亭，貴州畢節人也。公以别駕入仕，揀發東河，超擢至東河總督。嘉慶四年，轉兵部左侍郎。純廟上賓，奉護裕陵，積勞致疾，得請告，並准入大興籍。九年八月十二日，卒於京邸，年七十六。配阮氏，早卒，葬本籍。繼聶氏，後公三載以十一年五月初七日卒，年六十四。子一，樹猷。孫開泰、開景。卒之明年，樹猷以公及夫人合葬都城永定門外葛家廟。術者以爲不吉。道光元年八月，開景卜改葬於薊州東門外北大井邨。詩僧智朴墓，在盤山盤谷寺之東。薊州沈志。李江盤山志補遺：智朴工詩，既卒，其徒葬於盤谷寺之東。往予過之墓前，竟無一字，予爲題曰：清詩僧智朴之墓。智朴見釋道傳。

廣東候補知府李潤墓，在州東三十五里朱華邨。采訪册。册又云：黄雲鵠撰墓志。

劉節婦墓，在州東三十里趙格莊南，撈掏溝。采訪册。

烈婦劉氏墓，在州西三義廟前。李之芳撰烈婦劉氏碑記。劉氏見烈女傳。

吏部主事、前河南道御史吴可讀墓，在州東馬伸橋三義廟東一里許。采訪册。按：可讀字柳堂，甘肅皋蘭人，道光庚戌進士，以部郎洊升河南道監察御史。同治十二年，因疏劾烏魯木齊提督成禄，語近激烈，部議免官。光緒初元起廢，選授吏部主事。五年春三月，奉安惠陵，吏部遴行禮官，可讀請備員以往。禮成，獨留於州之馬伸橋三義廟，居五日，仰藥畢命，閏三月初六日戌時也。遺疏奏聞，上爲震悼，賜卹如禮。長子兵部主事之桓，遵遺命葬於州之三義廟東里許。今從邸報録其遺疏，并絶命詩於後：史部稽勳司主事，前任河南道監察御史臣吴可讀跪奏，爲以一死泣請懿旨，預定大統之歸，以畢今生忠愛事：竊罪臣聞治國不諱亂，安國不忘危，危亂而可諱可忘，則進苦口於堯舜，爲無疾之呻吟，陳隱患於聖明，爲不祥之舉動。罪臣前因言事忿激，自甘或斬或囚，經王大臣會議，奏請傳臣質訊，乃蒙我先皇帝曲賜矜全，既免臣以斬而死，復免臣以囚而死，又復免臣於以傳訊而觸忌觸怒而死。犯三死而未死，不求生而再生，則今日罪臣未盡之餘年，皆我先皇帝數年前所賜也。乃天崩地坼，忽遭十三年十二月初五日之變，即日欽奉兩宫皇太后懿旨：大行皇帝龍馭上賓，未有儲貳，不得已，以醇親王之子承繼文宗顯皇帝爲子，入承大統爲嗣皇帝，俟嗣皇帝生有皇子，即承繼大行皇帝爲嗣，特諭。罪臣涕流跪誦，反覆思維，竊以爲兩宫皇太后一誤再誤，爲文宗顯皇帝立子，不爲我大行皇帝立嗣，既不爲我大行皇帝立嗣，則今日嗣皇帝所承大統，乃奉我兩宫皇太后之命，受之於文宗顯皇帝，非受之於我大行皇帝也，而將來大統之承，亦奉有明文，必歸之承繼之子，即謂懿旨内既有承繼爲嗣一語，則大統之仍歸繼子，自不待言。罪臣竊以爲未然。自古推戴擁立之際，爲臣子所難言。我朝二百餘年祖宗家法，子以傳子，骨肉之間，萬世應無間然。況醇親王公忠體國，中外翕然，稱爲賢王。觀王當時一奏，令人忠義奮發之氣，勃然而生，言爲心聲，豈能僞爲？罪臣讀之，至於歌哭不能已已。儻王聞臣有此奏，未必不怒臣之妄，而憐臣之愚，必不以臣言爲開離間之端，而我皇上仁孝性成，承我兩宫皇太后授以寶位，將來千秋萬歲時，均能以我兩宫皇太后今日之心爲心，而在廷之忠佞不齊，即衆論之異同不一。以宋初宰相趙普之賢，猶有首背杜太后之事；以前明大學士王直之爲國家舊人，猶以黄竑請立景帝太子一疏，出於蠻夷，而不出於我輩爲愧，賢者如此，遑問不肖！舊人如此，奚責新進！名位已定者如此，況在未定！不得已於一悮再悮中，而求一歸於不悮之策，惟有仰乞我兩宫皇太后再行明白降一諭旨，將來大統仍歸承繼大行皇帝嗣子，嗣皇帝雖百斯男，中外及左右臣工均不得以異言進。正名定分，預絶紛紜，如此則猶是本朝祖宗來子以傳子之家法，而我大行皇帝未有子而有子，即我兩宫皇太后未有孫而有孫，異日繩繩緝緝，相引於萬代者，皆我兩宫皇太后所自出而不可移易者也。罪臣所謂一悮再悮，而終歸不悮者，此也。彼時罪臣即以此意擬成一摺，由都察院轉進呈遞，奏底俱已就草，伏思罪臣業已降調，不得越職言事，且此何等事，此何等言，出之親臣、重臣、大臣，則爲深謀遠慮，出之於疏臣、遠臣、小臣，則爲干進希名，又思在諸臣中忠直最著者，未必即以此事爲可緩，言亦無益而置之，故罪臣且留以有待。洎罪臣以查辦廢員內，蒙恩圈出引見，奉旨以主事特用，仍復還就吏部，邇來又已五六年矣。此五六年中，環顧在廷，仍未有念及此者。今逢我大行皇帝永遠奉安山陵，恐遂漸久漸忘，則罪臣昔日所留以有待者，今則迫不及待矣。仰鼎湖之仙駕，瞻戀九重，攀弓劍於橋山，魂依尺帛。謹以我先皇帝所賜餘年，爲我先皇帝上乞懿旨數行於兩宮皇太后之前。惟是臨命之身，神志瞀亂，摺中詞意，未克詳明，引用率多遺忘，不及前此未上之摺一二，繕寫又不能莊正，罪臣本無古人學問，豈能似古人從容！昔有赴死而行不復成步者，人曰：子懼乎？曰：懼。曰：既懼，何不歸？曰：懼吾私也，死，吾公也。罪臣今日亦猶是。鳥之將死，其鳴也哀，人之將死，其言也善。罪臣豈敢比曾參之賢，即死其言亦未必善。惟望我兩宮皇太后，我皇上憐其哀鳴，勿以爲無疾之呻吟，不祥之舉動，則罪臣雖死無憾。宋臣有言：凡事言於未然，誠爲太過；及其已然，則又無所及，言之何益！可使朝廷受未然之言，不可使臣等有無及之悔。今罪臣誠願異日臣言之不驗，使天下後世笑臣愚；不願異日臣言之或驗，使天下後世謂臣明。等杜牧之罪言，雖逾職分；效史鰌之尸諫，祗盡愚忠。罪臣尤願我兩宮皇太后，我皇上體聖祖、世宗之心，調劑寬猛，養忠厚和平之福，任用老成，毋爭外國之所獨爭，爲中華留不盡，毋創祖宗之所未創，爲子孫留有餘，罪臣言畢於斯，願畢於斯，命畢於斯。再，罪臣曾任御史，故敢昧死具摺，又以今職不能專達，懇由臣部堂官代爲上進。罪臣前以臣衙門所派隨同行禮司員內，未經派及罪臣，是以罪臣再四面求臣部堂官大學士寶鋆，始添派而來。罪臣之死，爲寶鋆所不及料，想寶鋆並無不應派而派之咎。時當盛世，豈容有疑於殉葬不情之事！特以我先皇帝龍馭永歸天下，普天同泣，故不禁哀痛迫切，謹以大統所繫，貪陳慺慺，自稱罪臣以聞。謹具奏。絶命詩云：回頭六十八年中，往事空談愛與忠。抔土已成黃帝鼎，前星預祝紫微宮。相逢老輩寥寥甚，到處先生好好同。欲問孤臣戀恩所，五更風雨薊門東。

平谷縣

上古

黃帝陵，在縣東北漁子山。日下舊聞攷。長安客話：世傳黃帝陵在漁子山，今平谷縣東北十五里，岡阜窿然，形如大冢，即漁子山也。其下有軒轅廟。復按云：史記：黃帝崩，葬橋山。魏王象、繆襲等撰皇覽云在上郡。地理志謂是上郡同陽縣。括地志謂在甯州羅川縣東八十里子午山。今平谷之陵，人多疑流傳之誤。然帝既都涿鹿，則葬於此，理亦有之，抑衣冠之葬，或者非一處也。大清會典：告祭軒轅陵，本朝仍舊制，在今陝西鄜州之中部縣境。

漢

馬成墓，在縣東二里。一統志。

金

巨構墓，在縣南八里有碑。一統志。構見先賢傳。轉運使張格墓，在縣北八里。平谷朱志。金花公主墓，在縣東三十里上馬家莊。平谷朱志。俗傳金章宗女葬於此。

元

都元帥府經歷張伯道墓，在縣境。平谷朱志。奉訓大夫張居仁墓，在縣東北十五里。平谷朱志。奉訓大夫張仲文墓，在縣東北十五里。平谷朱志。進士張德温墓，在縣東北十五里。平谷朱志。葆真太師墓，在縣東北二十里。明萬曆沈志但偁有碑，而未著年代，今坿於此。

明

營州中屯衛世襲指揮同知楊家墓，在城西北半里。平谷續志。志載墓碑云：一世楊春，二世楊鏞，三世楊亨義，四世楊玉琢，五世楊迪、還，六世楊清，七世楊加猷。加猷由襲鎮守龍泉關，原籍湖州，卒皆葬於此。康熙二十三年楊加謨立石。

國朝

翰林院侍讀雲南學政牛坤墓，在縣東關外。平谷續志。志又云：坤字次原，原籍天津，嘉慶年間徙居縣城內，咸豐年間卒。內閣中書、山西汾州府知府牛鎮墓，在縣東關外。平谷續志。鎮，坤之子。

正定府教授牛昌籙墓，在城東北一里下紙寨莊。平谷續志。志又云：昌籙字荻坨，由副貢任平谷縣教諭，咸豐年推升正定府教授，卒於任，歸葬於此。原籍天津静海縣。

華陽吴祖椿校